JMP 로 시작하는
데이터 분석

JMP 로 시작하는 데이터 분석

발 행 | 2024 년 8 월 12 일

저 자 | 주용한, 신익주

펴낸이 | 한건희

펴낸곳 | 주식회사 부크크

출판사등록 | 2014.07.15(제 2014-16 호)

주 소 | 서울특별시 금천구 가산디지털 1 로 119 SK 트윈타워 A 동 305 호

전 화 | 1670-8316

이메일 | info@bookk.co.kr

ISBN | 979-11-419-5335-5

JMP 로 시작하는 데이터 분석

(JMP18)

주용한, 신익주 지음

개정판 머리말

이 책은 2023 년 2 월 JMP17 버전을 기준으로 하여 처음 출간되었습니다. JMP 는 매 18 개월마다 새로운 버전이 출시되고, 그 중간 몇 번의 Minor Update 가 있는 데 2024 년 8 월 현재 최신 버전은 18.0.1 입니다.

이번 개정판은 JMP18 버전의 업데이트 내용을 반영하면서 초판의 오류를 수정하고 일부 내용을 보완하였습니다.
주요 변경 사항은 다음과 같습니다.

1) 15 장 '예측 모델링(머신 러닝)' 부분을 '유의한 변수를 선별하기 위한 JMP 활용법'으로 제목을 변경하고 내용을 대폭 변경하였습니다. Neural Network 부분을 삭제하고 Response Screening 을 새로 추가하였습니다.

2) 11 장. '회귀 분석'에 단계별 회귀(Stepwise Regression)을 추가하였습니다.

3) 14 장. '동등성 검정'에서 비모수 및 쌍을 이룬 데이터에 대한 동등성 검정이 추가되었습니다.

JMP 를 활용한 데이터 분석과 커뮤니케이션 향상에 이 책이 도움이 되기를 기원합니다.

2024 년 8 월
저자 일동

* 책의 제목을 'JMP 로 시작하는 데이터 분석 기초'에서 '기초'를 생략하여 'JMP 로 시작하는 데이터 분석'으로 변경하였습니다.

머리말

JMP 는 데이터와 분석 결과 간의 연동성, 탁월한 가시성, Python/R 등과의 호환성, 강력한 DOE(실험 계획법) 및 Machine Learning 기능을 가지고 있는 데이터 분석 소프트웨어입니다.

이 책은 JMP 를 활용한 데이터 분석의 첫 걸음으로 데이터의 표현, 요약, 시각화 등의 탐색적 데이터 분석(EDA : Exploratory Data Analysis)과 통계적 가설 검정(유의차 검정) 등을 주내용으로 하고 있습니다

이 책은 전체 14 장으로 구성되어 있습니다.
'1 장. 통계와 데이터' 에서는 이 책의 서론으로 통계 및 데이터에 대한 개략적인 설명을 포함하였고, '2 장. 데이터의 표현, 요약'에는 통계량의 표현과 요약에 대해 설명되어 있습니다. '3 장. 데이터 시각화'는 JMP 의 가장 큰 장점중의 하나인 그래프를 통한 데이터 시각화에 대한 내용입니다.
4장과 5장은 확률, 분포 및 추정에 대한 내용을 담고 있고, 6장에서는 이 책의 근간인 유의차 검정(가설 검정)에 대해 설명하였고 7 장부터 12 장부터는 ANOVA, 회귀 분석 등 상황에 따른 유의차 검정 방법에 대해 설명하였습니다. 그리고 13 장에서는 비모수적 방법을, 14 장에서는 동등성 검정, 15 장에서는 예측 모델링(머신 러닝) 방법에 대한 간략한 소개를 담고 있습니다.

이론적인 설명 및 통계 공식에 대하여 이전의 책보다는 많은 내용을 추가하였습니다만 이 책이 데이터 분석의 기초적인 측면을 다루고 있다는 점, JMP 를 활용한 실무적인 데이터 분석에 주안점을 둔 점을 감안하여 필요한 내용에 대해서만 간략히 설명하였습니다.

'데이터 분석을 위한 JMP 활용'에 대해 시리즈를 책을 발간하려고 하고 있습니다. 'JMP 데이터 전처리와 통계 기초'와 'JMP 실무 활용 가이드'를

기발간하였고 조만간 'JMP 를 활용한 실험 계획법'과 'JMP 를 활용한 통계적 품질 관리'를 출간하기 위해 준비중입니다.

JMP 를 활용한 데이터 분석과 커뮤니케이션 향상에 이 책이 도움이 되기를 기원합니다.

감사합니다.

2023 년 3 월 2 일
저자 일동

* 이 책에는 데이터 분석 기초에 필요한 내용 중 데이터 전처리와 관련된 내용은 포함되어 있지 않습니다. 이에 대해서는 '데이터 분석을 위한 JMP 활용 : JMP 데이터 전처리와 통계 기초(JMP17 개정판), 부크크 출판사'을 참조하기 바랍니다.

* 2023 년 5 월 12 일 기준으로 일부 내용에 대해 1 차 수정, 보완하였으며 2024 년 2 월 28 일에 2 차 수정, 보완하였습니다.

<목차>

1 장. 통계와 데이터 11
1. 통계와 데이터 11
2. 통계 소프트웨어와 JMP 16

2 장. 데이터의 표현, 요약 25
1. 통계량(Statistics) 26
2. 통계량의 계산, 요약 34

3 장. 데이터 시각화 53
1. 도수분포표와 히스토그램 54
2. 그래프 빌더(Graph Builder)의 활용 59
3. 그래프 빌더 활용을 위한 몇 가지 팁 78
4. 그 외 다른 그래프 87
5. 데이터 시각화 유의 사항 99

4 장. 확률과 분포 107
1. 확률의 활용 107
2. 확률 분포 111
3. 표본 분포 120

5 장. 추정 129
1. 추정 129
2. 모평균과 모비율에 대한 구간 추정 131
3. 신뢰 구간과 통계적 유의성 131

6 장. 유의차 검정(가설 검정) 139

1. 가설 검정...139

2. JMP에서의 가설 검정..148

7장. 하나의 모집단에 대한 유의차 검정...155

1. 평균에 대한 유의차 검정..155

2. 산포(표준 편차)에 대한 유의차 검정..163

3. 비율에 대한 유의차 검정..165

8장. 두 모집단에 대한 비교..169

1. 평균의 차이에 대한 유의차 검정..169

2. 분산(산포)의 차이에 대한 유의차 검정..172

3. 쌍을 이룬 집단의 경우 평균의 차이에 대한 검정...178

4. 비율의 차이에 대한 검정..181

9장. ANOVA(분산 분석)..185

1. ANOVA에 대한 이해...185

2. One Way ANOVA(일원 분산 분석)..190

3. Two Way ANOVA(이원 분산 분석)..193

4. 다중 비교(Multiple Comparison)...198

10장. 상관 분석..205

1. 공분산과 상관 계수...205

2. 다변량 상관 분석...211

11장. 회귀 분석..219

1. 회귀 분석에 대한 이해..219

2. 단순 회귀 분석...226

3. 다항 회귀 분석...230

4. 다중 회귀 분석 241

5. 단계별 회귀(Stepwise Regression) 258

12 장. 범주형 반응치에 대한 유의차 검정 265

1. 분할 분석 265

2. 로지스틱 회귀 분석 272

13 장. 비모수적 방법 283

1. 모수적 가정에 대한 확인 및 처리 방법 283

2. 이상치 처리와 데이터 변환 285

3. 비모수적 검정 294

4. 로버스터 검정 298

14 장. 동등성 검정 305

1. 평균에 대한 동등성 검정 306

2. 산포에 대한 동등성 검정 312

3. 비율에 대한 동등성 검정 313

4. 비모수 데이터에 대한 동등성 검정 315

5. 쌍을 이룬 데이터에 대한 동등성 검정 319

15 장. 유의한 변수를 선별하기 위한 JMP 활용법 323

1. Partition(Decision Tree) 324

2. Predictor Screening 345

3. Response Screening 347

참고 자료 358

찾아보기(index) 359

<이 책을 활용하는 방법>

이 책의 활용 방법과 관련된 몇 가지 사항은 아래와 같습니다.

1) 이 책은 2024 년 봄에 출시된 JMP18 윈도우 버전(영어)을 기준으로 설명되어 있습니다. 한글 버전 사용자라면 '파일 / 환경설정의 윈도우 관련'에서 표시 언어를 English 로 변경하여 사용하면 됩니다.

2) 일반 JMP 기준으로 설명되어 있으며 JMP Pro 에 해당하는 기능의 경우에는 JMP Pro 에 있는 기능임을 밝혀 두었습니다.

3) 이 책에서 활용된 데이터는 JMP 내의 데이터(JMP 에서 Help / Sample Data Folder 에서 확인 가능)를 주로 활용하였으며 그 외의 데이터는 JMP 네이버 블로그에서 다운로드 받을 수 있습니다(https://blog.naver.com/discoveringjmp)

4) 이 책의 내용과 관련한 오류, 질문 등은 아래 메일 주소로 문의바랍니다. (ikju.shin@jmp.com)

1 장. 통계와 데이터

개요

1 장은 이 책의 개요에 해당하는 부분으로 다음 두 가지에 대해 살펴보고자 한다.
1) 통계와 데이터
2) 통계 소프트웨어와 JMP

1. 통계(Statistics)와 데이터

1) 통계(Statistics)

위키피디어에서 통계에 대해 살펴보면 '데이터의 수집, 구성, 분석, 해석 및 표현과 관련된 체계(discipline that concerns the collection, organization, analysis, interpretation, and presentation of data)[1]'라고 정의되어 있다. 즉, 통계란 데이터를 수집하고 분석 목적에 적합하게끔 데이터를 전처리한 후에, 분석 및 해석을 하고 그 결과에 대해 커뮤니케이션하는 과정 및 체계라고 할 수 있다. 여기서 '분석 및 해석'에는 데이터의 전반적인 모습을 살펴보는 탐색적 데이터 분석(EDA : Exploratory Data Analysis)과 유의한 변수를 선별하는 스크리닝 및 결과를 최적화하여 수학적 모델로 표현하는 모델링 등이 포함될 수 있다.

마찬가지로 위키피디어에서 데이터 분석(Data Analysis)에 대해 살펴보면 '유용한 정보를 발견하고 결론을 도출하고 의사결정을 지원하기 위한 목적으로 데이터를 검사, 정리, 변환 및 모델링하는 프로세스(process of inspecting, cleansing, transforming, and modeling data with the goal of discovering useful information, informing conclusions, and supporting decision-

---

[1] https://en.wikipedia.org/wiki/Statistics

making)로 통계에 대한 정의와 거의 동일함을 알 수 있다.

통계(Statistics)와 데이터 분석(Data Analysis)의 뜻과 범위는 학술적으로 다를 수 있겠지만, 위키피디아에서 살펴본 것처럼 이 책에서는 동일한 의미로 사용하고자 한다

이 책에서는 데이터 분석 프로세스를 다음과 같이 간략히 요약하였고 책의 주요 내용은 세 번째 단계인 탐색적 데이터 분석과 네 번째 단계인 Screening 에 해당된다고 할 수 있다.

[그림 1.1 데이터 분석 프로세스]

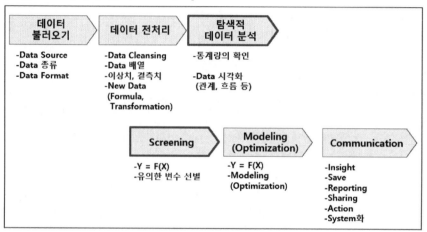

통계의 종류는 전통적으로 기술 통계와 추론(추리) 통계로 나누어 왔는 데, 표본(Sample)의 특성을 통계량(Statistics)을 이용하여 요약, 표현하는 것을 기술 통계(Descriptive Statistics)라 하며, 표본의 통계량에 기초하여 모집단을 추론하는 것을 추론 통계(Inferential Statistics)라 한다. 이 책의 '2 장. 데이터의 표현, 요약'과 '3 장. 데이터 시각화'가 기술 통계에 해당되고 '6 장. 유의차 검정(가설 검정)'부터는 추론 통계에 해당하다고 볼 수 있다.

최근 들어와 실무에서 '통계'보다는 '데이터 분석'이라는 용어가 보다 많이 사용되는 경향이 있는 데 데이터 분석이라는 관점에서는 기술적(Descriptive) 분석, 예측(Predictive) 분석 및 처방(Prescriptive) 분석으로 구분하기도 하고,

진단(Diagnostic) 분석을 추가하여 네 가지로 분류하기로 한다.

[그림 1.2]는 데이터 분석을 네 가지 차원으로 요약, 정리한 것이다.

[그림 1.2]

유형	핵심 질문과 주요 내용
Descriptive Analytics	핵심 질문 : What happened ? 주요 내용 1) 현상에 대한 기술이 주요 내용 2) 탐색적 데이터 분석이 중심, 통계량의 계산과 시각화를 통해 어떤 문제가 있는 지 탐지해 내는 것이 중요 3) BI(Business Intelligence) 소프트웨어, Dashboard 등 활용
Diagnostic Analytics	핵심 질문 : Why did this happen ? 주요 내용 1) 문제의 식별하고, 원인을 파악하는 데 중점 2) 원인을 파악해 내는 통찰력(Insight)가 중요하며, 데이터 문해력(Data Literacy)의 핵심 내용 3) 데이터 전처리를 제외하고 분석에서 가장 많은 시간 소요됨
Predictive Analytics	핵심 질문 : What might happen in the future ? 주요 내용 1) Data Science, Machine Learning, 예측 등의 용어가 사용 2) Python, R 및 대규모 분석 도구가 활용
Prescriptive Analytics	핵심 질문 : What should we do next ? 주요 내용 1) 비즈니스 의사 결정의 영역 (데이터와 분석 결과로 무엇을 할 것인가 ?) 2) 이러한 결정을 하는 사람의 Skill, Insight가 매우 중요

2) 데이터

통계는 데이터(자료)에서 출발하므로 데이터에 대한 이해가 통계 학습의 첫걸음이라고 할 수 있다. 데이터의 종류와 관련된 몇 가지 용어를 살펴보자.

과거에는 숫자(Numeric)만을 데이터로 생각했지만 최근에는 숫자(Numeric) 외에 문자(Text, Character), 음성, 이미지 등을 모두 데이터 종류로 본다.

숫자의 경우 분석에서의 모델링 유형(Modeling Type)에 따라 몇 가지로 구분할 수 있다.

모델링 유형은 척도(Scale), 측정 수준(Level of Measurement)이라고도 하는 데 크게 연속형(Continuous)과 범주형(Categorical)으로 구분되고, 연속형은 등간(Interval) 척도와 비율(Ratio) 척도로, 범주형은 다시 명목(Nominal) 척도와 서열(Ordinal) 척도로 구분된다. 온도를 예로 들면 섭씨 10 도와 20 도, 20 도와 30 도는 모두 10 도차이라는 동일한 간격으로 볼 수 있으므로 등간 척도라 볼 수 있지만 10 도보다 20 도가 두 배 덥다는 뜻은 아니므로 비율 척도로 볼 수 없다. 절대 '0'의 존재 여부로 등간과 비율을 구분하기도 하는 데 절대적인 '0' 이 존재할 경우는 비율 척도, 그렇지 못할 때는 등간척도이다. 범주형에 있어서 명목, 서열 척도 외에 이진(Binary) 척도도 있는 데 이는 구별 범주가 두 가지뿐인 명목 척도의 특수한 형태라 할 수 있다.

[그림 1.3]

Modeling Type(척도 : Scale)		내용
범주형 (Categorical)	명목(Nominal)	1) 서로 구별되는 범주를 지칭한다 　예) 성별(남, 녀), 혈액형(A, B, AB) 등 2) 분류만 가능, 순서 및 크기 비교 불가능 3) 사칙 연산 불가능, = 개념 및 최빈값만 추정 가능
	서열(Ordinal)	1) 명목 척도가 순서(등급)의 의미를 가질 경우 　예) 학점(A, B), 만족도에 대한 5점 척도 등 2) 최빈값, 중앙값, 범위 추정 가능
연속형 (Continuous)	등간(Interval)	1) 데이터간의 차이가 동일한 간격을 의미 　예) 온도(10도와 20도), 년(2024년, 2025년) 등 2) 사칙연산 중 더하기, 빼기 가능 3) 비율 계산은 불가(예 : 온도 20도/2는 10도가 아님)
	비율(Ratio)	1) 데이터간의 차이가 동일하고, 절대 0 점이 존재 2) 비율도 의미가 있음 　예) 길이, 무게, 시간 등 3) 곱하기, 나누기를 포함한 사칙 연산 모두 가능

JMP 에서는 보통 연속형과 범주형으로 구분하거나 또는 연속형, 명목형, 서열형으로 구분한다. 변수명에서 우측 마우스 클릭한 후 Column Info 를 확인해 보면 Data Type 은 Numeric, Chararcter, Row State, Expression 등으로

구분되어 있고 Modeling Type 은 Continuous(연속형), Ordinal(서열형) 및 Nominal (명목형) 등으로 구분한다.

[그림 1.4]

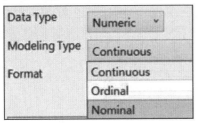

세 가지 종류의 Modeling Type 은 데이터 테이블의 왼쪽 옆의 Column Panel 에서 변수명 왼쪽의 아이콘으로 표시된다.

[그림 1.5]에서 볼 수 있듯이 height, weight 변수처럼 연속형 변수는 우상향하는 파란색 아이콘으로, age 변수처럼 서열형 변수는 연두색 우상향하는 막대 그래프로, Sex 와 같은 명목형 변수는 붉은색 막대로로 표현된다. JMP 가 데이터의 모델링 타입을 인식하고 있다는 것은 JMP 의 가장 큰 특징 중의 하나이다.

[그림 1.5]

통계는 데이터를 이용하여 원인과 결과의 관계를 분석하는 것이라고도 볼 수 있는 데 이와 관련하여 독립 변수(independent variable) 및 종속 변수(dependent variable) 라는 말을 사용한다. 독립 변수는 원인으로 분석하고자 하는 변수를 말하고, 종속 변수는 결과로서 분석하고자 하는 변수를 말한다.

독립 변수를 X, 요인(Factor), 원인, 예측 변수라 부르기도 하고 종속 변수를 Y, 반응치, 결과, 결과 변수라고 부르기도 한다.

데이터를 관측 데이터와 실험 데이터로 구분하기도 하는 데 관측 데이터는 현상을 관찰, 측정한 데이터를 말하고 실험 데이터는 랜덤화(Randomization) 등의 원리를 기반으로 실험을 통해 얻은 데이터를 말한다. 관측 데이터를 통해 상관 관계는 파악할 수 있지만 인과 관계 파악을 위해서는 실험 데이터가 필요하다.

3) 탐색적 데이터 분석(EDA : Exploratory Data Analysis)

탐색적 데이터 분석(EDA : Exploratory Data Analysis)이란 평균, 표준편차 등의 통계량을 통해 변수의 특성을 살펴보거나 그래프 등의 데이터 시각화를 통해 변수의 특성, 변수간의 관련성, 시간에 따른 변화 등을 살펴보는 것을 말한다.

일반적으로 활용되는 측면에서 탐색적 데이터 분석의 범위를 요약하면 크게 다음의 세 가지이다.
1) 데이터를 평균, 표준편차 등의 통계량으로 표현
2) 데이터 시각화(Visualization)
3) 이상치 처리

이 책에서는 '2 장 데이터의 표현, 요약'에서 데이터를 통계량으로 표현하는 것에 대해 살펴보고 데이터 시각화는 3 장에서, 이상치 처리는 '14 장. 비모수적 분석'에서 살펴볼 것이다.

2. 통계 소프트웨어와 JMP

통계 소프트웨어를 사용하지 않고 통계 및 데이터 분석을 한다는 것은 현실적으로 거의 불가능하다고 할 수 있다. 이 책은 JMP 를 활용한다는 전제하에서 데이터 분석의 기초를 다루므로 통계 소프트웨어의 종류와 최근 Trend 에 대해 살펴보고 난 뒤 JMP 에 대해 간략히 소개하고자 한다.

1) 통계 소프트웨어의 종류

통계 분석 소프트웨어의 종류가 매우 많은 만큼 이를 지칭하는 용어 또한 매우 다양하다. 소프트웨어(Software), 툴(Tool), 패키지 (Package) 등 다양한 이름으로 불리고 있지만 여기서는 소프트웨어라 지칭한다. 통계 소프트웨어의 종류를 구분하는 기준 또한 여러가지인 데 이 책에서는 다음의 몇 가지로 구분해 보고자 한다.

첫 번째는 사용 용도, 사용 범위에 따라 범용(General) 및 전용(Specific) 소프트웨어로 구분할 수 있다. 데이터 분석 전반을 아우르는 범용 소프트웨어가 다수이지만 특정 용도, 예를 들면 신뢰성이나 실험 계획법 또는 데이터 시각화 등을 주 용도로 하는 전용 소프트웨어도 많다.

두 번째로는 주로 사용하는 목적 또는 주사용자층의 특징에 따라 교육용(연구용), 엔지니어용, 의학용 등으로 분류할 수 있다.

세 번째는 해당 통계 소프트웨어가 설치, 사용되는 하드웨어 환경에 따른 분류이다. 서버용, 클라우드용, 데스크탑용 등으로 분류할 수 있고 특정한 장비에만 설치(embedded)되어 운영되는 소프트웨어도 있다.

네 번째는 User Interface 에 따른 분류이다. 사용자가 직접 프로그래밍(코딩)을 해서 소프트웨어를 동작시키는 경우와 클릭 또는 터치 등의 방식으로 사용하는 경우로 구분할 수 있다. Python, R 등은 프로그래밍 방식이고 JMP 를 비롯하여 Excel 및 시각화를 주목적으로 하는 소프트웨어들은 GUI(Graphical User Interface) 방식이라 할 수 있겠다.

위의 네 가지 분류를 기준으로 하면 JMP 는 사용 용도 및 사용 범위 측면에서는 범용 소프트웨어이고, 주로 사용하는 계층은 엔지니어이며 하드웨어 환경적인 측면에서는 데스크탑 용이다. 물론 프로그래밍 방식이 아니라 GUI 방식의 통계 소프트웨어이다.

최근에는 이러한 경계가 모호해져서 구분이 쉽지 않다. JMP 를 예로 들면 태생은 데스크탑 용이지만 서버 및 클라우드에서도 사용이 가능하고, GUI 방식이 중심이기는 하지만 JMP Script 를 이용하여 사용자가 직접 JMP 의 기능과 메뉴를 수정, 편집하여 사용할 수도 있다.

2) 통계 소프트웨어의 최근 동향

데이터가 '21 세기의 쌀', '21 세기의 석유'라는 말도 있고, 21 세기의 가장 인기있는 직업이 '데이터 과학자(Data Scientist'), 지금의 시대를 '빅 데이터 시대'라고 부르기도 하는 데, 이는 그만큼 데이터가 중요하다는 뜻일 것이다. 데이터를 담고 분석하는 통계 소프트웨어의 최근 Trend 에 대해 살펴보자.

먼저, 데이터의 형태 및 데이터 원천(Data Source), 데이터 파일의 형태가 과거보다 훨씬 더 다양해졌다는 것이다. 과거의 통계 소프트웨어는 숫자(Numeric)만을 분석할 수 있었는 데, 최근에는 문자(Text, Character) 뿐만 아니라 이미지, 음성, 영상 등도 처리할 수 있게 되었다. 불러올 수 있는 또는 처리할 수 있는 데이터, 데이터 파일의 형태도 매우 다양해졌다. JMP 의 경우 여러 종류의 숫자 데이터, 문자 데이터 뿐만 아니라 인터넷 데이터, 거의 대부분의 DB(Data Base) 데이터를 불러올 수 있다. 아래는 JMP 에서 디폴트로 불러올 수 있는 데이터 파일의 몇 가지 종류들이다 .

• Comma-separated (.csv)

• .dat files that consist of text

• ESRI shapefiles (.shp)

• JSON (.json)

• MATLAB (.m, .M)

• Microsoft Excel 1997 through 2019 on macOS (.xls, .xlsx)

• Minitab Portable Worksheet (.mtp)

• Plain text (.txt)

• R (.r)

• SAS transport (.xpt, .stx)

- SPSS (.sav)
- SQLite 3.0 or higher (.sqlite, .db, .sqlite3, .db3)
- Tab-separated (.tsv)
- Teradata database (.trd)
- Triple-S (.sss, .xml)
- xBase data files (.dbf)
- XML data files (.xml)

두 번째는 통계(데이터 분석)의 범위가 확장됨에 따라 통계 소프트웨어가 담고있는 기능의 범위 또한 확장되고 있다. 과거의 통계 소프트웨어는 분석 그 자체에만 관심을 가졌으나, 최근에는 데이터를 불러오고, 분석하고, 분석의 결과를 공유/보고/피드백하는 일련의 과정을 모두 담고 있다. [그림 1.6]은 최근에 'JMP 분석 워크플로'라는 이름으로 JMP 가 담고 있는 데이터 분석의 전체 범위를 일목요연하게 정리하여 공유한 내용이다[2].

[그림 1.6]

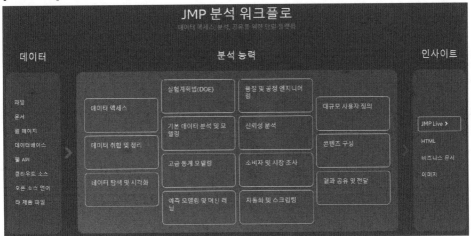

---

[2] https://www.jmp.com/ko_kr/software/analytic-workflow.html

세 번째로는 인터페이스가 중요해 졌다는 점을 들 수 있다. 회사 내, 조직 내의 다른 시스템과의 인터페이스 및 다른 통계 소프트웨어와의 인터페이스를 모두 포함하는 데, JMP 또한 Python, R 등 오픈소스 언어, 엑셀, CSV 등의 전통적인 데이터 파일 및 다양한 종류의 DB 와의 인터페이스가 가능하다.

마지막으로, 데이터를 수집하는 Sensor, 장비 등의 발전과 수집가능한 데이터의 종류와 양이 커지고, 이를 IT 시스템이 지원가능하게 됨에 따라 통계 소프트웨어 또한 전통적인 통계 분석 기법 뿐만 아니라 빅 데이터를 처리, 분석할 수 있는 다양한 종류의 머신러닝 기법을 탑재하고 있다. JMP 의 경우 일반 JMP 에도 몇 가지 머신 러닝 기법을 활용할 수 있고 JMP Pro 를 사용하면 보다 많은 머신 러닝 기법을 활용할 수 있다. [그림 1.7]은 JMP 의 **Analyze / Predictve Modeling** 아래에 있는 머신 러닝 기법들이다.

[그림 1.7]

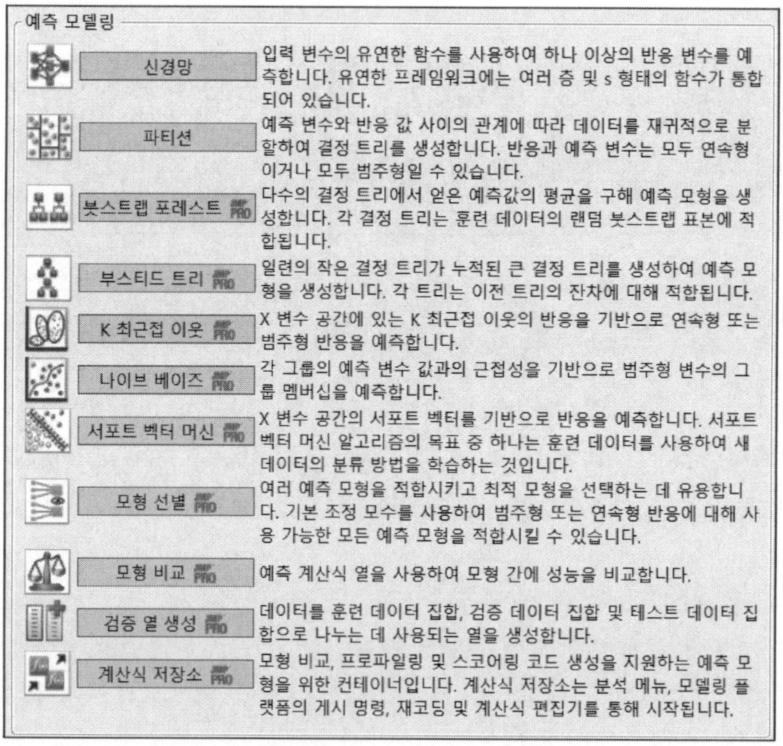

3) JMP

JMP는 세계 최고의 분석 소프트웨어 회사 중의 하나인 SAS(www.sas.com)에 의해 개발된 데스크탑용 데이터 분석 소프트웨어이다.

SAS의 공동 창업자 중 한 사람인 존 쏠(John Sall)에 의해 최초 개발되었고 그는 현재까지도 SAS의 수석 부사장이자 JMP의 최고 개발 책임자이다.

1980년대 중반 출시된 Apple Macintosh의 Mouse, Click 및 Drag and Drop 등으로 상징되는 탁월한 GUI(Graphical User's Interface)에 착안하여 JMP 개발을 시작하게 되었다고 한다. JMP 1.0 버전은 1989년 10월에 출시되었으며. 개발 당시 그의 이름을 따서 붙인 프로젝트 명인 'John's Macintosh Project'에서 유래가 되어 제품명이 JMP가 되었으며, JMP의 사용자들은 '점프'라고 부른다.

명칭의 유래에서 짐작할 수 있듯이 최초의 JMP는 Macintosh용 버전뿐이었으나, 2000년 출시된 JMP4 버전부터는 Window 버전이 함께 출시되었다. 매 1년 6개월마다 새로운 버전이 출시되고 있으며 2024년 8월 현재 18버전이고, 이 책 또한 18버전 기준으로 집필되었다.

JMP는 새로운 버전을 개발할 때마다 고객들이 함께 참여하는 일종의 CE (Concurrent Engineering)이라 할 수 있는 EA(Early Adaptor) 프로그램을 운영하고 있다. 전 세계의 수많은 JMP 사용자들이 EA 프로그램에 참여하여, 그들의 의견과 사용 경험을 새로운 버전에 반영해 오고 있다.

JMP에 대한 보다 상세한 사항은 JMP Korea 홈페이지[3]를 참고하길 바란다.

---

[3] https://www.jmp.com/ko_kr/home.html

2 장. 데이터의 표현

개요

1 장에서 통계의 정의를 '데이터를 수집하고 분석 목적에 적합하게끔 전처리한 후에 분석 및 해석을 하고, 그 결과에 대해 커뮤니케이션하는 과정 및 체계'라고 설명하였다. 이러한 정의를 모집단(Population)과 표본(Sample)의 관점에서 보면 통계(Statistics)를 '모집단(Population)의 특성을 표본(Sample)을 통해 설명, 분석하는 방법 및 체계'라고도 정의할 수 있다.

예를 들어 유권자 전체(모집단)의 투표 참가 여부를 알아보기 위해 1,000 명을 샘플링하여 참가 의향을 조사하였다면 샘플링된 1,000 명이 표본이 된다. 만약 1,000 명에서 800 명이 투표에 참가하겠다고 응답하였다면, 그 조사 결과로부터 모집단의 투표 참가 예상 확률이 80%라고 말할 수 있을 것이다. 통계적 관찰의 대상이 되는 집단 전체를 모집단이라고 하며 모집단의 특성을 수치적으로 표현한 것을 모수(Parameter)라 하는 데, 모수에는 모평균(μ), 모표준편차(σ) 등이 있다. 반면에 표본의 특성을 수치적으로 표현한 것을 통계량(Statistic)이라 하며 통계량에는 표본 평균($\bar{X}$), 표본 표준편차(sigma) 등이 있다.

1 장에서 살펴본 것처럼 통계의 종류는 크게 기술 통계와 추론(추리) 통계로 나눌 수 있는 데, 표본의 특성을 통계량을 이용하여 단순히 표현하는 것을 기술 통계(Descriptive Statistics)라 하며, 표본의 통계량에 기초하여 모집단을 추론하는 것을 추론 통계(Inferential Statistics)라 한다. 앞의 예에서 샘플로부터 투표 참가 확률이 80% 라고 말하는 것을 기술 통계에 해당하고, 이를 근거로 모집단의 투표 참가 확률이 80% 또는 78% ~ 82% 라고 한다면 추론 통계이다.

이번 장에서는 기술 통계의 가장 핵심적인 개념인 중심치(Centroid, 또는 위치(Location))와 산포(Dispersion)의 개념 및 표현 방법에 대해 살펴보고 이에 대한 JMP 활용법을 배워보도록 한다.

1. 통계량(Statistic)

1) 중심치와 산포

여름 휴가철에 울릉도를 방문한 관광객의 카드 1 회당 결제 금액이 5 만원이라고 한다면 여기서 5 만원이라는 값은 조사된 모든 결제 금액을 합하여 총 결제 회수로 나눈 흔히 우리가 평균이라고 하는 산술 평균을 표현한 것일 것이다. 실제 결제 금액은 5 만원 보다 큰 경우도 많고 그 보다 더 적은 금액을 결제한 경우도 많이 있을 것이고 극단적으로 정확히 5 만원을 결제한 건수가 한 건도 없을 수도 있다. 결제 금액을 그래프로 표현한다면 아래와 같이 평균을 중심으로 좌우가 대칭이고 평균에서 멀어질수록 데이터의 빈도가 적은 아래와 같은 형태를 띌 가능성이 높다.

[그림 2.1 데이터의 평균]

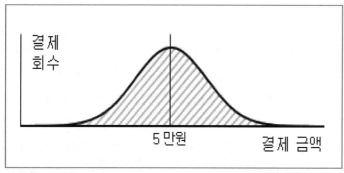

이처럼 데이터의 전체 모습을 하나의 특정한 값(여기서는 5 만원)으로 표현하는 것을 중심치에 대한 표현이라고 말한다. 중심치를 사용하면 수많은 데이터를 하나의 값으로 간략히 표현할 수 있다는 장점이 있는 반면, 전체

데이터의 모습을 정확히 표현하지 못하는 단점이 발생하게 된다. 5 만원을 두 번 결제해도 평균이 5 만원이고, 2 만원 한 번, 8 만원 한 번을 결제해도 평균은 동일한 5 만원이 되므로 평균을 중심으로 전체 데이터가 얼마나 흩어져 있는가를 추가적으로 고려해야 전체의 모습을 보다 정확히 표현할 수 있는데, 이를 데이터의 흩어짐 또는 산포(Dispersion 또는 Variation)라고 한다.

[그림 2.2 데이터의 흩어짐(산포)]

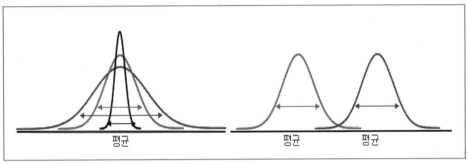

[그림 2.2]의 내용 중 왼쪽은 동일한 평균에 산포가 다른 경우를, 오른쪽은 동일한 산포에 평균이 다른 경우를 나타낸 것이다. 그래프에서 알 수 있듯이 데이터를 분석하고자 할 경우에는 산술평균과 같은 중심치 뿐만 아니라, 산포까지 고려해야 데이터의 본 모습을 보다 정확하게 파악할 수 있을 것이다.

2) 분포(Distribution)

데이터를 수집하여 그 결과를 쌓았을 때의 형태를 분포(Distribution) 또는 확률 분포(Probability Distribution)라고 한다. 분포의 종류는 매우 다양하나[4], 여기서는 정규 분포(Normal Distribution)와 이를 표준화한 표준 정규 분포(Standard Normal Distribution)에 대해서만 간략히 살펴보도록 한다.

---

[4] 연속형 데이터의 경우에는 정규 분포, F 분포, T 분포 등이 있으며 이산형 데이터의 경우에는 이항 분포, 포아송 분포 등이 있다

자연 상태에서 데이터를 수집했을 경우 일반적으로 나타나게 되는 분포의 모양을 정규 분포라 한다. 정규 분포는 아래처럼 평균을 중심으로 좌우가 대칭이며 평균에서 데이터의 빈도가 제일 높고, 평균에서 멀어질수록 그 빈도가 작아진다. 그리고 평균에서 떨어진 거리(분포의 폭)은 표준 편차를 이용하여 계산한다. 즉, 정규 분포는 평균에 의해 그 위치가 정해지고, 표준 편차에 의해 그 모양(분포의 폭)이 정해진다. 평균을 중심으로 좌우로 표준 편차의 한 배만큼 해당되는 면적이 전체 분포 면적의 약 68%를 차지하고, 표준 편차의 두 배에 해당되는 면적이 전체 면적의 약 95%를 차지한다.

[그림 2.3] 정규 분포

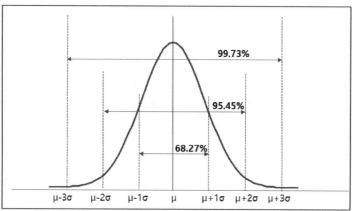

분포에 대한 보다 상세한 내용은 '4 장. 확률과 확률 분포'를 참고하길 바란다.

3) 중심치(위치)의 표현(대표값)

데이터의 전체 모습을 하나의 특정한 값으로 요약하여 표현하는 것을 중심치 또는 대표값이라고 한다.

중심치의 표현 방법으로 산술 평균(Mean), 중앙값(Median), 최빈값(Mode), 절사 평균(Trimmed Mean) 및 기하 평균 (Geometric Mean)을 비교해 보자.

📖 산술 평균(Mean)과 중앙값(Median)

산술 평균(Mean)은 측정된 값들의 전체 합을 측정된 개수로 나눈 값을 말하며 중앙값(Median)은 측정된 값들을 크기 순서대로 정렬했을 때 순서상 중앙에 위치하는 값을 말한다. 측정 개수가 짝수 개일 때는 중앙에 있는 두 개 값의 산술 평균값을 중앙값으로 사용한다.

일반적으로는 산술 평균을 가장 많이 사용하지만, 데이터의 개수가 적고 극단적으로 큰 값이나 작은 값(이상치)이 존재할 경우에는 산술 평균이 극단적인 값에 과도한 영향을 받을 가능성이 높으므로 이럴 경우에는 중앙값이 더 적절할 수가 있다. 예를 들어, 데이터가 1, 2, 3, 4, 100 이 있을 경우 산술 평균값은 22 이나 중앙값은 3 이 된다.

📖 최빈값(Mode)

최빈값(최빈수)은 빈도 수가 가장 많은 값을 말한다. JMP 에서는 모든 데이터의 빈도수가 1 인 경우에는 최빈값을 표시하지 않고, (디폴트 기준으로) 빈도수가 같은 경우에는 가장 작은 값을 제시한다.

📖 절사 평균(Trimmed Mean)

절사 평균(Trimmed Mean)[5]은 전체 데이터에서 가장 작거나 큰 일정한 %의 데이터를 제외하고 구한 산술평균이다.

📖 기하 평균(Geometric Mean)

기하 평균(Geometric Mean)은 해당 데이터를 모두 곱한 후에 데이터의 개수만큼 제곱근하여 구한다. 이자율이나 수익률 계산에 많이 활용되는 데, 예를 들어 원금 100 원을 주식에 투자하여 1 차년도에 50% 수익률을, 2 차년도에 (-) 50% 수익률을 거두었다면 최종 수익률 및 최종 금액은 다음과 같이 계산된다.

최종 수익률 = (1 + 0.5) * (1 − 0.5) = 0.75, (-)25% 수익률

---

[5] 절사 평균에 대해 보다 자세한 사항은 '13 장 비모수적 방법' 참조

최종 금액 = 100 * (1 + 0.5) * (1 − 0.5) = 75

📖 중심치 표현 통계량의 비교

산술 평균은 이상치(Outlier)의 영향을 많이 받지만 중앙값, 최빈값, 절사 평균 및 기하 평균은 이상치에 상대적으로 둔감하다. 특히 데이터의 개수가 작을 때는 더욱 그러하다.

예를 들어, 1, 2, 3, 4, 4, 5, 5, 100 이라는 8 개의 데이터가 있을 경우 위의 다섯 가지 통계량을 JMP 에서 구하면 다음과 같다.

[그림 2.4]

Summary Statistics	
Mean	15.50
Median	4.00
Mode	4.00
10% Trimmed Mean	3.83
Geometric Mean	4.70

Note: The mode shown is the smallest of 2 modes with a count of 2.

All Modes

Modes	Count
4	2
5	

산술 평균이 중심치를 표현하는 다른 통계량에 비해 이상치에 보다 민감함을 확인할 수 있다[6].

4) 산포의 표현

산포는 데이터가 중심치로부터 어느 정도 흩어져 있는가, 즉 중심치와 다른 데이터와의 차이의 정도를 표현한 것이다. 통계는 데이터를 분석하는 것인 데,

---

[6] JMP 에서 Analyze / Distribution 기능에서 Mode 값을 구하면 (디폴트 기준으로) 빈도수가 같은 경우에는 가장 작은 값만 제시되는 데, ▼Summary Statistics / Show all modes 를 선택하여 빈도 수가 같은 모든 값을 표시할 수 있다.

이 때 핵심은 데이터의 산포를 분석하는 것이기 때문에 산포를 나타내는 통계량의 종류는 매우 많다.

실무에서 많이 사용하는 것으로는 범위(Range), 분산(Variance), 표준 편차 (Standard Deviation), 표준 오차(Standard Error), 신뢰 구간(Confidence Interval), 왜도(Skewness), 첨도(Kurtosis), 변동 계수(CV : Coefficient of Variation), Interquartile Range(IQR : 사분위수) 등이 있다.

📖 범위(Range)

범위(Range)는 최대값(Max)과 최소값(Min)의 차이다. 산포를 나타내는 다른 통계량은 대부분 데이터 전체를 고려하여 산포를 계산하지만 범위는 최대값과 최소값만을 사용하여 계산하므로 산포에 대한 통계량 중 가장 극단적이라 할 수 있다. 데이터의 개수가 작을 때 보다 유용하므로 Xbar-R 관리도 등에서 활용된다.

📖 분산(Variance)과 표준편차(Standard Deviation)

산포의 기본 개념은 중심치(평균)에서 다른 데이터와의 차이를 나타내므로 평균에서 모든 개별 데이터의 차이를 계산할 수 있지만, 이 값은 모두 합하면 '0'이 된다. 그래서 그 차이 값을 제곱하여 모두 더한 다음[7] 자유도(DF : degree of freedom, 보통 N-1)로 나누면 분산(Variance)이 된다. 분산은 원래 값을 제곱한 것이기 때문에 분산에 제곱근을 취하여 원래 값과 숫자의 단위를 같게 한 것이 표준 편차(Standard Deviation)이다.

표준 편차는 개별 값과 평균 값과의 차이의 평균이라는 의미를 가지고 있고, 영어 약자로 s, Sts Dev 또는 SD 로 축약하여 많이 사용한다.

표준 편차(sigma) = $\sqrt{\dfrac{\Sigma(x-\bar{x})^2}{n-1}}$

---

[7] 이 값을 총 변동, SS(Sum of Squared Deviation)이라 한다.

📖 표준 오차(Standard Error : Std Err 또는 SE)

평균값의 표준오차는 n 개의 평균값들로 구성된 데이터의 표준편차, 즉 표본 평균들의 편차를 말한다. 표준 오차는 표본 평균과 전체 평균을 개별 값과 평균을 활용하여 구한 표준 편차와 동일한 방식으로 구하여야 하는 데 중심 극한 정리[8]에 의해 다음과 같이 (표준 편차 / 데이터 개수의 제곱근)으로 구할 수 있다.

$$표준\ 오차\ =\ \frac{s}{\sqrt{n}}$$

JMP 분석 결과에서 아래와 같이 출력되었다면 평균의 표준 오차(Std Err Mean)는 Std Dev / √N, 즉 (4.2423385 / √40)으로 계산된 값이다.

[그림 2.5]

Mean	62.55
Std Dev	4.2423385
Std Err Mean	0.6707726
Upper 95% Mean	63.906766
Lower 95% Mean	61.193234
N	40

📖 신뢰 구간(Confidence Interval)

데이터에서 평균을 계산하고 모집단에서 랜덤하게 데이터를 추출하는 것을 데이터 개수만큼 반복한다면 여기에서 구해진 표준 편차는 원래 데이터의 표준 편차, 즉 앞에서 설명한 표준 오차이다. 흔히 활용되는 95% 신뢰 구간은 모집단 평균이 존재할 것으로 추정되는 95% 구간으로 t 분포를 활용하여 구할 수 있다.

[그림 2.5]에 있는 내용을 기준으로 구하고자 한다면, **Help / Sample Index** 에서 **Content Type(Tool), Tool Type(Calculators)**의 **Confidences Interval for the Mean.jsl** 을 활용하면 된다. **Summary Statistics** 를 선택한 뒤에 t 분포를 선택하고 **Summary Information** 에 평균, 표준 편차, 샘플

---

[8] 이에 대해서는 '4 장. 확률과 표본 분포'에서 살펴보기로 한다

사이즈 및 신뢰 수준(Confidence level)을 입력하면 신뢰 구간(Confidence Interval)을 구할 수 있다.

[그림 2.6]

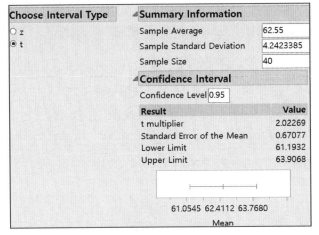

📖 왜도(Skewness)와 첨도(Kurtosis)

왜도와 첨도는 산포보다는 분포(Distribution)의 특성을 표현하는 개념이지만 산포와도 깊은 관련성이 있으므로 여기서 살펴보기로 한다. 왜도(歪度, Skewness)와 첨도(尖度, Kurtosis)는 데이터가 정규 분포로부터 어느 정도 벗어나 있는 지를 살펴보는 척도라고 할 수 있다.

왜도는 분포의 비대칭을 나타내며 왜도 값이 양의 값을 가지면(Positive Skewness) 데이터의 중심(평균)이 정규 분포보다 왼쪽으로 치우쳐져 있고(즉, 분포의 제일 높은 지점이 왼쪽에 있고) 꼬리는 오른쪽으로 길어지게 표현된다. 반면 왜도 값이 음의 값을 가지면(Negative Skewness) 데이터의 중심(평균)이 정규 분포보다 오른쪽으로 치우쳐져 있고(즉, 분포의 제일 높은 지점이 오른쪽에 있고), 꼬리는 왼쪽으로 길어지게 표현된다.

[그림 2.7]을 보면 Skewness 값이 0.44 이므로 왼쪽으로 약간 치우쳐져 있다(실무적으로는 Skewness 값의 절대값이 2 이상이면 치우침이 매우 심하다고 해석한다). 파란색 분포 선이 정규 분포선을 의미하는 데,

히스토그램을 보면 정규 분포선보다 왼쪽으로 기울어져 있음을 확인할 수 있다.

반면 첨도는 정규 분포와 비교했을 때 어느 정도 더 또는 덜 뾰족한 지를 나타낸다. 데이터가 완전히 정규 분포하면 첨도 값은 0 이 된다. 첨도 값이 양의 값을 가지면 데이터의 산포가 정규 분포일 때 보다 더 작다는 뜻이며(즉, 뾰족하다는 뜻이고), 첨도 값이 음의 값을 가지면 데이터의 산포가 정규 분포일 때 보다 더 크다는 뜻(즉, 분포의 모습이 퍼져 있음을 뜻한다)이 된다. [그림 2.7]은 첨도 값이 (-) 0.88 이므로 정규 분포보다 산포가 넓다고 볼 수 있겠다. 첨도 값이 클수록 이상치(Outlier)가 많을 가능성이 크다.

[그림 2.7]

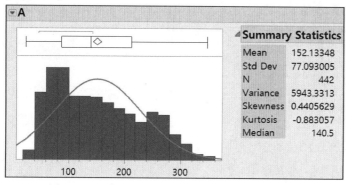

이번에는 왜도 값에 따른 평균값과 중앙값의 영향에 대해 알아보자.

[그림 2.8]의 A 변수와 B 변수를 비교해 보면 A 는 왜도는 0.44 으로 양의 값을 가지고 B 는 왜도가 -0.23 으로 음의 값을 보이고 있다. A 처럼 왜도가 양의 값을 가지는 경우 분포가 왼쪽으로 기울어져 있고 중앙값보다 평균값이 더 크다. 반면 B처럼 왜도가 음의 값을 가지는 경우 분포가 오른쪽으로 기울어져 있으므로 중앙값보다 평균값이 더 작다.

첨도 값을 살펴보면 A, B 변수 모두 첨도 값이 음의 값을 가지므로 정규 분포보다는 산포가 조금은 더 큰 경우라 할 수 있겠다. 반면, 변수 C 와 D 는 첨도 값이 모두 양의 값을 가지므로 정규 분포보다 산포가 작은 경우라 볼 수 있다.

변수 D 의 경우는 왜도 값이 0 에 가깝다. 이런 경우는 평균값과 중앙값이 거의 동일한 값을 보인다. 이처럼 분포의 모양과 평균값 및 중앙값의 위치는 서로 관련성이 높으므로 평균값 및 중앙값의 크기(위치)를 가지고 분포의 모양을 대략적으로 짐작할 수도 있다.

또한, 첨도 값보다 왜도 값이 작으면 해당 변수는 분포가 좌우 대칭이고, 꼬리가 정규 분포와 유사한 정규 분포를 보일 가능성이 높아진다.

[그림 2.8]

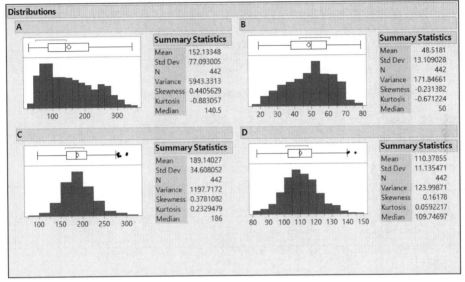

📖 변동 계수(CV : Coefficient of Variation)

변동 계수는 표준 편차를 평균으로 나눈 값(비율)로서 측정 단위가 서로 다른 변수들에 대해 산포의 상대적 비교를 할 때 주로 활용된다.

변동 계수(CV : Coefficient of Variation)는 (표준 편차 / 평균) * 100 으로 계산된다.

📖 Interquartile Range(IQR : 사분위수)

사분위수 값은 분위수(Quartile)에서 75% 분위수(Q3)에서 25% 분위수(Q1)를 뺀 값이다. 사분위수에 대해서는 [그림 2.24]에 상세히 설명되어 있다.

2. 통계량의 계산, 요약

중심치 및 치우침(산포)를 표현하는 통계량에 대해 JMP 를 활용하여 계산, 표현, 요약 정리하는 대표적인 다섯 가지 방법에 대해 살펴보기로 한다.

1) 전반적인 조망(**Header Graph** 와 **Header Statistics**)
2) 통계량에 대한 종합적인 확인(**Analyze / Distribution**)
3) 범주별 통계량 확인(**Tables / Summary**)
4) 통계량에 대한 요약표 만들기(**Analyze / Tabulate**)

1) 전반적인 조망(Header Graph 와 Header Statistics)

Header Graph 는 데이터 테이블에서 각 변수별로 히스토그램과 몇 가지 통계량을 편리하게 확인할 수 있는 기능이다.

JMP 내의 Sample data 인 'big class.jmp'를 활용하되 필요한 설명을 위해 **weight** 변수의 첫 번째 값과 **name** 변수의 두 번째 값을 결측 처리하였다.

[그림 2.9]

	name	age	sex	height	weight
1	KATIE	12	F	59	•
2		12	F	61	123
3	JANE	12	F	55	74

☞ [그림 2.10]을 보면 첫 번째 변수인 name 변수 왼쪽에 아이콘이 하나 있는데 이를 클릭하면 Header Graph(머리글 그래프)가 아래처럼 열린다.

[그림 2.10]

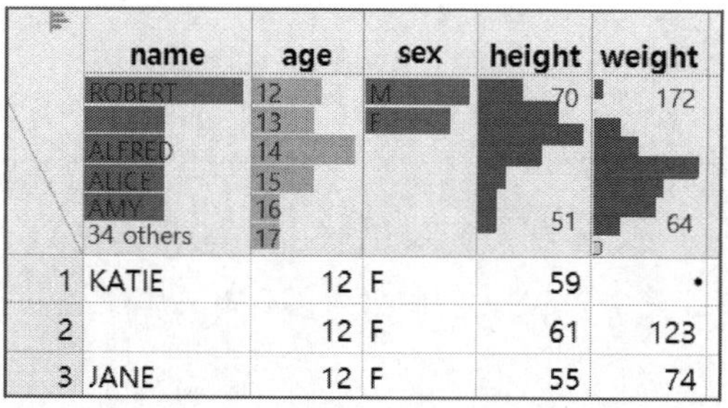

	name	age	sex	height	weight
	ROBERT	12	M		70	172
		13	F			
	ALFRED	14				
	ALICE	15				
	AMY	16			51	64
	34 others	17				
1	KATIE	12	F	59	•
2		12	F	61	123
3	JANE	12	F	55	74

범주형 변수의 경우, 각 범주의 이름과 범주별 데이터 수의 상대적 크기가 Bar 의 수평 길이로 표시되며 연속형 변수의 경우 일반적인 히스토그램 모양과 함께 최대값, 최소값이 표시된다.

☞ 범주형 변수의 **Header Graph** 에서 우측 마우스 클릭하면 몇 가지 옵션이 있는 데 **Chart Type** 에서 **Bar** 를 **Mosaic** 또는 **Run Chart** 로 변경할 수 있다. **Missing values bar** 는 결측치에 대해 **Bar** 로 표시할 것인지를 선택하는 옵션이고, **Automatic Recalc**(Automatic Recalculation)은 데이터 테이블에 변화가 있을 경우 **Header Graph** 에 바로 반영하는 자동 재계산 기능이다. **Open in Distribution** 은 뒤에서 설명할, 해당 변수에 대해 **Analyze / Distribution** 기능을 바로 실행하는 옵션이다.

[그림 2.11]

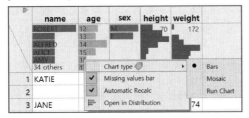

☞ 연속형 변수의 경우 **Chart Type** 에서 디폴트로 표시되는 **Histogram** 을 **Heat Map** 또는 **Run Chart** 로 변경할 수 있다 **Minimum and Maximum labels** 는 최대값, 최소값 표시 여부에 대한 옵션이고, **Number of bins** 는 빈(Bin)의 개수를 조절하는 옵션이다. 그 외 **Missing values bin**, **Automatic Recalc** 및 **Open in Distribution** 기능은 범주형 범주형의 기능과 동일하다.

[그림 2.12]

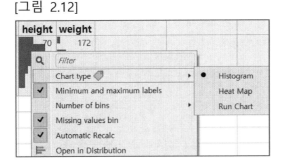

🖰 **Header Graph**는 환경 설정(**File / Preference**에서 **Tables**)에서 보다 눈에 잘 띄게 옵션을 조정할 수 있다. 만약 [그림 2.13]처럼 그래프의 종류 및 색깔을 설정하였다면,

[그림 2.13]

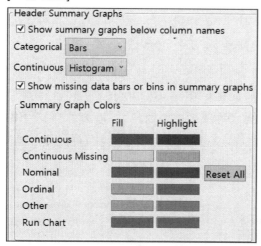

🖰 아래와 같이 훨씬 가시성 높게 표현될 것이다.

[그림 2.14]

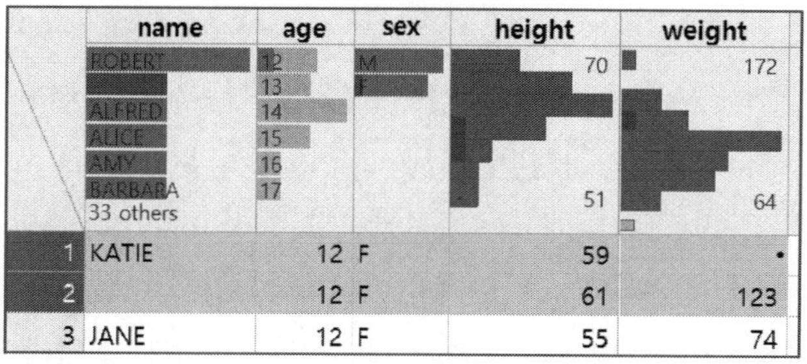

Header Graph 외에도 변수별로 통계량 등에 대해 전반적인 조망을 할 수 있는 **Header Statistics** 기능이 있다. 이 기능은 2024년 출시된 JMP18 버전에 처음으로 추가되었다.

🖰 Row Number 1번 위에 Σ 표시된 아이콘을 클릭하면 몇 가지 통계량이 범주형 및 연속형 변수별로 표시된다. 지금의 경우 범주형 변수에 대해서는

범주의 개수(N Category)와 최빈수(Mode)가 표시되고 연속형 변수는 대해서는 데이터 개수, 평균, 표준편차, 중앙값이 표시되어 있다.

[그림 2.15]

		name	age	sex	height	weight
		ROBERT	12	M	70	172
			13	F		
		ALFRED	14			
		ALICE	15			
		AMY	16			
		BARBARA	17		51	64
		33 others				
NCat	N	38	6	2	40	39
Mode	Mean	ROBERT	14	M	62.55	105.26
	Std				4.24	22.43
	Med				63.00	105.00
1		KATIE	12	F	59	.
2			12	F	61	123
3		JANE	12	F	55	74

🖑 **Column Statistics** 또한 JMP 의 핵심적인 기능인 상호 연동성이 적용된다. [그림 2.16]에서처럼 몇 개의 Row 를 선택해 보면, 선택된 Row 에 대한 통계량만 **Column Statistics** 에 표시된다.

[그림 2.16]

		name	age	sex	height	weight
NCat	N	2	1	1	3	2
Mode	Mean	JANE	12	F	58.33	98.50
	Std				3.06	34.65
	Med				59.00	98.50
1		KATIE	12	F	59	.
2			12	F	61	123
3		JANE	12	F	55	74
4		JACLYN	12	F	66	145

🖑 **Header Statistics** 또한 환경 설정(**File / Preference** 에서 **Tables**)에서 어떤 통계량을 표시할 것인지를 선택할 수 있다.

[그림 2.17]

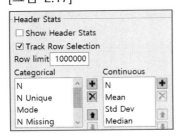

37

⚲ JMP18 버전에 추가된 또 하나의 기능은 **Column Manager(Cols / Column Manager)**이다. **Column Manager** 기능은 기존의 **Column Viewer**[9] 기능을 보완한 것으로 변수에 대한 전반적인 사항을 한꺼번에 관리할 수 있는 기능이다.

[그림 2.18]은 **Column Manager** 화면인 데 변수에 대해 **Column Info**, **Column Property** 의 정보뿐만 아니라 요약 통계량 및 간단한 그래프까지 한꺼번에 조회, 수정할 수 있다.

[그림 2.18]

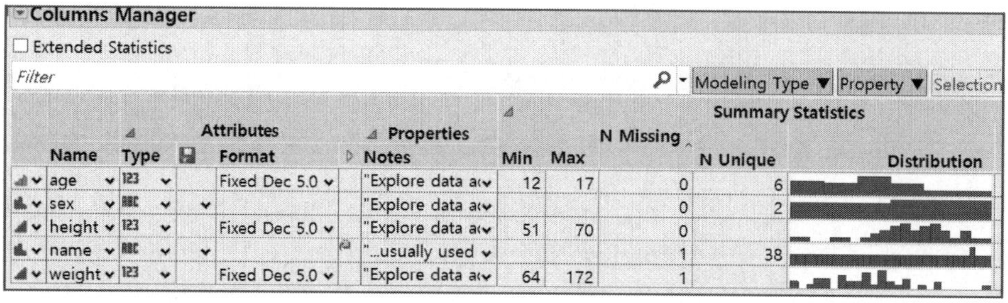

Extended Statistics 를 선택하면 보다 많은 통계량을 확인할 수 있다.

[그림 2.19]

				Summary Statistics					
N	Mean	Std Dev	Min	Q1	Median	Q3	Max	N Missing	N Unique
39								1	38
40			12				17	0	6
40								0	2
40	62.55	4.24	51	60.25	63.00	65.00	70	0	
39	105.26	22.43	64	91.00	105.00	116.00	172	1	

⚲ **Column Manager** 에서 표시되는 통계량은 환경 설정(**File / Preference** 에서 **Column Manager**)에서 선택할 수 있다.

---

[9] Column Viewer 기능은 JMP19 버전에서 삭제될 예정이다.

2) 통계량에 대한 종합적인 확인(Analyze / Distribution)

기술 통계, 즉 탐색적 데이터 분석(EDA : Exploratory Data Analysis)에서
데이터의 중심치와 산포, 분포 등을 분석할 때 가장 많이 활용되는 기능이다.

2-1) 기본적인 활용법
- ✋ 앞에서 활용한 'big class.jmp' 데이터에서 **Analyze / Distribution**에
  들어가서 **age** 및 **weight** 변수를 선택하여 실행한다.

- ✋ **▼Distribution**에 있는 하위 기능을 살펴보면
  -**Uniform Scaling** : 여러 개의 히스토그램이 있을 경우 X 축의 Scale을
  동일하게 맞추는 기능이다.
  -**Stack** : 히스토그램을 포함하여 분석 결과의 가로, 세로를 변경하는
  기능이다.
  -**Arrange in Rows** : 여러 개의 히스토그램이 있을 경우 하나의 Row, 즉
  가로에 몇 개의 Histogram을 표시할 지를 설정하는 기능이다.

- ✋ [그림 2.20]과 같이 **age**와 같은 범주형 변수에 대해서는 히스토그램 및 각
  범주(Level) 별로 데이터의 개수 및 확률이 표시되며 결측치의 개수가
  표시된다.
  [그림 2.20]

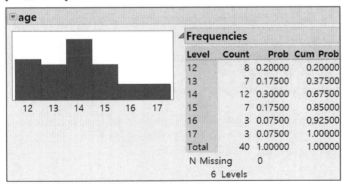

🖱 **height**와 같은 연속형 변수에 대해서는 히스토그램(Box Plot 등 포함), Quantiles(분위수 값) 및 요약 통계량이 표시된다.

[그림 2.21]

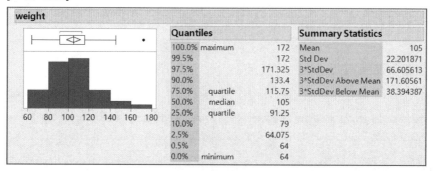

2-2) 연속형 변수일 경우 : 요약 통계량과 분위수(Quantile)

[그림 2.20]에서 볼 수 있듯이 범주형 변수의 경우 살펴볼 수 있는 통계량이 많지 않지만, [그림 2.21]처럼 연속형 변수의 경우에는 요약 통계량(Summary statistics)과 분위수(quantiles)가 표시되는 데 이에 대해 추가적으로 살펴보자.

🖱 **weight** 변수에 대해 추가적인 통계량을 확인하고자 한다면 ▼**Summary statistics / Customize summary statistics**를 클릭하여 필요한 통계량을 선택할 수 있다. [그림 2.22]는 앞서 살펴본 중심치와 산포에 대한 통계량을 모두 선택한 결과이다.

[그림 2.22]

Summary Statistics			
Mean	105	CV	21.144639
Std Dev	22.201871	N Missing	0
Std Err Mean	3.510424	Minimum	64
Upper 95% Mean	112.1005	Maximum	172
Lower 95% Mean	97.899497	Median	105
N	40	Mode	112
Sum	4200	5% Trimmed Mean	104.22222
Variance	492.92308	Geometric Mean	102.76701
Skewness	0.6131132	Range	108
Kurtosis	0.9503323	Interquartile Range	24.5

☞ 개발 초기 단계 등에서 변수의 변동성을 미리 확인해 보거나 Spec 설정을 위한 참고 통계량으로 3*표준편차 및 평균 +/-(3*표준편차) 값을 확인해 볼 수도 있다.

[그림 2.23]

Summary Statistics	
Mean	105
Std Dev	22.201871
3*StdDev	66.605613
3*StdDev Above Mean	171.60561
3*StdDev Below Mean	38.394387

☞ 히스토그램 위에 있는 Boxplot의 의미는 다음과 같다. 데이터의 순서에 중앙에 있는 중앙값(Median)을 기준으로 Q1(25% 값), Q3(75% 값)을 계산하고, 이를 통해 사분위수 및 Min과 Max 값을 계산하고 이보다 크거나 작은 값을 이상치로 규정한다(Boxplot에서의 Min과 Max는 일반적인 Min, Max 값과는 다른 뜻이다)

Box 주변에 표시되는 붉은 색 선은 전체 데이터의 50%가 밀집된 구간을 의미하는 Shortest Half이고 마름모(Confidence Diamond)는 평균값의 신뢰 구간을 의미한다

[그림 2.24]

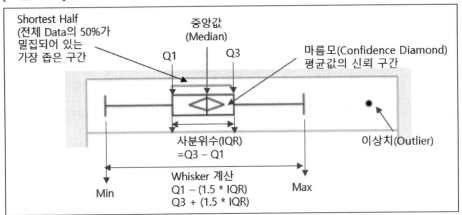

^{-◌} **▼weight / quantile box plot(분위수 상자 그림)**을 선택하여 표시되는 Box plot은 처음에 표시된 **Quantiles** 값과 동일하다.

[그림 2.25]

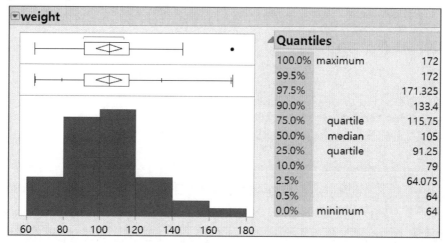

^{-◌} 여기에서 제시된 데이터는 데이터 개수가 작아(40개) **quantile box plot**에 표시되어 분위수 값이 중첩되어 보이지만, 데이터 개수가 많다면 보다 명확하게 구분하여 확인할 수 있다. **quantile box plot** 아래의 11개의 화살표에 해당하는 값이 오른쪽 Quantiles에 표시된 값이다. Quantile 값은 **▼weight / display options / set quantile increments** 또는 **custom quantile**에서 값을 조정하여 표시할 수 있다.

[그림 2.26]

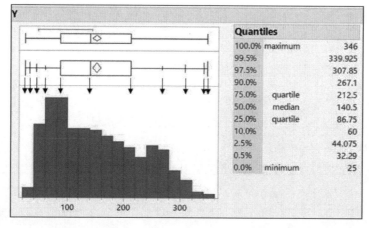

@ ▼weight / confidence interval에서는 평균값의 신뢰구간의 범위를 조정하여 확인할 수 있다.

[그림 2.27]

Confidence Intervals				
Parameter	Estimate	Lower CI	Upper CI	1-Alpha
Mean	105.2564	99.20046	111.3124	0.900
Std Dev	22.43202	18.9259	27.7205	0.900
Confidence Intervals				
Parameter	Estimate	Lower CI	Upper CI	1-Alpha
Mean	105.2564	97.98479	112.528	0.950
Std Dev	22.43202	18.33248	28.9099	0.950
Confidence Intervals				
Parameter	Estimate	Lower CI	Upper CI	1-Alpha
Mean	105.2564	95.5165	114.9963	0.990
Std Dev	22.43202	17.26059	31.4852	0.990

@ 또한 ▼weight / save를 활용하여 연속형 변수에 대한 다양한 통계량을 데이터 테이블에 저장하여 활용할 수 있다.

[그림 2.28]

저장 옵션	내용 설명
Level Numbers	히스토그램의 수준(Level)이 낮은 값부터 1로 시작하는 순서가 매겨짐
Level Midpoints	수준 중간점 값(각 수준의 하한 값 + 수준 너비의 1/2를 더해서 계산)
Ranks	값에 대한 순위, 같은 값이 있을 경우 Row 순서에 따라 순위가 매겨짐
Ranks averaged	순위 평균, 동일한 값이 없을 경우는 Rank 와 동일, 동일 값이 있을 경우 순위합계를 동일 값 개수로 나누어 표현됨 (예:10번째 크기의 동일 값이 2개 있으면, 각각 10.5로 표현됨)
Prob Scores	비결측 값에 대해 순위평균(Ranks averaged) / (데이터 개수 + 1)로 계산 경험적 CDF(cumulative distribution function) 값과 유사함
Normal Quantiles	정규 분위수
Standardized	표준화한 값, (개별값 - 평균) / 표준편차
Centered	0을 중심으로 중심화한 값
Robust Standardized	로버스터 평균을 중심으로 중심화되고 로버스트 표준편차를 사용하여 표준화된 값
Robust Centered	로버스터 평균을 중심으로 중심화된 값

3) 범주별 통계량 확인(Tables / Summary)

Tables / Summary 기능은 변수의 범주별로 통계량을 구하거나 요약 통계량이 포함된 데이터 테이블을 만들고자 할 때 주로 활용되는 기능이다.

3-1) 기본적인 활용법

앞에서 설명한 'big class.jmp'를 가지고 성별, 나이 별로 키와 몸무게의 평균, 표준편차, 최소값 및 최대값을 한 번 구해보자.

🖑 **Tables / Summary** 에 들어간다. 층별 변수라 할 수 있는 두 개의 변수 (**sex**, **age**)를 선택하여 Group 에 드롭하고, **height** 와 **weight** 변수를 함께 선택한 다음 **Statistics** 버튼을 클릭하여 구하고자 하는 네 가지의 통계량을 순차적으로 선택한다. JMP17 버전부터는 미리보기(Preview) 기능이 제공되어 사전에 결과를 확인할 수 있게 되었다. 아래는 실행 윈도우에 있는 **include marginal statistics** 를 선택하여 첫 번째 Group 변수로 선택된 **sex** 기준 소계, 합계 등이 표시된 결과이다.

[그림 2.29]

	Gender	age	N Rows	Mean(height)	Mean(weight)	Std Dev(height)
1	1	12	5	58.6	101.5	5.4129474411
2	1	13	3	59.0	95.3	2.6457513111
3	1	14	5	62.6	96.6	1.5165750888
4	1	15	2	63.0	102.0	1.4142135624
5	1	16	2	62.5	113.5	3.5355339059
6	1	17	1	62.0	116.0	.
7	1	.	18	60.9	101.3	3.6118903131
8	2	12	3	57.3	97.0	5.5075705473
9	2	13	4	61.3	94.3	3.3040379336
10	2	14	7	65.3	103.9	2.2886885411
11	2	15	5	65.2	110.8	1.9235384062
12	2	16	1	68.0	128.0	.
13	2	17	2	69.0	153.0	1.4142135624
14	2	.	22	63.9	108.3	4.3084533841
15		.	40	62.6	105.3	4.242338494

Preview
☑ Auto Refresh 🔄
Big Class By (Gender, age)
11/0 ▾
15/0 ▾

🖱 OK 를 클릭하면 요약 통계량이 포함된 데이터 테이블이 만들어진다. Column Panel 의 Column Name 우측에 보면 자물쇠 모양의 아이콘이 표시되는 데, 일반적인 의미의 데이터가 아니라 원래의 데이터로부터의 요약 통계량을 표현하므로 임의로 데이터를 수정할 수 없다는 뜻이다[10].

[그림 2.30]

		Gender	age	N Rows	Mean(height)	Mean(weight)	Std Dev(height)	
1	1		12	5	58.6	101.5	5.4129474411	
2	1		13	3	59.0	95.3	2.6457513111	
3	1		14	5	62.6	96.6	1.5165750888	
4	1		15	2	63.0	102.0	1.4142135624	
5	1		16	2	62.5	113.5	3.5355339059	
6	1		17	1	62.0	116.0	•	
7	1		•	18	60.9	101.3	3.6118903131	

(Big Class By (Gen... / Source / Columns (11/0) / Gender / age / N Rows / Mean(height))

🖱 데이터 테이블이 서로 연결되어 있으므로 JMP 의 장점인 Interactive(상호 연동성)한 기능을 유용하게 활용할 수 있다. Summary 데이터 테이블에서 특정한 Row 를 선택하면 원본 데이터 테이블의 해당 Row 와 연결되어 표시되므로 데이터를 보다 체계적으로 살펴볼 수 있다.

[그림 2.31]

	name	age			Big Class By (Gen...			Gender	age	N Rows	M
1	KATIE	12	1		Source	1	1		12	5	
2		12	1			2	1		13	3	
3	JANE	12	1		Columns (11/0)	3	1		14	5	
4	JACLYN	12	1			4	1		15	2	
5	LILLIE	12	1		Gender	5	1		16	2	
6	TIM	12	2		age	6	1		17	1	
7	JAMES	12	2		N Rows	7	1		•	18	
8	ROBERT	12	2		Mean(height)	8	2		12	3	
9	BARBARA	13	1		Mean(weight)	9	2		13	4	
10	ALICE	13	1		Std Dev(height)	10	2		14	7	
11	SUSAN	13	1		Std Dev(weight)	11	2		15	5	
12	JOHN	13	2		Min(height)	12	2		16	1	
13	JOE	13	2		Min(weight)	13	2		17	2	
					Max(height)						
					Max(weight)						

---

[10] Tables / Summary 실행 화면에서 Link to original data table 을 선택하지 않으면 연결이 되지 않아 자물쇠 모양 아이콘이 생성되지 않는다.

3-2) 몇 가지 추가적인 Option

☞ Summary 데이터 테이블에서 특정한 요약 통계량을 추가하고자 한다면, 첫 번째 변수의 왼쪽 위 붉은 색 역삼각형을 클릭, **Add Statistics Column**을 선택하여 [그림 2.32]와 같은 방법으로 요약 통계량을 추가하면 Summary 데이터 테이블에 그 통계량이 추가되어 표시된다.

[그림 2.32]

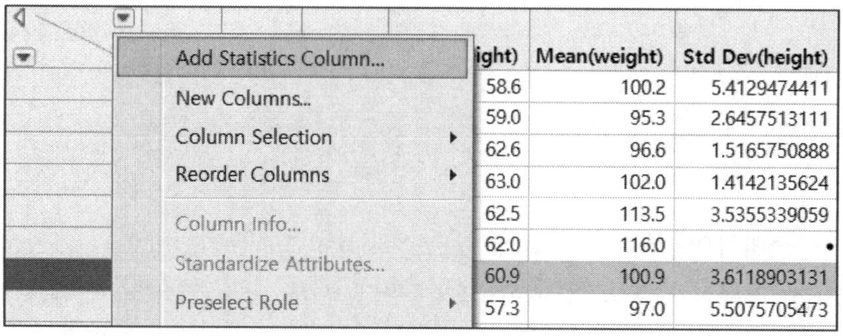

☞ 만약 범주형 변수인 **sex** 및 **age** 변수별로 **weight** 변수의 결측 개수를 확인하고자 한다면, **sex** 및 **age** 변수를 group 변수로 설정하고 **weight** 변수를 선택한 다음, **Statistics**에서 **N Missing**을 선택하면 된다.

[그림 2.33]

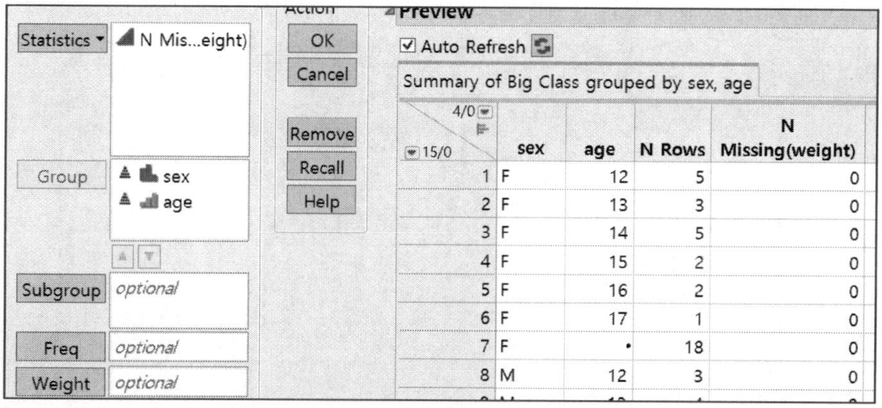

4) 통계량에 대한 요약표 만들기(Analyze / Tabulate)

데이터의 통계량으로 요약표(Summary Table)를 만들 때 많이 활용되는 JMP 기능이다.

4-1) 기본적인 활용법

- 'big class.jmp' 데이터를 가지고 **Analyze / Tabulate** 기능을 이용하여 성별, 나이별로 키와 몸무게의 평균, 표준 편차, 최소값 및 최대값에 대한 요약표를 만들어 보자.

- 먼저 일종의 층별 변수인 두 개의 변수(**sex**, **age**)를 순차적으로 선택하여 **Drop Zone for Rows**에 드롭해야 하는 데, **age** 변수를 선택 후 드롭, 그 다음 **sex** 변수를 드래그하여 b)처럼 변수 추가한다. 여기서 a)처럼 드롭하면 변수 추가가 아닌 변수 변경이 되므로 b)단계에서는 끼워넣기하는 것처럼 변수를 추가하여야 한다. 그 다음 **height** 변수를 N의 위치에 드롭한 다음(d),

  [그림 2.34]

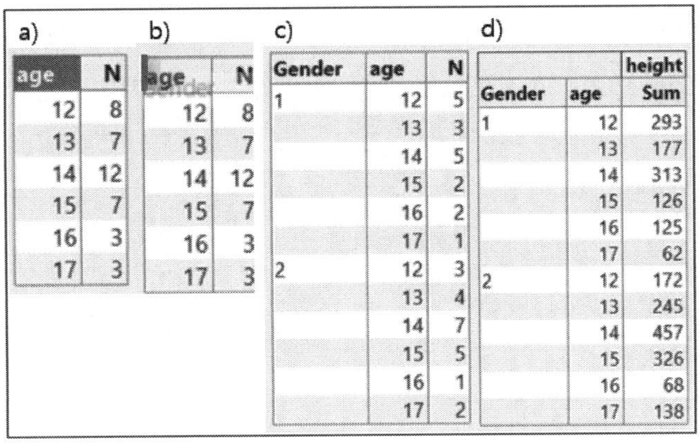

a)

age	N
12	8
13	7
14	12
15	7
16	3
17	3

b)

age	N
12	8
13	7
14	12
15	7
16	3
17	3

c)

Gender	age	N
1	12	5
	13	3
	14	5
	15	2
	16	2
	17	1
2	12	3
	13	4
	14	7
	15	5
	16	1
	17	2

d)

		height
Gender	age	Sum
1	12	293
	13	177
	14	313
	15	126
	16	125
	17	62
2	12	172
	13	245
	14	457
	15	326
	16	68
	17	138

- 구하고자 하는 통계량을 모두 선택 후 Sum 위치에 드롭한다(e). 그런 다음 **weight** 변수를 드래그하여 b)의 경우처럼 height 변수 앞 또는 뒤에 드롭하면 된다(f).

[그림 2.35]

Gender	age	height				Gender	age	weight				height			
		Mean	Std Dev	Min	Max			Mean	Std Dev	Min	Max	Mean	Std Dev	Min	Max
e)						f)									
1	12	58.6	5.413	52	66	1	12	101.5	38.8	64	145	58.6	5.413	52	66
	13	59.0	2.646	56	61		13	95.3	24.66	67	112	59.0	2.646	56	61
	14	62.6	1.517	61	65		14	96.6	25.64	81	142	62.6	1.517	61	65
	15	63.0	1.414	62	64		15	102.0	14.14	92	112	63.0	1.414	62	64
	16	62.5	3.536	60	65		16	113.5	2.121	112	115	62.5	3.536	60	65
	17	62.0	.	62	62		17	116.0	.	116	116	62.0	.	62	62
2	12	57.3	5.508	51	61	2	12	97.0	26.96	79	128	57.3	5.508	51	61
	13	61.3	3.304	58	65		13	94.3	11	79	105	61.3	3.304	58	65
	14	65.3	2.289	63	69		14	103.9	10.68	92	119	65.3	2.289	63	69
	15	65.2	1.924	62	67		15	110.8	9.985	104	128	65.2	1.924	62	67

4-2) 몇 가지 추가적인 Option

☞ 만들어진 표를 Excel로 내보내고자 한다면 ▼Tabulate / Make Into data table에 들어가서 JMP 데이터 테이블로 만든 다음 File / Save as 기능을 활용하여 Excel File로 저장하면 된다.

☞ 두 개 이상의 통계량을 합해서 표시하고자 한다면, 해당 통계량 선택 후 우측 마우스 클릭 후 Pack columns / pack을 활용하면 된다.

☞ 소계(Sub Total) 및 합계 등을 구하고자 한다면 왼쪽 하단의 Add Aggregate Statistics를 선택하면 된다. [그림 2.36]은 Min, Max에 대해 Pack 기능 적용 및 Add Aggregate Statistics를 선택한 결과 중 일부이다.

[그림 2.36]

Gender	age	weight		
		Mean	Std Dev	Min (Max)
1	12	101.5	38.8	64 (145)
	13	95.3	24.66	67 (112)
	14	96.6	25.64	81 (142)
	15	102.0	14.14	92 (112)
	16	113.5	2.121	112 (115)
	17	116.0	.	116 (116)
	All	101.3	24.11	64 (145)
2	12	97.0	26.96	79 (128)
	13	94.3	11	79 (105)
	14	103.9	10.68	92 (119)
	15	110.8	9.985	104 (128)
	16	128.0	.	128 (128)
	17	153.0	26.87	134 (172)
	All	108.3	21.1	79 (172)
All	All	105.3	22.43	64 (172)

☞ 요약 테이블과 함께 Chart 등을 포함하고자 한다면 **▼Tabulate / Show Chart**를 선택하면 된다.

[그림 2.37]

Gender	age	weight				height			
		Mean	Std Dev	Min	Max	Mean	Std Dev	Min	Max
1	12								
	13								
	14								
	15								
	16								
	17								
	All								
2	12								
	13								

☞ 데이터 테이블에 표현되는 숫자의 소수점 자리 수를 조정하고자 한다면 왼쪽 하단의 **Change Format**을 클릭하여 조정할 수 있다.

변수별, 통계량 별로 조정하고자 할 경우에는 [그림 2.38]에 표시된 부분을 활용하면 된다. 예를 들어 **Mean** 부분을 보면 '5, 1'로 되어 있는 데, 앞에 있는 숫자 5의 의미는 소수점을 포함한 최대 자리 수(Width)이고, 뒤의 1의 의미는 소수점 이하 자리 수(Dec, Decimal)이다.

[그림 2.38]

	Mean	Std Dev	Min	Max
weight	5, 1	5, Best	5, 0	5, 0
height	5, 1	5, Best	5, 0	5, 0

☞ 테이블 전체의 소수점 자리 수를 동일하게 변경하고자 한다면 [그림 2.39]에서와 같이 **Use the same decimal format**을 선택하여 변경하면 된다.

[그림 2.39]

```
┌Format─────────────────────────────────┐
│ ☑ Use the same decimal format          │
│                                         │
│   ○ Best                                │
│   ○ Fixed Dec                           │
│   ● Percent                             │
│     Field Width: [  10]  Number of decimals [   1] │
└─────────────────────────────────────────┘
```

🖐 범주형 변수에 대해 **Analyze / Tabulate** 기능을 적용해 보자.

'Car Poll.jmp' 데이터를 가지고 차량 **type(Family, Sporty, Work)**과 결혼 여부(Married, Single)간의 범주별 비율을 확인해 보기 위해서는 먼저 **type** 변수를 **drop zone for rows**로, 결혼 여부**(marital status)**를 N의 자리로 드롭한다. 그런 다음 전체에서 각 항목별 비중을 구하기 위해 **% of Total**을 가운데 숫자가 있는 부분에 드롭하고 차량 type별 비중을 구하기 위해 **Column %**를 표의 맨 오른쪽에 드롭하면 [그림 2.40]과 같이 결혼 여부에 따른 차량 type별 비중과 전체 데이터에 대한 차량 type별 비중이 요약된 표로 정리되어 표시된다.

[그림 2.40]

	marital status		
	Married	Single	
type	% of Total	% of Total	Column %
Family	39.27%	11.88%	51.16%
Sporty	14.85%	18.15%	33.00%
Work	10.56%	5.28%	15.84%

🖐 추가적으로 차량 type 별로 결혼 여부에 대한 비중을 구하고자 한다면, **Row %**를 **% of Total** 앞 또는 뒤에 끼워 넣으면 된다.

[그림 2.41]

	marital status				
	Married		Single		
type	Row %	% of Total	Row %	% of Total	Column %
Family	76.77%	39.27%	23.23%	11.88%	51.16%
Sporty	45.00%	14.85%	55.00%	18.15%	33.00%
Work	66.67%	10.56%	33.33%	5.28%	15.84%

🖐 차량 type뿐만 아니라 country별 및 size별로도 결혼 여부에 따른 비율을 구하고자 한다면 해당 변수를 테이블 하단에 차례대로 끼워 넣으면 된다.

[그림 2.42]

| | marital status | | | | |
| | Married | | Single | | |
type	Row %	% of Total	Row %	% of Total	Column %
Family	76.77%	39.27%	23.23%	11.88%	51.16%
Sporty	45.00%	14.85%	55.00%	18.15%	33.00%
Work	66.67%	10.56%	33.33%	5.28%	15.84%
country					
American	72.17%	27.39%	27.83%	10.56%	37.95%
European	65.00%	8.58%	35.00%	4.62%	13.20%
Japanese	58.78%	28.71%	41.22%	20.13%	48.84%

☞ 결측치(missing value)가 있을 경우 실행 윈도우에서 **include missing for grouping columns**를 선택하면 아래와 같이 결측치가 하나의 범주로서 표시된다.

[그림 4.43]

Tabulate

| | marital status | | | | | | |
| | Missing | | Married | | Single | | |
type	% of Total	Row %	% of Total	Row %	% of Total	Row %	Column %
Missing	0.66%	33.33%	0.66%	33.33%	0.66%	33.33%	1.98%
Family	0.66%	1.33%	37.62%	76.00%	11.22%	22.67%	49.50%
Sporty	0.66%	2.02%	14.19%	43.43%	17.82%	54.55%	32.67%
Work	0.00%	0.00%	10.56%	66.67%	5.28%	33.33%	15.84%
country							
Missing	1.98%	100.00%	0.00%	0.00%	0.00%	0.00%	1.98%
American	0.00%	0.00%	26.40%	71.43%	10.56%	28.57%	36.96%
European	0.00%	0.00%	7.92%	63.16%	4.62%	36.84%	12.54%
Japanese	0.00%	0.00%	28.71%	59.18%	19.80%	40.82%	48.51%
size							
Large	0.33%	2.38%	9.57%	69.05%	3.96%	28.57%	13.86%
Medium	1.32%	3.23%	26.73%	65.32%	12.87%	31.45%	40.92%
Small	0.33%	0.73%	26.73%	59.12%	18.15%	40.15%	45.21%

3 장. 데이터 시각화

개요

데이터 시각화(Visualization)란 데이터로부터 필요한 정보(Information)를 추출, 표현하기 위해 데이터를 시각적으로 처리하는 방법이라 할 수 있다. 또한, 다른 사람들과 소통하기 위해 데이터를 시각적으로 표현하는 것이라고도 할 수 있는 데 이런 측면에서 데이터 커뮤니케이션이라고 말하기도 한다.

분석해야 할 데이터가 준비가 되면(데이터 전 처리 과정 포함) 최종적인 통계 분석을 하기 전에 일반적으로 그래프 분석을 통하여 현재 데이터에 대해 시각적인 분석을 우선적으로 하게 된다. 물론 데이터 시각화를 위하여 데이터를 그래프로 표현하는 것 자체가 최종 목적일 경우도 있다.
[그림 1,1]에서 설명된 것처럼 일반적인 데이터 분석의 두 가지 목적(유의한 변수의 선별과 모델링)을 달성하기 위해 앞 단계에서 해야 할 작업이 탐색적 데이터 분석(EDA : Exploratory Data Analysis)인 데, 탐색적 분석 데이터 분석의 핵심적인 내용은 변수의 현재 모습과 변수간의 관계 등을 통계량과 그래프로 파악하는 것이다. .
JMP 에서 그래프를 그릴 수 있는 대부분의 메뉴는 Graph Platform 아래에 있다. **View / JMP Starter** 의 Graph 범주를 확인해 보면 그래프 별로 간략한 설명을 확인할 수 있다.

이번 장에서는 그래프의 출발점이라 할 수 있는 도수 분포표와 히스토그램에 대해 배워 보고, JMP 의 최고 기능 중의 하나인 그래프 빌더 활용법과 이와 관련된 유용한 팁 및 데이터 시각화를 위한 몇 가지 다른 종류의 그래프 활용 방법을 살펴보기로 한다. 마지막으로 데이터 시각화에 있어서의 유의 사항에 대해서도 살펴볼 것이다.
1) 도수분포표와 히스토그램
2) 그래프 빌더의 활용

3) 그래프 빌더 활용을 위한 몇 가지 팁

4) 그 외 다른 그래프

5) 데이터 시각화 유의 사항

1. 도수분포표와 히스토그램

1) 도수 분포표

'big class.jmp' 데이터의 **height** 변수에 대해 아래와 같이 표를 만들 수 있는데, 이와 같은 표가 도수 분포표(frequency distribution table)이다.

[그림 3.1]

	계급	(절대) 도수	누적 절대 도수	상대 도수	누적 상대 도수
1	50 ~ 55	2	2	4.12%	4.12%
2	55 ~ 60	5	7	11.47%	15.59%
3	60 ~ 65	19	26	47.12%	62.71%
4	65 ~ 70	13	39	34.49%	97.20%
5	70 ~ 75	1	40	2.80%	100.00%

즉, 도수 분포표는 연속형 데이터에 대하여 이 데이터를 적당한 구간으로 나누고 각 구간에 포함된 데이터의 수를 나타낸 표라고 할 수 있다. 도수 분포표에서 구간을 계급(class)이라 하고 해당 구간의 데이터 개수를 도수(frequency)라고 한다. JMP에서는 **Bin**이라는 말을 사용하는 데 계급의 개수를 **Bin Count**, 계급별 구간의 폭을 **Bin Width**라고 한다.

도수 분포표를 만들 때에는 보통 각 계급별로 도수(절대 도수라고 한다)를 구하고 누적하여 누적 절대 도수(cumulative absolute frequency)를 구한 다음, 각 계급별로 도수의 상대적 비율인 상대 도수(relative frequency)와 상대 도수를 누적하여 누적 상대 도수(cumulative relative frequency)를 함께 표현하는 게 일반적이다.

2) 히스토그램(Histogram)

히스토그램(Histogram)은 도수 분포표에서 각 계급별 도수 또는 상대 도수를 막대 그래프(Bar Chart)로 표현한 것이다.

[그림 3.2]는 히스토그램을 그린 다음, 각 계급별 도수(frequency)와 상대 도수를 함께 표현한 것이다.

[그림 3.2]

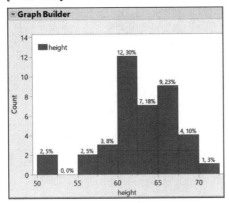

히스토그램을 그릴 수 있는 대표적인 메뉴는 **Analyze / Distribution**이다.

몇 가지 기능을 살펴보자.

🖑 먼저 height 변수에 대해 **Analyze / Distribution**을 실행한다.

[그림 3.3]

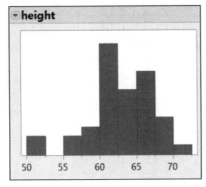

🖑 여기서 계급(Bin)의 개수를 조정하고자 할 때, 가장 손쉬운 방법은 도구 모음에서 Grabber를 선택한 다음(마우스가 Grabber 모양으로 변경된다),

마우스 왼쪽을 누르고 히스토그램에서 마우스를 위아래로 이동하면 된다.
▼height / Histogram Options / set Bin Width에서 Bin의 폭(width)을
설정하는 방식으로도 가능하다.

[그림 3.4]

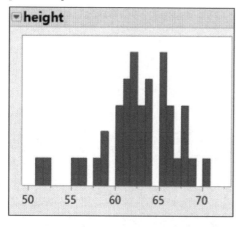

🖱 **▼height / Histogram Options**에서 **Show Percents**, **Show Counts**를
선택하면 [그림 3.2]처럼 표현된다.

🖱 **▼height**에서 **Stem and Leaf**을 클릭하면 줄기 잎 그림을 그릴 수 있고,
CDF Plot을 선택하여 누적 분포 함수(CDF : Cumulative distribution
function)를 표현할 수 있다.

[그림 3.5]

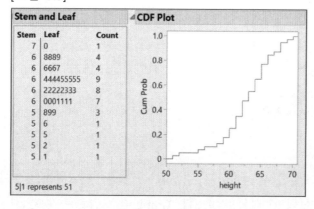

☞ ▼**height / Histogram Options** 아래에 **Count Axis**, **Prob Axis**, **Density Axis**가 있는 데 각각의 의미는 다음과 같다.

1) **Count Axis**(개수 축) : 히스토그램의 막대가 표현하는 데이터의 개수

2) **Prob Axis**(확률 축) : 히스토그램의 막대가 표현하는 데이터의 비율

3) **Density Axis**(밀도 축) : 히스토그램의 막대 길이를 나타내는 데 위의 확률과 개수는 아래와 같이 계산된 것이다.

 -확률(Probability) = 막대 너비(bin width) * 밀도(density)

 -개수(count) = 막대 너비 * 밀도 * 총 데이터 수

[그림 3.6]에서 진하게 선택된 막대에 대해 계산해 보면 다음과 같다.

 -확률(0.225) = 2.5 * 0.09

 -개수(9) = 2.5 * 0.09 * 40

[그림 3.6]

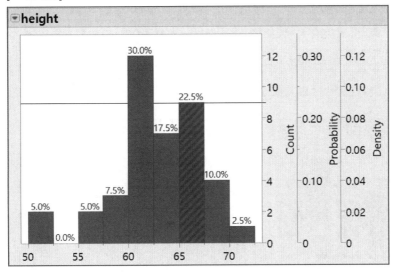

Count와 Probability의 경우 ▼**height / Histogram Options** 에서 **Show Percent**, **Show Count** 를 클릭하여 해당 정보를 **Histogram**에 추가적으로 표현할 수 있다. [그림 3.6]은 Percent를 추가한 결과이다.

☞ 범주형 변수인 경우에는 조금 다른 형태의 히스토그램이 출력된다. **age**

변수에 대해 **Analyze / Distribution**을 실행한 뒤 ▼**age / Histogram Options / Separate Bars**를 선택한 결과는 다음과 같다.

[그림 3.7]

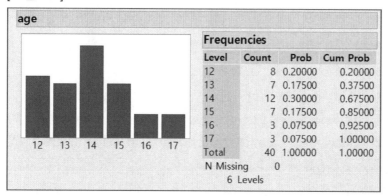

⊕ 아래는 ▼**age / Histogram Options / Count Axis**를 통해 빈도 수에 대한 축을 설정한 뒤 ▼**age / Display Options / Axes on Left**를 클릭하여 축을 왼쪽으로 이동하고 ▼**age / Mosaic Plot**을 통해 모자이크 플롯을 추가한 결과이다.

[그림 3.8]

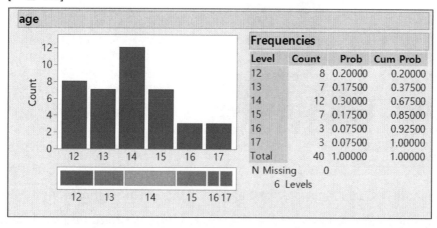

2. 그래프 빌더(Graph Builder)의 활용

그래프 빌더는 JMP 에서 가장 많이 활용되는 기능 중의 하나로 변수에 대한 드래그와 드롭만으로 그래프를 손쉽게 그릴 수 장점이 있다. 간단한 드래그와 드롭을 통해 데이터와 여러 개의 그래프를 상호 연동하여 표현할 수 있다.

1) 그래프 빌더의 화면 구성
그래프 빌더의 화면 구성 및 각 항목별 내용은 다음과 같다.

[그림 3.9]

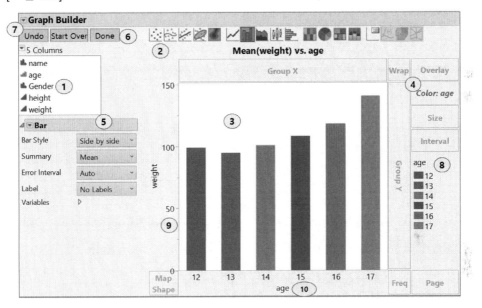

① 변수를 선택하여 오른쪽 **Building Zone** 에 드롭할 수 있다. 변환된 변수일 경우 변수명이 기울임 꼴로 표시되며, 변수명에서 오른쪽 마우스 클릭하여 추가적인 작업을 할 수 있다.

② **그래프 선택** 아이콘이다. 그래프 빌더에서 구현할 수 있는 그래프의 종류를 아이콘으로 표시해 놓은 것이다. 아이콘의 선택만으로 그래프 종류를

변경할 수 있으며, 아이콘 위에 마우스를 갔다 놓으면 해당 그래프의 명칭과 간략한 설명이 나타난다.

[그림 3.10]

-맨 왼쪽에 있는 다섯 가지 그래프(Points, Smoother, Line of Fit, Ellipse, Contour)는 X, Y 축에 드롭되는 변수가 모두 연속형 변수일 때 보다 유용한 그래프이다.

-그 다음 다섯 가지 그래프(Line, Bar, Area, Boxplot, Histogram)은 X 축에 드롭되는 변수가 범주형이고 Y 축에 드롭되는 변수가 연속형일 때 보다 적절한 그래프 종류들이다.

-그 다음 네 개의 그래프(Heatmap, Pie, Tree map, Mosaic)는 X, Y 축에 드롭되는 변수가 모두 범주형 변수일 경우에 사용된다

③ 그래프 선택 아이콘의 결과가 그래프로 표현되는 영역으로 **드롭 Zone** 이라고 한다. 오른쪽 마우스를 클릭하여 다양한 하위 기능(선택한 그래프의 옵션 조정, 그래프 추가 등)을 활용할 수 있다.

④ **Group X**, **Group Y**, **Wrap**, **Overlay** 등은 **Grouping Zone** 이라 한다. 여기에 Group 변수를 드롭하여 층별한 효과처럼 분석한다. 간략히 설명하면,

● **Wrap** : Graph를 격자(Lattice, Grid)형태로 보여주고자 할 경우, 여기에 그룹 변수를 드롭한다.

● **Overlay** : Graph를 겹쳐서 표현하고자 할 때, 해당 변수를 드롭한다

● **Color** : Graph의 색을 구별하는 변수를 드롭한다

● **Size** : Graph에 표현되는 Point 등의 크기를 구분하여 나타내고자 할 경우 활용된다.

● **Map Shape** : 지리 정보를 담고 있는 변수일 경우 사용한다

● **Freq** : 빈도 또는 가중치 변수를 선택한다

● **Page** : 각각 다른 Page 로 보여주고자 할 때, 해당 그룹 변수를 여기에

드롭한다.

⑤ 선택한 그래프의 주요 옵션을 변경할 수 있는 **Panel** 화면이다. 그래프 위에서 우측 마우스 클릭하여 볼 수 있는 하위 기능 중 자주 활용되는 기능이 Panel 화면에 표시된다.

⑥ **Undo** 는 마지막 실행 되돌리기, **Start Over** 는 처음부터 다시, **Done** 은 그래프 그리기 완료의 의미이다. **Done** 을 클릭하면 그래프 빌더의 Control Panel 이 모두 사라지고 그래프만 표시된다. Control Panel 을 다시 표시하고자 하다면 ▼**Graph Builder / Show Control Panel** 을 선택하면 된다.

⑦ 그래프 빌더 왼쪽 옆의 붉은 색 삼각형 클릭하면 그래프 전체의 스타일을 변경할 수 있는 다양한 하위 기능을 활용할 수 있다.

⑧ **범례(Legend)** 기능이다. 범례 위에서 왼쪽 및 오른쪽 마우스를 클릭하여 범례의 옵션을 조정할 수 있다.

⑨ 축(Axis)을 더블 클릭하여 축에 대한 옵션을 조정할 수 있다. 우측 마우스를 클릭하여 여러 가지 옵션을 활용할 수 있는 데, 특히 범주형 변수인 경우 표시되는 범주형 변수의 표시 순서 조정 및 범주 결합 등을 할 때 많이 활용된다.

⑩ 축(Axis)의 제목이다. 클릭하여 제목을 변경할 수 있고, 오른쪽 마우스 클릭하여 글꼴, 글씨 크기 등을 조정할 수 있다.

2) 그래프 빌더의 활용 방법

그래프 빌더를 활용하여 쉽고 효과적으로 그래프를 그리고자 한다면 다음의 순서에 따르는 것이 권고된다. 이를 설명하기 위해 'big class.jmp' 데이터에서

age 별 **height** 의 차이를 **sex** 별로 구분하면서 boxplot 으로 표현하고 **age** 별로 boxplot 의 색깔을 다르게 하는 상황을 가정해 보자.

첫째, 변수별로 모델링 타입을 확인하고 모델링 타입별로 적절한 그래프를 검토한다. 왼쪽 Column 패널에서 각 변수명 왼쪽의 아이콘을 통해 모델링 타입을 확인할 수 있는 데, Excel 등 외부에서 불러온 데이터일 경우 모델링 타입이 원래와 다르게 인식될 수 있고, 모델링 타입에 따라 보다 적절하게 표현 가능한 그래프의 종류가 다르기 때문이다.

둘째, 가장 기본이 되는 변수를 X 축, Y 축에 드롭한다. 디폴트를 변경하지 않았다면 일단은 [그림 3.11]처럼 포인트 그래프로 표현되다.

[그림 3.11]

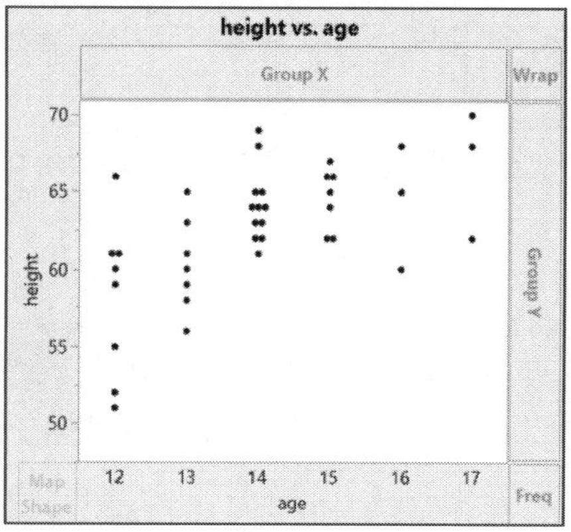

셋째, 적절한 Graph 종류를 선택한다. 지금의 경우는 **age** 가 범주형이고 **height** 가 연속형이므로 두 번째 그룹의 다섯 가지 그래프(Line, Bar, Area, Boxplot, Histogram) 중에서 한 가지를 선택할 수 있을 것이다. 여기서는 Boxplot 을 선택한다.

네 번째 남녀별로 구분하기 위하여 Grouping Zone 중 하나에 **sex** 변수를 드롭한다. **sex** 변수를 드래그하여(드롭하지 않고) 각각의 Grouping Zone 에 위치시켜보면 드롭했을 때의 그래프의 모습을 미리 알 수 있다. 여기서는 Overlay zone 에 드롭한다.

[그림 3.12]

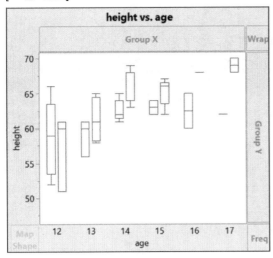

마지막으로 왼쪽 패널을 이용하거나 그래프 위에서 우측 마우스를 클릭하여 Boxplot 의 옵션을 조정할 수 있다. 여기서는 Box Style 을 Solid 로 변경하고, **age** 별로 boxplot 의 색깔을 다르게 하기 위해 **age** 변수를 Color Zone 에 드롭한다. 그래프가 완성되었다고 판단되면 Done 버튼을 클릭한다.

[그림 3.13]

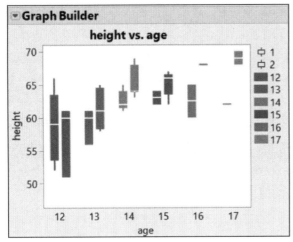

3) 산점도(Scatter Plot), Line of Fit

산점도(Dot Plot 또는 Scatter Plot)는 연속형 변수간의 관련성을 표현하는 가장 기본적인 그래프이다. 그래프 빌더에서는 포인트 그래프로 표시되는 데, 'big class.jmp' 데이터를 가지고 산점도를 그려보자.

🖱 **Graph / Graph Builder**에 들어가서 **height** 변수를 X 축에, **weight** 변수를 Y 축에 드롭하면 [그림 3.14]와 같은 산점도가 생성된다. 그래프 위에서 우측 마우스를 클릭하여 하위 메뉴를 활용할 수 있다.

[그림 3.14]

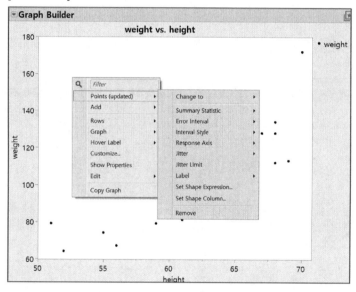

● **Points** : 하위 메뉴의 첫 번째인 현재 그려진 그래프를 뜻한다. 그 아래에는 현재의 그래프를 다른 그래프로 변경하는 **Change to**가 있고 **Response Axis**를 제외하고 **Summary Statistic**부터 **Jitter Limit**까지의 하위 기능은 [그림 3.14] 왼쪽의 Points Panel에도 동일하게 있다.

● **Add** : 현재의 그래프에 다른 그래프를 추가하는 기능이다. **Shift Key**를 누른 상태에서 상단의 그래프 아이콘에서 다른 아이콘을 클릭해도 동일한

결과이다. [그림 3.15]는 **Ellipse(타원)**를 추가한 결과이다.

[그림 3.15]

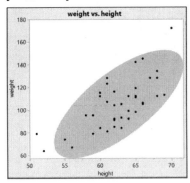

● **Row** : Graph에서 마우스를 드래그하여 특정한 값을 선택한 뒤 그 데이터에 대해 별도의 색깔로 표시하거나 Hide, Exclude 또는 Label 기능 등을 적용하고자 할 때 사용된다

● **Graph** : 그래프의 배경화면, Marker Size 등을 조절하는 데 이용된다.

● **Hover Label** : 다른 그래프를 추가적으로 하나 더 띄워서 볼 수 있는 기능으로 자세한 내용은 '3.3 그래프 빌더 활용을 위한 몇 가지 팁 부분'에 설명되어 있다.

● **Customize** : Marker 등의 표현 방식을 변경할 때 활용되는 기능이다.

[그림 3.16]

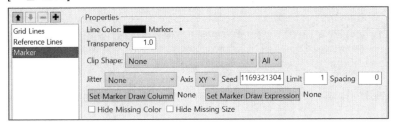

☝ [그림 3.15]에서 Ellipse(타원) 그래프를 제거하고 성별에 따라 구분하고

Line of Fit 그래프를 추가하기 위해서 **Shift Key**를 누르고 상단 그래프 아이콘에서 **Line of Fit** 그래프를 추가한다. **sex** 변수를 Group X Zone에 드롭한 다음, 좌측 Line of Fit Panel에서 **R²**, **Equation**을 추가한 결과는 [그림 3.17]과 같다.

[그림 3.17]

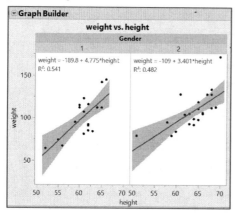

☞ 여기서 그래프에 특정한 값을 **Labeling**하는 방법에 대해서도 살펴보자. 만약 **sex**가 1인 경우의 우측 상단 두 개의 값과 2인 경우의 좌측 하단 한 개의 값에 대해 name과 weight 값을 Labeling하고 싶다면, 데이터 테이블의 해당 변수명 위에서 우측 마우스 클릭 **Label/Unlabel**을 선택한 다음, 그래프에서 해당 데이터 선택 후 **Rows / Row Label**을 선택하면 된다.

[그림 3.18]

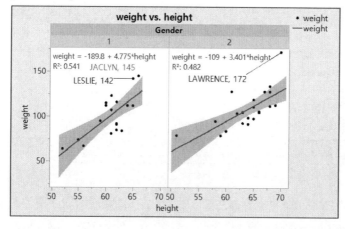

4) Area, Line Chart

Area Chart 또는 **Line Chart** 는 X 축에 시간 변수, Y 축에 연속형 변수를 드롭하여 시간의 경과에 따른 데이터의 흐름의 표현하는 데 주로 이용된다. 'Bands.jmp' 데이터는 Website의 시간대별 Traffic을 나타낸다. 시간대별 **Lo**, **Hi** 값은 **Area Chart** 로 나머지 세 변수에 대해서는 **Line Chart** 로 표현해 보자.

[그림 3.19]

	Hour	Average	Today	Last Week	Lo	Hi
1	12am - 1am	281272	351467	329426	339247.20509	219725.94193
2	1am - 2am	283326	337326	314616	332835.27514	222337.47869
3	2am - 3am	276708	325968	316969	335743.24819	215166.47182
4	3am - 4am	269380	312589	289802	333366.31363	218143.67942
5	4am - 5am	220106	260046	244454	262782.82837	173155.09389
6	5am - 6am	192082	223656	221646	230457.43547	155332.22033

 Hour 변수를 X 축에, 나머지 다섯 개 변수 모두를 Y 축에 드롭하고 그래프 아이콘에서 **Area**를 선택한다.

 왼쪽 Area 패널에서 Area Style을 **Range**로 변경하고, Variables에서 Y 축에 드롭한 변수 중 **Lo**, **Hi**를 제외한 세 개 변수에 대한 선택을 해제한다.

[그림 3.20]

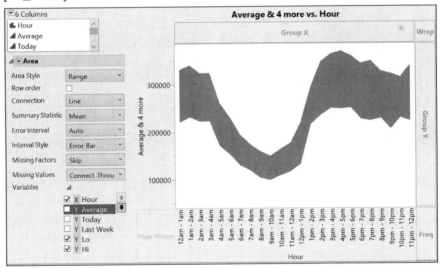

🖰 그래프 아이콘에서 **Line Chart**를 추가한다. 왼쪽 Line Panel의 Variables에서 **Lo**와 **Hi** 변수에 대한 선택을 해제한 결과는 [그림 3.21]과 같다. **Average** 및 **Last Week** 값에 비해 오늘(**Today**) 오후 및 저녁 시간대의 Traffic 양상이 다름을 확인할 수 있다. 아래는 범례(Legend)의 Low, Hi 부분에서 오측 마우스 클릭, Fill Color에서 색깔 변경, Today 부분에서 우측 마우스 클릭, Line Width를 이용해사 선의 굵기를 조정한 결과이다.

[그림 3.21]

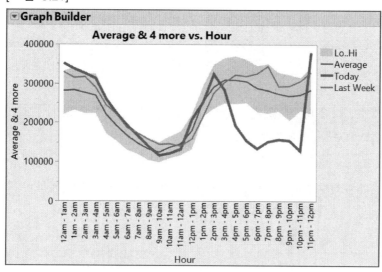

5) Bar Chart
Bar Chart 는 범주형 변수의 범주별로 Y 축에 위치되는 연속형 변수의 값 변화를 표현할 때 많이 활용되며 흔히 막대 그래프라고 불린다.

5-1) 먼저 'big class.jmp' 데이터를 가지고 나이에 따른 남녀의 키와 몸무게의 평균을 Bar Chart 로 표현하는 경우에 대해 살펴보자.
🖰 **Graph / Graph Builder**에 들어가서 **age** 변수를 X 축에, **height** 변수와 **weight** 변수를 Y 축에 드롭하고 상단 Graph 종류에서 **Bar Chart**를 선택한

다음, 왼쪽 Bar Panel의 Label에서 **Label by Value**를 선택하고 **Line Chart**를 추가한 결과는 [그림 3.22]와 같다.

[그림 3.22]

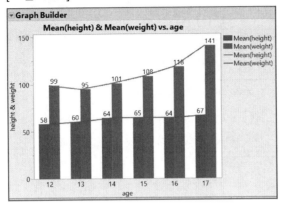

☞ 이 상태에서 그래프 하단에 요약 통계량 테이블을 추가할 수 있는 데, 이를 위해서는 그래프 아이콘에서 **Caption Box**를 선택한다. 왼쪽 **Caption Box** 패널의 **Summary Statistics**에서 Min과 Max를 순차적으로 선택하고 **Location**에서 Axis Table을 선택한 결과는 [그림 3.23]과 같다. 그래프 하단에 Bar Chart로 표현된 변수에 대해 선택한 통계량인 Min, Max 값이 Table 형식으로 표시된다.

[그림 3.23]

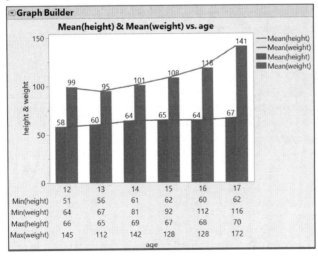

5-2) **Bar Chart**를 이용하면 **리커트(Likert) 척도** 또한 아주 잘 표현할 수 있다. 지지도, 만족도, 호감도 등을 조사할 때 5점 또는 7점 리커트(Likert) 척도를 많이 활용하는 데, 리커터 척도 결과를 그래프 빌더 기능을 활용하여 **Butterfly Chart(나비 차트)**로 표현 가능하다.

'Likert Survey.jmp' 데이터를 보면 20 개의 질문에 대해 5점 척도별 응답 수가 정리되어 있고, 부정 응답 두 개(strongly disagree, disagree)는 긍정 응답의 반대편에 그래프를 위치하기 위하여 Formula를 활용하여 (-) 값을 가진 변수를 만들었고 neutral 값 또한 2로 나누어 (+)값과 (-)값을 가진 별도의 변수로 만들어져 있다

[그림 3.24]

question	no answer	strongly disagree	disagree	neutral	agree	strongly agree	-strongly disagree	-disagree	-neutral	+neutral
Q1	15	1052	2841	2266	4032	2950	-1052	-2841	-1133	1133
Q2	40	1226	3141	2067	3989	2693	-1226	-3141	-1033.5	1033.5
Q3	34	1806	3610	2802	3524	1380	-1806	-3610	-1401	1401
Q4	17	2910	3425	2813	3222	769	-2910	-3425	-1406.5	1406.5
Q5	40	724	2582	2026	4763	3021	-724	-2582	-1013	1013
Q6	41	3092	4073	2014	2602	1334	-3092	-4073	-1007	1007
Q7	50	4066	5202	1483	1463	892	-4066	-5202	-741.5	741.5

🖱 **Question**을 Y에 드롭하고 **agree**부터 6개의 변수를 X에 드롭, Graph 종류로 **Bar**를 선택한다. 그런 다음 왼쪽 Bar Panel에서 Bar Style을 **Stacked**로 변경하고 Variables를 열어서 변수의 순서를 아래와 같이 조정한다.

[그림 3.25]

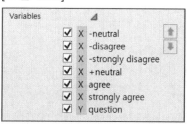

🖱 ▼**Graph Builder / Legend Position / Bottom**을 클릭하여 **Legend**를

아래쪽으로 이동시키고 **Legend**의 Color 아이콘에서 우측 마우스 클릭, **Fill Color**를 활용하여 중립과 만족, 불만족의 의미를 좀 더 명확하게 전달하기 위해 Color를 변경한다. 그런 다음 Color 아이콘을 더블 클릭하여 **Legend Setting** 윈도우에서 Legend 명의 (-)를 삭제하고, 두 개의 neutral 중 하나를 선택 해제한다. Legend의 정렬 순서 또한 조정할 수 있다.

[그림 3.26]

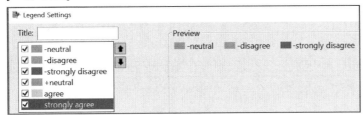

⚲ 추가적으로 X 축, Y 축 및 Graph의 이름을 적절하게 변경하고, 우측 마우스 클릭하여 Font Size 등을 변경한다. 그런 다음 Y 축을 클릭하여 **Reverse Order**를 선택하여 정렬 순서를 조정하고 X 축을 클릭하여 Grid 값을 선으로 표현하기 위하여 **Axis Label Row**에서 **Major Grid Lines**을 선택하면 최종적으로 [그림 3.27]과 같은 **Butterfly Chart(나비 차트)**가 완성된다.

[그림 3.27]

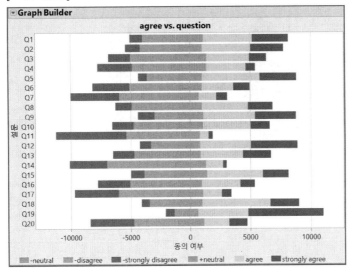

6) Heat Map과 Contour plot

반도체 웨이퍼는 각 Cell별 불량의 정도를 일반적으로 색깔로 표현한다. 이처럼 단위당 불량의 정도를 색깔로 표현하는 그래프를 통상 **Heat Map**이라 부른다. **Heat Map**은 전자/기계 장치의 평탄도, 농작물의 각 단위 면적당 수확량, 디스플레이 장치의 Cell당 불량률 등 다양하게 활용될 수 있다.

.

'Wafer Stacked.jmp' 데이터는 Lot별, 웨이퍼 별로 반도체 웨이퍼의 불량을 측정한 것이다.

🖱 **Graph / Graph Builder**에 들어가서 **X_Die** 변수를 X 축에, **Y_Die** 변수를 Y 축에 드롭하고 상단 그래프 종류에서 **Heat Map**을 선택한다.

🖱 **Defects** 변수를 우측 Color Zone에 드롭하면 그 결과는 아래와 같다.

[그림 3.28]

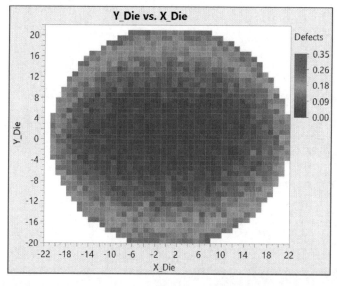

🖱 만약 Lot별 또는 웨이퍼별로 불량을 보고자 한다면 Lot 변수 또는 Wafer 변수를 Grouping Zone 중에서 적당한 곳에 드롭하면 된다. 아래는 **Wafer**

변수를 Wrap Zone에 드롭한 결과이다.

[그림 3.29]

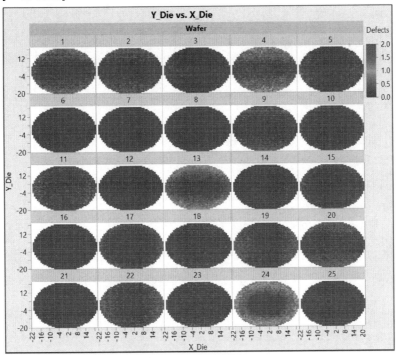

🖐 그래프 빌더에서 범주형 변수의 Level별로 데이터를 표현하는 방법은 [그림 3.29]와 같이 Graph Builder 우측의 Grouping Zone 중의 하나를 이용하는 방법도 있지만 [그림 3.30]처럼 **Local Data Filter**도 이용 가능하다.

[그림 3.30]

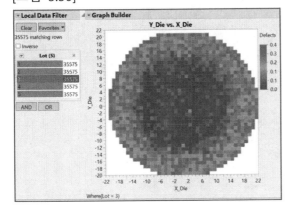

🖱 경우에 따라서는 **Contour Plot**(등고선도)로 표현하기도 하는 데 [그림 3.28]에서 그래프 아이콘에서 Contour 을 선택한다, 그런 다음 Contour 의 **Legend** 에서 우측 마우스 클릭, **Gradient** 를 선택하여 옵션을 조정할 수 있다.

[그림 3.31]

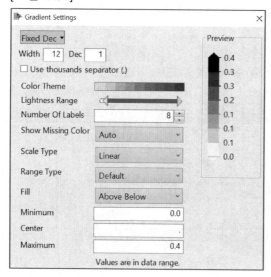

🖱 [그림 3.31]처럼 옵션을 선택하였다면 결과는 다음과 같다.

[그림 3.32]

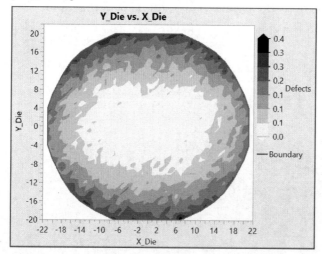

7) Overlaid Histogram(히스토그램 겹쳐 그리기)

'Diabetes.jmp' 데이터를 가지고 **Overlaid Histogram** 을 그려 보자.

🖰 **Graph / Graph Builder**에 들어가서 **HDL**을 X 축에, **Sex**를 Overlay Zone에 드롭한 다음 그래프 종류에서 **Histogram**을 선택하고 Histogram Panel에서 Histogram Style을 **Kernel Density**로 변경한다.

[그림 3.33]

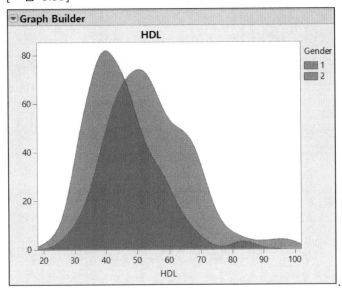

🖰 Sex(1)이 Sex(2)보다 HDL 값이 더 크다는 것을 확인할 수 있다. 조금 더 세부적으로 그래프를 그려보자. **Sex**를 Y 축에 드롭하고 Histogram 패널에서 **Overlap Slider**를 75% 정도의 위치에 놓는다.

🖰 Graph 상에서 평균값과 표준편차를 보기 위하여 **Means and Std Devs**를 선택하고 평균값의 95% 신뢰 구간을 표시하기 위하여 **Confid Percent**에 95를 입력한다. [그림 3.34]는 가시성을 높이기 위해 범례에서 우측 마우스 클릭한 후 Fill Pattern에서 패턴을 조정한 후의 결과이다.

[그림 3.34]

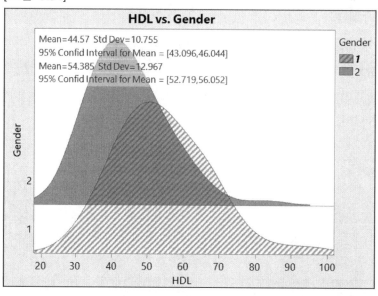

8) 모자이크 그림(Mosaic Plot)

Mosaic Plot은 두 개 이상의 범주형 변수의 조합된 범주의 크기 등을 표현할 때 많이 활용되는 그래프이다.

'Dolphins.jmp'는 시간대별, 활동 내용별 돌고래 숫자를 측정한 데이터이다.

⚲ 그래프 빌더에서 **Period** 변수를 X 축에, **Activity** 변수를 Y 축에, **Groups** 변수를 Freq Zone에 드롭한다.

⚲ 그 다음 상단 그래프 종류에서 **Mosaic Plot** 선택하고, 왼쪽 Mosaic 패널의 **Cell Labelling**에서 **Label by Percent**를 선택한 그 결과는 아래와 같다. 오전, 저녁 시간대에 주로 먹이 활동을 하며 Travel은 주로 낮 시간대에 하는 반면, 오후에는 먹이 잡는 활동을 하지 않음을 알 수 있다.

[그림 3.35]

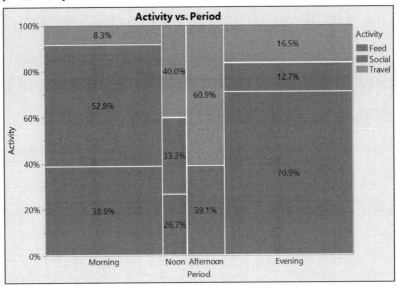

9) Page Layout

Page Layout 은 JMP18 버전에 업데이트된 사항이다.
'Consumer prices.jmp'는 17 개 Series 품목에 대한 날짜별 가격 추이에 대한
데이터이다.

🖱 Graph Builder 에서 Date 를 X, Price 를 Y 에 드롭한다. 그래프 종류로
Smoother 또는 Line 을 선택한 다음 Series 별로 살펴보기 위해 Series
변수를 **Page Zone** 에 드롭한다. 그러면 Series 변수의 17 개 범주별로
그래프가 생성된다.
Page 별로 Layout 을 구성하기 위하여 Page Zone 에서 우측 마우스 클릭,
Levels per Row 에서 한 줄(row)에 표시할 그래프의 개수를 선택하면,
[그림 3.36]

Please Enter a Number	×
Number of columns for wrap layout:	5

☝ Page 별 Layout이 완성된다. Page 별로 구분된 그래프는 각각 독립적인 데, 데이터의 값 그 자체보다는 데이터의 모양(shape, pattern, trend)에 보다 관심이 있을 때 유용하게 활용될 수 있는 기능이다. 또한, 각각 고유한 척도를 가지는 여러 변수의 누적 데이터를 표현할 때도 사용할 수 있다

[그림 3.37]

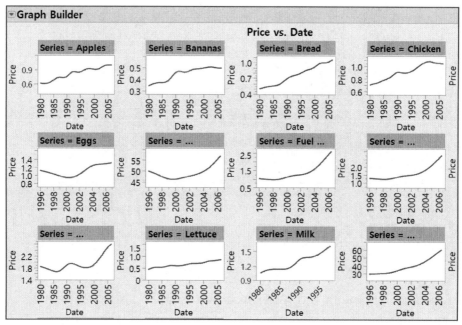

.

3. 그래프 빌더 활용을 위한 몇 가지 팁

지금까지 그래프 빌더 기능을 활용하여 다양한 그래프를 그리는 방법에 대해 살펴보았다. 이번에는 그래프 빌더 기능을 좀 더 효과적으로 활용할 수 있는 몇 가지 팁에 대해 살펴보고자 한다.

● 하나의 변수를 여러 가지 그래프로 표현
● 두 개의 Y 축 활용하기
● 축(Axis)의 조정

● Graph Size의 조정

● Hover Label 기능

1) 하나의 변수를 여러 개의 그래프로 표현

하나의 변수에 대해 여러 가지 그래프로 표현하고자 할 경우에는 **Shift** 키를 누른 상태에서 그래프 아이콘을 선택하거나 또는 그래프 아이콘을 그래프의 드롭 Zone에 드롭하면 된다. Y 축에 두 개의 변수가 있고 각각의 변수에 대해 다른 그래프로 표현하고자 한다면 Ctrl 키를 누른 상태에서 해당 그래프 아이콘의 위쪽 또는 아래쪽을 클릭하면 된다.

☞ 'big class.jmp' 데이터에서 **age** 변수를 X 축에 드롭하고 **weight** 변수를 Y 축에 드롭하고 그래프 종류로 Box Plot과 Line을 선택한다.

☞ 그런 다음 **height** 변수를 Y 축에 추가로 드롭하고 Ctrl 및 Shift Key를 누른 상태에서 **Points**와 **Ellipse** 아이콘의 아래 부분을 선택하고 **age** 변수를 Color Zone에 드롭한 결과는 아래와 같다.

[그림 3.38]

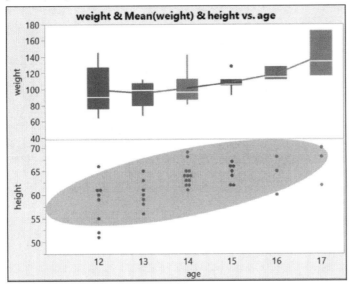

2) 두 개의 Y 축 활용하기

시계열 데이터인 경우 X 축에는 시간과 관련된 변수가 위치하고 Y 축에는 시간에 따른 어떤 변수의 변화를 나타낼 때 Y 축에 위치하는 변수가 두 개 이상이고 특히 그 변수의 단위가 다른 경우에는 좌,우 양쪽의 Y 축을 모두 이용할 필요가 있다.

'CrimeData.jmp' 데이터는 년도별 범죄율과 범죄 건수를 나타낸 데이터인 데, 이를 별도의 Y 축에 Line Chart로 표현해 보자.

🖰 **Graph / Graph Builder**에 들어가서 **Total Rate**와 **Total**을 Y 축에, **Year**를 X 축에 드롭하고 그래프 종류에서 **Line Chart**를 선택한다.

🖰 Total Rate(범죄율)와 Total(범죄 건수)는 숫자의 단위가 많이 다르므로 각각 별도의 Y 축으로 표현하는 것이 좋은 데, Y 축 위에서 우측 마우스 클릭 후 **Move Right / Total Rate**를 선택하면 그 결과는 다음과 같다. 여기서 범례의 위치를 조정하고자 한다면, ▼**Graph Builder / Legend Position**을 이용하여도 되고, 그냥 범례를 드래그하여 적당한 위치에 드롭하면 된다.

[그림 3.39]

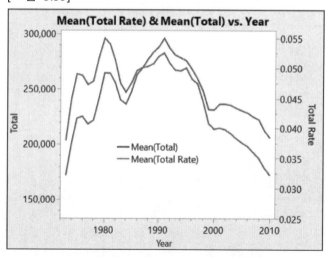

여러 개의 변수를 Y 축에 드롭하는 경우에 대해 좀 더 살펴보자. Y 축을 기준으로 한 설명이지만 당연히 X 축에 대해서도 동일하게 적용된다.

- 일반적으로 두 개 이상의 변수를 동시에 선택하여 Y 축에 드롭하면 Y 축에 해당 변수가 모두 동일한 위치에 존재하는 것으로 인식된다. 이럴 경우 앞에서 살펴본 것처럼 우측 마우스 클릭 후 **Move Right**하여 하나 이상의 변수를 오른쪽 Y 축으로 이동할 수 있다.

- 두 개 이상의 변수를 순차적으로 선택하여 Y 축에 드롭하는 경우에는 두 번째 드롭하는 변수의 드롭 위치에 따라 첫 번째 변수를 대체하거나, 두 번째 변수를 단순 추가하거나 또는 그래프 빌더 화면을 분할하여 별도의 위치로 추가할 수 있다.

- 두 개 이상의 범주형 변수를 동시에 선택하여 Y 축에 드롭하면 [그림 3.40]처럼 위계적인 구조를 형성하게 된다. 물론 하나의 변수를 먼저 드롭한 뒤, 두 번째 변수를 드래그하여 **Nest this variable in the Y Axis**라는 설명이 디스플레이되는 곳에 드롭하여도 동일한 결과이다.

[그림 3.40]

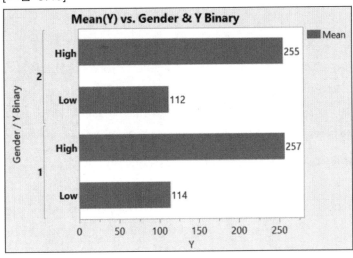

3) 축(Axis)의 조정

이번에는 그래프의 축(Axis)과 관련된 옵션 설정에 대해 살펴보자. 연속형 변수를 축에 드롭한 후 축을 더블 클릭하면 [그림 3.41]과 같은 축 조정 윈도우가 디스플레이된다.

[그림 3.41]

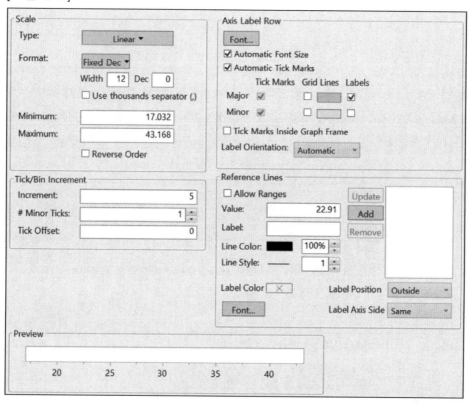

- **Scale** 부분에서는 축 척도의 표현 방법(Type, Format)과 표시되는 축 척도의 시작점(Minimum)과 마지막 지점(Maximum)을 설정할 수 있다.
- **Tick/Bin Increment**에는 축에 표시되는 간격(Increment)과 간격 간에 표시되는 소 간격의 수(# Minor Ticks), 간격 시작 값(Tick Offset) 등을 설정할 수 있다. 이 값들의 변경 결과는 하단 Preview에서 확인할 수 있다.
- **Axis Label Row**에는 축 라벨의 Font 조정, Tick/Bin Increment에서 설정한 Minor Tick 값의 표시 및 표시되는 Label의 방향 등을 조정할 수 있다.

● **Reference Lines** : Graph에서 참조 선 또는 참조 범위를 설정할 수 있는 옵션이다. [그림 3.42]와 같이 Min, Max 값을 설정하고 Allow Ranges 선택 후 Add를 클릭하면,

[그림 3.42]

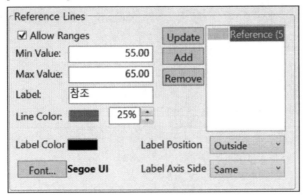

아래 그림의 Y 축처럼 표시된다.

[그림 3.43]

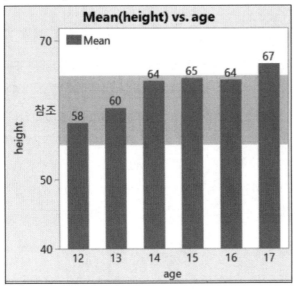

4) Graph Size 의 조정

이번에는 그래프 빌더에서 Graph Size 를 조정하는 방법에 대해 살펴보자.

● Graph Size를 조정하는 가장 일반적인 방법은 Graph의 외곽 선 또는 모서리를 움직이는 방법이다.

● 다른 방법으로는 그래프 위에서 우측 마우스 클릭, **Graph / Size/Scale**에서 조정하는 방법이 있다.

[그림 3.44]

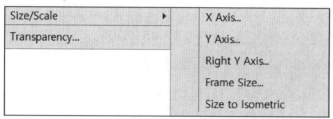

하위 기능 중에서는 **Frame Size** 에 들어가서 X 축 및 Y 축의 Size 를 직접 설정하는 방법이 많이 활용된다. **Size to isometric** 은 X 축, Y 축 간격을 동일하게 설정하는 기능으로 각 축에 드롭된 변수의 값의 범위가 크게 차이가 나지 않을 때 주로 활용된다.

● 세 번째 방법으로 환경설정에서 Window Size 변경과 연동 여부 등을 디폴트화할 수 있다. **File / preferences / Platforms / Graph Builder**의 **Fit to Window**에서 조정할 수 있다. 여기서 **Aspect Ratio**는 화면 비율을 뜻한다. 이 기능은 그래프 빌더 실행 화면에서 **▼Graph Builder / Fit to Window**에서 개별 Graph별로도 조정할 수 있다. **Off**로 설정하면 Window Size가 변화해도 Graph Size가 변하지 않으며 **Maintain Aspect Ratio**로 설정하면 Graph의 X, Y 화면 비율은 유지된 상태에서 Window Size 변화에 따라 Graph Size가 조정된다.

[그림 3.45]

Fit to Window	▶	Auto
Sampling...		On
Graph Spacing...		Off
Include Missing Categories	●	Maintain Aspect Ratio

5) Hover Label 기능

Hover Label(가리키기 라벨) 기능에 대해 살펴보자. 사전적 의미로 Hover는 맴돌다, 곁에 머물다는 뜻인 데, 변수에 대해 특정한 그래프로 표현한 뒤에 다른 그래프를 그 그래프 옆 또는 위에 띄워서 보다 깊게 그 변수를 파악할 수 있도록 도와주는 기능이다.

☞ 'big class.jmp' 데이터에서 **Analyze / Distribution**에 들어가서 **Histogram only**를 체크하고 **sex** 및 **height** 변수 선택 후 OK를 클릭한다.

[그림 3.46]

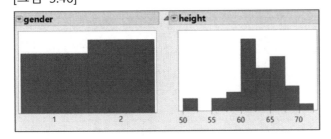

☞ 여기서 **sex** 변수의 범주별로 해당 데이터를 Boxplot으로 보고 싶다면 어떻게 해야 할까? **sex** 변수의 Histogram 위에서 우측 마우스 클릭, **Hover Label / boxplot**을 선택한 다음 Histogram 위에 마우스를 위치하면 Boxplot 형태로 Hover Label이 표시된다. Hover Label Graph의 우측 상단 Pin 마크를 클릭하여 [그림 3.47]처럼 그 결과를 고정할 수도 있다.

[그림 3.47]

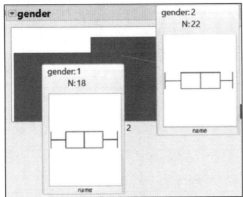

🖱 만약 **height** 변수의 값 60~70에 해당하는 데이터에 대해서만 sex 변수의 범주별로 구분된 Boxplot을 **Hover Label**로 표현하고자 한다면 어떻게 해야 할까?

🖱 먼저 **height** 변수에 대한 히스토그램의 bin 폭을 10으로 설정하기 위하여 ▼**height / Histogram options / set bin width**를 선택하여 10을 입력한다. **height** 변수의 값 60~70에 해당하는 bin 위에서 우측 마우스 클릭, **Hover Label / Boxplot**을 선택한다.

🖱 Boxplot을 클릭하면 그래프 빌더 화면으로 이동된다. ▼**Graph Builder / Show Control Panel**을 클릭하여 실행 화면을 열어서 원하는 형태의 Boxplot을 만든 다음, ▼**Save script / to clipboard** 선택하고 Boxplot이 있는 그래프 빌더를 닫는다.

🖱 그런 다음 원래의 히스토그램에서 우측 마우스 클릭, **Hover Label / Paste Graphlet**를 클릭하면 아래와 같이 Hover Label이 수정한 Boxplot으로 표현된다.

[그림 3.48]

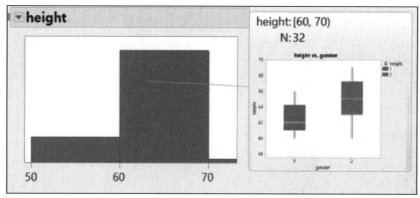

🖱 **Hover Label** 기능은 그래프뿐만 아니라 **Analyze / Tabulate** 기능을 실행한 결과로도 표현할 수 있다. **height** 변수에 대한 Histogram의 Bin 별로 성별

평균, 표준편차, Min, Max 값 등을 표현하고자 한다면 **Hover Label /**
Tabulate를 선택한 다음 동일한 방식으로 실행하면 된다.

[그림 3.49]

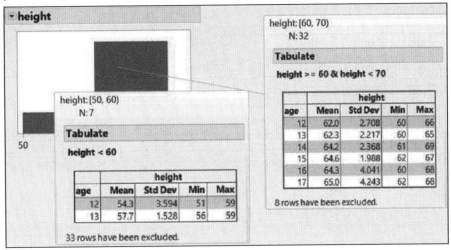

4. 그 외 다른 그래프

지금까지 그래프 빌더 활용 방법과 몇 가지 팁을 살펴보았는 데 이번에는
그래프 빌더 외 많이 활용되는 몇 가지 다른 그래프를 이용하여 데이터
시각화를 활용하는 방법에 대해 살펴보자.

여기서 살펴볼 그래프의 종류와 해당 메뉴는 아래와 같다.
● **Multivariate Scatterplot : Analyze / Multivariate Methods / Multivariate**
● **Scatterplot 3D : Graph / Scatterplot 3D**
● **Density Analysis : Analyze / Fit Y by X**
● **Variability Chart : Analyze / Quality and Process**
● **Pareto Chart : Analyze / Quality and Process / Pareto**

1) Multivariate Scatterplot(Scatterplot Matrix)

Scatterplot Matrix(Multivariate Scatter Plot, 다변량 산점도)는 두 개 이상의 연속형 변수 간의 관련성을 표현하고자 할 때 많이 활용된다.

'Diabetes.jmp' 데이터에서 다섯 개 변수(Y, LDL, HDL, TCH 및 LTG)를 가지고 확인해 보자. **Scatterplot Matrix**는 **Graph / Scatterplot Matrix** 및 **Analyze / Multivariate Methods / Multivariate**를 활용할 수 있는 데 여기서는 후자를 활용하였다.

🖑 **Scatterplot Matrix**를 표현하기 위하여 **Analyze / Multivariate Methods / Multivariate**에 들어가서 다섯 개 변수를 Y로 선택한다. **Scatterplot Matrix** 결과에서 Alt 키를 누른 상태에서 **Scatterplot Matrix** 왼쪽의 붉은 색 역삼각형을 클릭하여 필요한 옵션을 선택한다.

[그림 3.50]

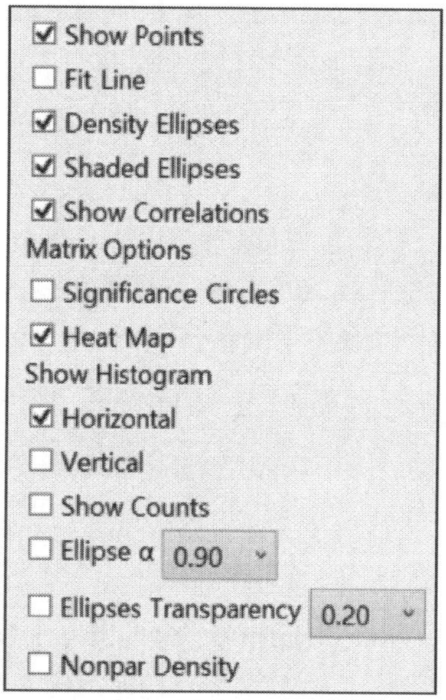

🖑 결과는 다음과 같다. 개별 변수에 대한 히스토그램을 비롯하여 변수간의 관련성에 대한 상관 계수, 상관 계수의 크기에 따라 표현된 Heat Map, 산점도와 Density Ellipse(밀도 타원) 등이 표현되어 있다.

[그림 3.51]

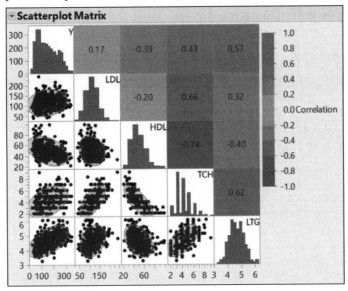

 변수의 개수가 보다 많아지면 ▼**Multivariate / Color Map on Correlations** 또는 **Cluster the Correlations**를 선택하여 변수 간의 관련성을 **Heatmap** 형태로 간단하게 표현할 수 있다.

[그림 3.52]

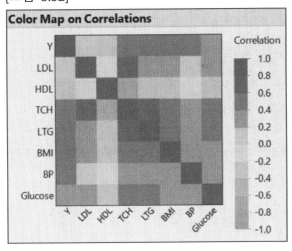

 ▼**Multivariate / Parallel Coord Plot**을 통해 조금 다른 방식으로 변수간의

관련성을 살펴볼 수 있다. 아래 그래프는 **TCH** 변수의 큰 값 일부를 선택한 결과인 데, 다른 변수보다 **LDL**, **HDL**이 **TCH**와 관련성이 보다 커 보인다.

[그림 3.53]

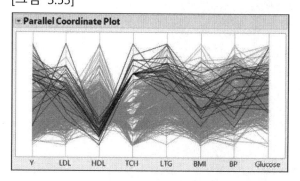

2) Scatterplot 3D

Scatterplot 3D는 서로 관련이 있는 세 개 이상의 연속형 변수를 입체적으로 표현하고자 할 때 활용되는 그래프이다.

☞ **Graph / Scatterplot 3D**에 들어가서 'Diabetes.jmp' 데이터의 **Y**, **BMI**, **BP** 세 개의 변수를 Y로 선택하고 **Y** 값에 가중치를 부여하고 색깔로 구분하기 위하여 **Y**를 **Weight** 및 **Coloring**에 선택한다.

[그림 3.54]

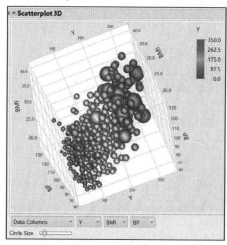

☞ **Scatterplot 3D** Graph는 회전 가능하므로 회전하면서 변수간의 관련성을

살펴볼 수 있다. **Scatterplot 3D Graph** 위에서 우측 마우스 클릭, **Show Arc Ball**을 선택하거나 ▼**Scatterplot 3D / Normal Contour Ellipsoids** 등을 이용하면 **Scatterplot 3D** Graph를 좀 더 입체적으로 표현할 수 있다.

[그림 3.55]

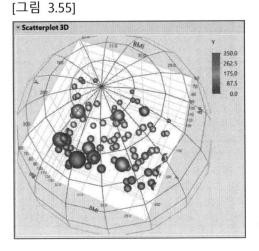

3) Density Analysis(Analyze / Fit Y by X)

유의성 검정(가설 검정)을 하기 위한 **Analyze / Fit Y by X** 메뉴에서도 여러 가지 그래프를 활용할 수 있는 데, 여기서는 반응치 Y 가 연속형인 경우에 활용할 수 있는 방법에 대해 살펴보기로 한다. [그림 3.56]는 **Analyze / Fit Y by X** 기능 실행 윈도우의 일부분인 데 'big class.jmp' 데이터를 가지고 **Bivariate (Regression)** 및 **Oneway (ANOVA)**의 경우에 대해서 살펴보자.

[그림 3.56]

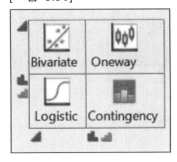

먼저 **Bivariate (Regression)**의 경우이다.

🖱 **height** 변수를 X 로, **weight** 변수를 Y 로 하여 **Analyze / Fit Y by X** 를 실행한 다음, ▼**Bivariate ~ / Histogram Boarders** 를 통해 히스토그램을 추가할 수 있고, ▼**Bivariate / Density Ellipse** 를 통해 **Density Ellipse(밀도 타원)**을 추가할 수 있다(여기서는 0.9 를 선택)

[그림 3.57]

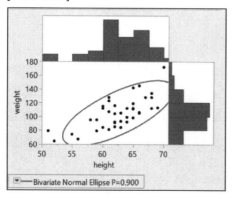

🖱 ▼**Bivariate Normal Ellipse ~ / Shaded Contour** 를 선택하여 타원 내 데이터를 보다 명확히 표시할 수 있고 **Select Point Outside** 를 클릭하면 타원 밖의 데이터를 데이터 테이블과 연동하여 확인할 수 있다.

[3.58]

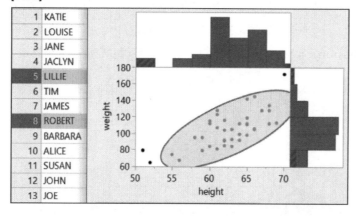

🖱 밀도 타원은 X 및 Y 변수에 대한 이변량 정규 분포 적합을 통해 계산된다. 이변량 정규 밀도는 X 및 Y 변수의 평균 및 표준편차와 변수 사이의

상관계수를 사용하는 함수이다. 밀도 타원은 두 연속형 변수 사이의 상관관계를 나타내는 데 유용한 그래프이다. 두 변수 간의 상관계수가 1 또는 –1 에 가까워질수록 즉 절대값의 크기가 1 에 가까울수록 타원이 대각선 방향으로 가늘게 표시된다. 두 변수 간에 상관관계가 작을수록 타원이 일반적인 둥근 원에 가까워지고 대각선 방향의 기울어짐이 작게 된다.

다음은 **Oneway (ANOVA)**의 경우이다.

 sex 변수를 X 로, **weight** 변수를 Y 로 하여 **Analyze / Fit Y by X** 를 실행한 다음 **▼Oneway ~ / CDF plot** 을 클릭하면 X 인자의 범주별 **CDF(cumulative density function) plot** 이 표시된다.

[그림 3.59]

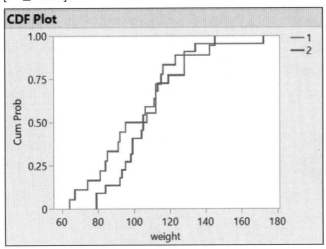

 ▼Oneway ~ / Densities 아래를 보면 세 가지 종류의 밀도(Density) 그래프에 대한 옵션이 있는 데, 모두 선택한다.

93

[그림 3.60]

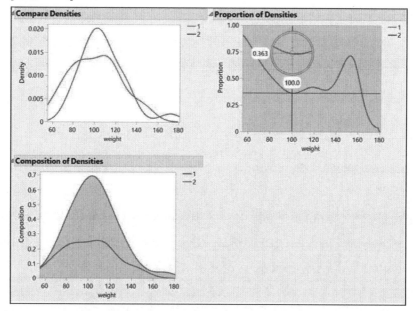

Compare Densities(밀도 비교)는 sex 범주별로 구분된 확률 밀도 함수(probability density function)를 나타내며, **Proportion of Densities** (밀도의 비율)은 weight 변수의 개별 값에서의 밀도에 대한 sex 변수의 각 범주별 기여도를 나타낸 것이다. 도구 모음의 Crosshair 를 이용하여 살펴보면 weight 값 100 에서는 sex(1)이 약 36% 기여함을 확인할 수 있다. 마지막으로 **Composition of Densities**(밀도의 합성)은 **sex** 변수의 각 범주별 데이터의 개수에 따라 가중치가 부여된 합산 밀도이다.

4) Variability Chart

범주형 X 인자의 범주 변화에 따른 연속형 반응치 Y 의 변동을 확인하는 방법으로 **Variability Chart(변동성 차트)**를 많이 활용한다. **Variability Chart** 는 때로는 **Multi-Vari Chart(다중 변동 차트)**라 불리는 데, X 인자가 시간 등의 연속형일 때 활용되는 런 차트(Run Chart), **관리도(Control Chart)**에 대비되는 Chart 라 할 수 있다

'Restaurant Tips.jmp' 데이터를 가지고 살펴보자.

☞ **Analyze / Quality and Process / Variability Chart**에 들어가서 **Tip Percentage**를 Y로 **Credit Card, Day of Week**를 X로 선택, 실행한다.

[그림 3.61]

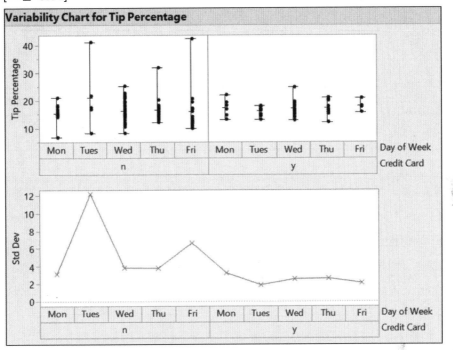

☞ 변동성에 대해 보다 시각적으로 표현하기 위해 ▼**Variability Gauge ~ / Show Group Means**, **Show Grand Mean, XBar Control Limits** 등 필요한 옵션을 선택한다.

☞ 점으로 표시된 부분이 실제 측정값이고, 수직선의 길이가 Credit Card 종류별로 해당 요일의 산포이다.

Credit Card 여부에 따라서 Tip Percentage의 전반적인 결과에는 차이가 없으나 Credit Card가 없는 경우 많은 Tip이 발생하는 예외적인 경우가 종종 있는 것으로 보인다.

[그림 3.62]

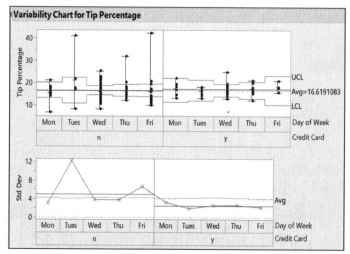

☞ Variability Chart 는 **Graph Builder** 에서도 거의 동일하게 표현할 수 있는 데, **Graph / Graph Builder** 에 들어가서 **Tip Percentage** 를 Y 로, **Day of Week** 를 X 로 **Credit Card** 를 Overlay Zone 에 드롭한다.

☞ Graph에서 **Boxplot 및 Line** Graph를 선택하고 Y축에 평균값을 추가한 결과는 [그림 3.63]과 같다.

[그림 3.63]

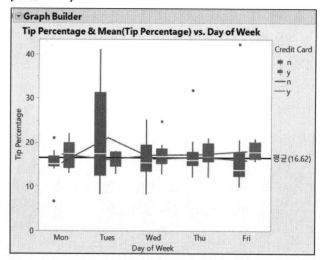

☞ 위와 같은 데이터는 매우 다양한 형태로 표현할 수 있는 데, 예를 들어 [그림 3.64]는 Bar 그래프로 최대값을, Line 그래프로 평균값을 표현하고 그래프 하단에 **Caption Box**를 이용하여 몇 가지 통계량을 표현한 것이다.

[그림 3.64]

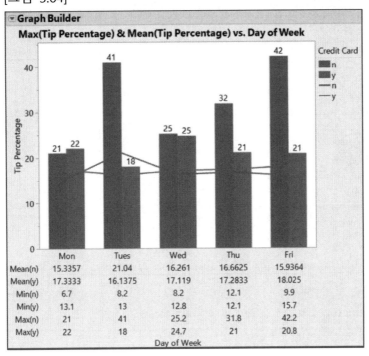

5) Pareto Plot

Pareto Plot는 품질 관리, 공정 관리 영역에서 많이 활용되는 그래프로 불량 등의 범주형 변수의 종류별 빈도(Frequency), 심각도(Severity) 등을 표현하고자 할 때 많이 활용되는 그래프이다.

'Failure Raw Data.jmp' 데이터는 불량 발생 건 별로 그 명칭이 입력되어 있다.
☞ **Analyze / Quality and Process / Pareto Plot**에 들어가서 **Failure** 변수를 Y로 선택한다. ▼**Plot / Cumulative percent / label cum percent points**를

선택하여 누적 %를 추가할 수 있고, 특정한 항목 위에서 우측 마우스 클릭, ▼Plot / Selected Causes / Colors에서 해당 항목에 대한 색깔을 변경할 수 있다.

[그림 3.65]

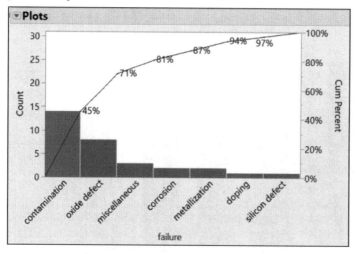

☞ 중요하지 않는 항목 등을 기타로 처리하고자 할 경우에는 해당 항목 선택 후 ▼Plot / Selected Causes / Combine Causes를 이용하면 된다.

☞ 이와 비슷한 방법으로 실행 윈도우에서 **Threshold of Combined Causes**를 선택하면 비율(Tail %) 또는 개수 기준으로 결합할 수 있는 데, 아래처럼 **Tail %**에서 20을 입력하면 하위 20%를 묶어서(Combined) 기타로 처리하겠다는 뜻이 된다.

[그림 3.66]

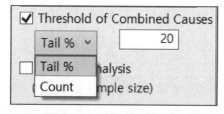

☞ 그 결과는 다음과 같다(추가적으로 몇 가지 옵션을 변경하였다)

[그림 3.67]

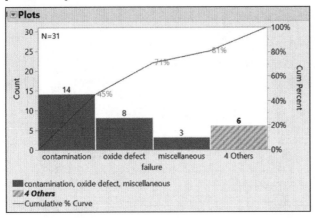

5. 데이터 시각화 유의 사항

데이터 시각화는 데이터를 가지고 다른 사람과 의사 소통하기 위한 가장 적절한 수단과 방법이지만 유의해야 할 사항도 많다. 적절하지 않는 시각화 방법으로 표현하고자 하는 메시지를 제대로 전달하지 못하는 경우도 있고, 때로는 나쁜 의도로 악용하여 사용하는 경우도 종종 있는 것 같다.

데이터 시각화와 관련하여 대표적인 몇 가지 유의 사항에 대해 살펴보자.

● 축 간격 등 표현되는 데이터 범위
● 데이터 개수에 대한 고려
● 정태적 분석과 동태적 분석
● 상황과 목적에 따른 시각화 방법

1) 축 간격 등 표현되는 데이터 범위

[그림 3.68]은 다이아몬드의 컷(Cut) 상태에 따른 가격을 표현한 것인 데, 얼핏 보면 왼쪽 그래프는 컷(Cut) 상태에 따라 가격 차이가 별로 없는 것처럼 보이는 반면 오른쪽 그래프는 가격 차이가 많이 나는 것처럼 보인다. 하지만

두 그래프는 같은 데이터에 대해 Y 축에 표현되는 데이터의 범위를 다르게 했을 뿐이다. 그래프에서 축의 범위 설정은 표현되는 데이터의 범위를 제한하는 것과 동일한 뜻이므로 그래프를 볼 때는 그래프 자체뿐만 아니라 축의 설정 상태에 대해서도 유념하여 살펴보아야 한다.

[그림 3.68]

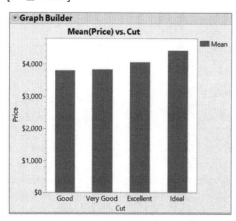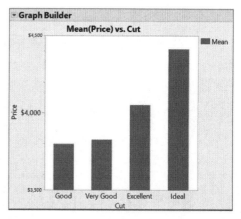

2) 데이터 개수에 대한 고려

[그림 3.68]과 같은 막대(Bar) 그래프를 비롯하여 [그림 3.69]처럼 Boxplot으로 표현할 때 X 축의 네 가지 컷(Cut) 상태에 대한 데이터의 개수가 나타나지 않음으로 인해, 은연중에 네 가지 컷(Cut) 상태에 대한 데이터의 개수가 동일하다고 착각하기 쉽다.

[그림 3.69]

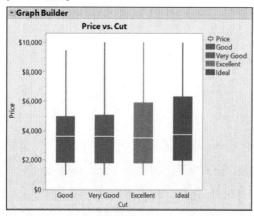

100

경우에 따라서는 데이터의 개수를 함께 표현해야 정보가 보다 정확하게 전달될 수 있는 데, [그림 3.70]의 경우에는 X 축에서 우측 마우스 클릭, **Size by / Count**를 선택하여 개수(Count)를 반영하여 표현하면 된다.

[그림 3.70]

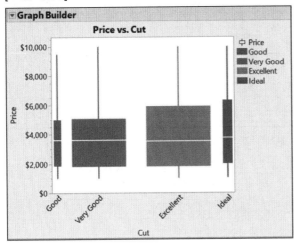

[그림 3.70]과 같은 그래프는 **Analyze / Fit Y by X**에서도 표현할 수 있는 데, 이 메뉴에서의 JMP 디폴트는 X 인자의 범주별 데이터의 개수를 고려하여 데이터를 표현한다. 만약 데이터의 개수를 고려하지 않고 표현하고자 한다면 ▼**Oneway ~ / Display Options / X Axis Proportional**을 선택 해제하면 된다.

[그림 3.71]

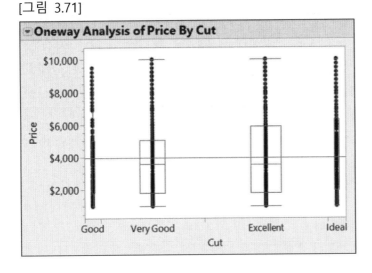

3) 정태적 분석과 동태적 분석

특정 시점을 기준으로 데이터를 분석하는 것을 정태적 분석이라 하고, 시간의 흐름에 따른 변동성을 파악하고자 하는 것을 동태적 분석이라 한다. 데이터 분석을 할 때는 이러한 두 관점을 적재적소에 잘 활용해야 하는 데, 그렇지 못한 경우도 허다하다.

몇 년 전 모 신문에 발표된 내용을 한 번 살펴보자[11].

2021년 초 OECD에서 2020년 12월 기준으로 국가별 2020년 경제 성장 실적과 2021년 전망치를 발표하였는 데, 이에 대해 몇몇 신문들은 아래 두 가지 주장을 펼치면서 정부를 맹비난하였다.

1) OECD 보고서에 따르면 2020년의 한국의 경제 성장률은 (-)이며 1998년 IMF 금융 위기 이후 최악이다.

2) 2021년 성장률 전망치는 미국, 프랑스, 영국, 캐나다보다 못하고 심지어 칠레, 콜롬비아보다 낮다.

위의 두 주장 자체는 틀린 말은 아니지만 동태적 분석인 주장 1과 정태적 분석이 주장 2가 교묘히 혼합되어 당시 정부가 매우 잘못하고 있다고 비난하였는 데, 데이터를 통해 확인해 보면 완전히 그릇된 주장임을 알 수 있다.

주장 1)

이 주장 자체는 사실이지만 이 보고서에는 2020년 실적(전망치)과 2021년에 대한 전망치만 있고 1998년을 비롯해 그 이후의 데이터는 없다. 또한, 2020년 경제 성장률이 (-)이기는 하지만 OECD 국가 중 세계 1위이다. OECD 모든 나라가 코로나로 인해 2020년에는 경제가 역성장했고 아래 표에서 볼 수 있듯이 우리나라는 (-)이기는 하지만 (-)폭이 가장 작다는 것을 알 수 있다.

---

[11] OECD(2020 2021).jmp 데이터 참조

[그림 3.72]

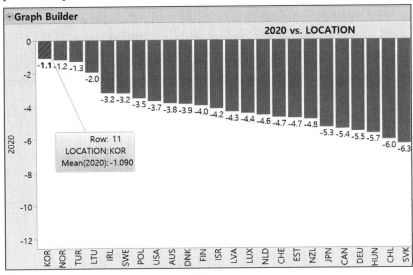

주장 2)

이 주장 또한 사실이다. 아래 그래프를 보면 2021년 성장 전망치는 우리 나라가 OECE 국가 중에서 대략 중간 정도 순위이고 칠레, 콜롬비아보다 성장 전망치가 낮은 것도 사실이다.

[그림 3.73]

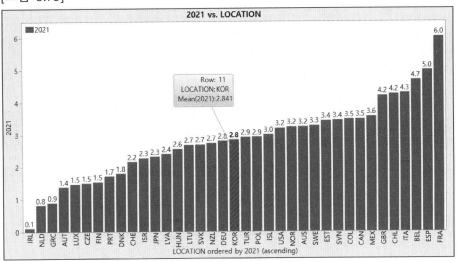

그러나 2020년 모든 나라가 역성장했고 역성장폭이 큰 나라가 2021년 성장

전망치가 상대적으로 높은 것은 당연한 것이다. 이러한 점은 2020년 전망치와 2021년 전망치를 단순히 더하기해 봐도 쉽게 확인할 수 있다. 2년 합산 데이터를 보면 대부분의 나라가 2년 동안 (-) 성장, 즉 2019년 실적을 회복하지 못하고 있음을 알 수 있다. 반면, 우리를 포함하여 몇 나라만이 (+) 성장이다.

이처럼 데이터 분석을 할 때 일부의 측면만 보면 '단편적 사실의 오류'에 빠지기 쉬우므로 항상 유의해야 한다.

[그림 3.74]

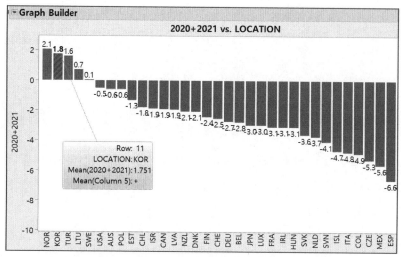

.4) 상황과 목적에 따른 시각화 방법

동일한 데이터라 하더라도 상황과 목적에 따라 시각화 방법을 달리하는 편이 좋다. [그림 3.75]는 다섯 개 부서의 년간 예산과 지출에 대한 데이터이다. ('예산과 지출'.jmp)

[그림 3.75]

	부서	예산	지출	초과지출비율	예산-지출
1	생산	$497,496	$534,942	7.53%	-$37,446
2	마케팅	$343,182	$377,123	9.89%	-$33,941
3	재무	$374,016	$363,122	-2.91%	$10,894
4	IT	$158,754	$161,994	2.04%	-$3,240
5	R&D	$115,068	$133,800	16.28%	-$18,732

이 데이터는 다양한 방식으로 시각화를 할 수 있는 데, 예를 들면 다음과 같다. [그림 3.76]의 왼쪽 그래프는 부서별 예산과 지출을 막대 그래프로 비교한 것이고, 오른쪽 그래프는 초과 지출 비율((지출-예산) / 예산)을 표현한 것이고, 세 번[그림 3.77]은 과다(또는 과소) 지출 금액을 표시한 것이다.

세 가지 그래프 중 어떤 그래프가 적당한 것인가 하는 것은 시각화를 통해 무엇을 전달할 것인지에 대한 그 목적과 상황에 따라 다를 것이다.

예를 들면 어느 부서가 지출이 제일 많은 지를 보고 싶다면 [그림 3.76]의 왼쪽 그래프가 적당할 것이고, 어느 부서가 예산대비 지출을 가장 적절히 했는 지를 알고 싶다면 오른쪽 그래프, 회사 전체의 과다 지출에 어느 부서가 기여를 많이 했는 지 알고 싶다면 [그림 3.77]의 그래프가 보다 효과적일 것이다.

[그림 3.76]

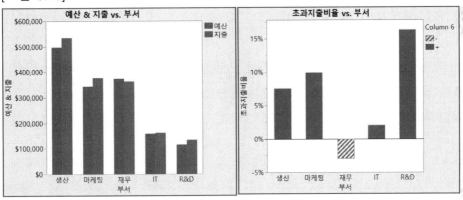

[그림 3.77]

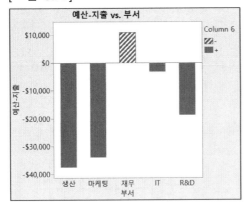

위의 사례는 JMP Homepage에 게재되어 있는 백서(White Paper) "The Top 7 Myths That Lead to Really Bad Graphs" 중 첫 번째 미신(Myth)에서 설명된 내용이다. 참고로 이 백서에서 언급한 데이터 시각화 관련 잘못된 7가지 미신을 간략히 정리하면 다음과 같다. 상세 내용은 백서 제목으로 JMP Homepage에서 검색하여 확인하길 바란다[12].

1) 청중이나 목적에 따라 시각화 방법은 달라져야 한다.

2) 주관적(편파적)이지 않는, '데이터만 보여주는', 객관적인 그래프는 없다.

3) 어떤 그래프가 다른 그래프보다 낫다고 말할 수 없다. 단지 개인적의 의견또는 취향일 뿐이다.

4) 하나의 그래프가 여러 개의 그래프보다 항상 좋은 것은 아니다.

5) 전문적인 그래픽 디자이너, 데이터 분석가가 더 좋은 그래프를 만든다고 볼 수 없다. 타이핑을 잘하는 것과 글을 잘 쓰는 것은 거의 관련이 없다. 데이터 시각화는 분석 능력, 커뮤니케이션 능력이 훨씬 중요한 영역이고 Domain(현업)에 대한 지식, 스토리텔링 능력 등이 보다 가치 있는 요소이다.

6) 차트가 멋있다고, 예쁘다고 사람들이 관심을 더 많이 갖는 것은 아니다. 중요한 것은 메세지를 정확하게 전달하는 것이다.

7) 데이터 시각화에 있어서 중요한 것은 '시각화'가 아니라 '데이터'이다. '데이터'에 부주의하면 잘못된 의사결정을 내릴 수 있다.

---

[12] https://www.jmp.com/en_us/whitepapers/jmp/top-seven-myths-that-lead-to-really-bad-graphs.html

4 장. 확률과 분포

개요

이번 장에서는 5 장 이후의 학습을 위해 필요한 몇 가지 통계 개념에 대해 '확률과 분포'를 중심으로 살펴보고자 한다.

먼저 확률(Probability)의 정의와 확률과 관련된 몇 가지 법칙을 살펴본 다음, 확률 분포 (Probability Distribution) 및 표본 분포 (Sample Distribution)에 대해 살펴볼 것이다.

1. 확률의 활용

1) 확률의 정의

하나의 주사위를 던져서 나올 수 있는 경우의 수는 1, 2, 3, 4, 5, 6 의 여섯 가지이고 각각 1/6 의 가능성을 가지고 있다. 확률(Probability)은 이처럼 어떤 사건이 일어날 가능성을 수치적으로 표현한 것을 말하며 사건 A 가 일어날 가능성을 P(A)라고 표현한다.

경우의 수가 정해진 표본의 개수 S 에 대해 각 사건이 일어날 가능성이 모두 같을 때 사건 A 가 일어날 가능성 P(A) = (사건 A 의 개수) / (표본의 개수) = n(A) / n(S)로 나타낸다. 예를 들어 두 개의 주사위를 던져서 두 주사위 값의 합이 10 보다 클 확률 P(A)를 구할 경우, 10 보다 클 확률은 (5,6), (6,5), (6,6) 세 가지 경우이고, 가능한 모든 경우의 수는 36 이므로 P(A) = 3/36 = 1/12 이 된다. 이와 같은 경우를 사건 A 가 일어날 수학적 확률이라 부른다.

반면에 통계적 확률은 많은 횟수의 관찰, 시행에서 특정 사건이 발생한 상대적 비율을 나타낸다. 야구에서의 타율이 좋은 예이다.

주사위 한 개를 던졌을 때 나올 수 있는 값의 평균은 (1+2+3+4+5+6)/6 = 3.5 인 데, 이는 수학적 확률이다. 주사위를 한 번, 두 번 던져서 나오는 값의 평균이 수학적 확률 3.5 와 다소 차이가 있겠지만, 주사위를 충분히 많이 던져서 그 값을 모두 평균하면 3.5 에 가까워질 것이다. [그림 4.1]은 주사위를 300 회 던졌을 때 누적 평균의 변화를 그래프로 나타낸 것이다. 즉, 시행 횟수가 충분하다면 수학적 확률과 통계적 확률은 거의 같아진다고 말할 수 있을 것이다.

[그림 4.1]

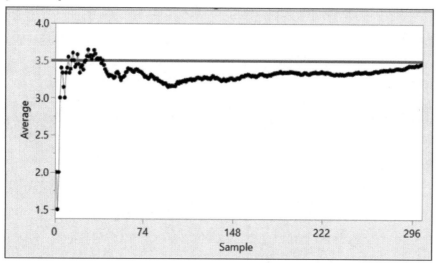

2) 확률의 계산

이번에는 확률의 계산과 관련하여 덧셈 정리, 곱셈 정리 및 베이즈 정리 (Bayes' Theorem)에 대해 알아보자.

어떤 회사에서 직원 100 명을 대상으로 짜장면, 짬뽕에 대한 선호도를 조사한 결과 짜장면이 좋다고 한 직원이 50 명, 짬뽕을 선호한 직원이 30 명, 둘 다 좋다고 한 직원이 20 명이라고 할 때 이를 그래프로 표현하면 다음과 같다(벤 다이어그램이라 한다)

[그림 4.2]

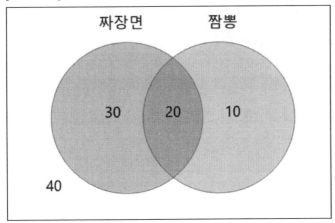

짜장면, 짬뽕에 대한 선호 확률을 각각 P(A), P(B), 둘 모두를 선호하는 확률을 교집합을 이용하여 P(A∩B)라고 한다면 짜장면과 짬뽕 모두를 선호하는 직원의 비율은

P(A∪B) = P(A) + P(B) - P(A∩B) 로 표현할 수 있다.

즉, (50/100) + (30/100) − (20/100) = 60/100 = 0.6(60%) 로 계산되는 데 이러한 것을 확률의 덧셈 정리라 한다.

아래와 같은 데이터가 있다고 가정하자.

A, B 회사의 불량 및 양품의 개수이다. 전체에서 불량일 확률은 5/33 이고 A 사 제품 중 불량일 확률은 3/23 이다.

[그림 4.3]

회사	양품	불량	합계
A 사	20	3	23
B 사	8	2	10
합계	28	5	33

일반화하여 살펴보자. 사건 A 가 일어났을 때 사건 B 가 일어나는 확률을 조건부 확률이라고 하고 P(B | A) 라고 표현하고 다음과 같이 정의될 수 있다.

P(B | A) = P(A∩B) / P(A)

위의 경우, A 사일 확률을 P(A), A 사 제품 중 불량일 확률을 P(B)라고 하면, A 사 제품의 불량률(사건 A 가 일어났을 때 B 가 일어날 확률)은 P(A∩B) / P(A) = (3/33) / (23/33) = (3 / 23)으로 계산된다.

조건부 확률을 이용하여 두 사건 A, B 가 동시에 일어날 확률 P(A∩B)는 다음과 같이 정리될 수 있는 데, 이를 확률의 곱셈 정리라 한다.
P(A∩B) = P(A) * P(B | A) = P(B) * P(A | B), (단, P(A)>0, P(B)>0)

이와 관련된 유명한 이론이 베이즈 정리(Bayes' Theorem)인 데 베이즈 정리는 보통 다음과 같이 표현한다.
P(A | B) = (P(B | A)*P(A)) / P(B)

만약, 어느 지역에서 석유와 소금이 발견된다고 했을 때
-석유(A)가 발견될 확률이 20% 이고
-석유(A)가 발견되었을 때 소금(B)이 발견될 확률이 75% 이고
-소금이 발견될 확률이 60% 라면
소금이 발견되었을 때 석유가 발견될 확률은 몇 % 일까 ?

위의 베이즈 정리 공식에 대입하면 이렇게 계산할 수 있다.
P(석유 / 소금) = (P(소금 / 석유) * P(석유)) / P(소금)
            = ((0.75) * (0.2)) / (0.6)
            = 0.25 (25%)

이 경우 핵심적인 의미는 해당 지역에서 석유가 발견될 확률은 그냥 20% 이지만, (우연이든, 의도된 결과이든) 소금이 발견되었을 경우에는 석유가 발견될 확률이 25%로 5% 더 높다는 것이다. 소금이 발견되었다는 확률(이전의 지식, Prior Knowledge)을 이용하여 지금 하고자 하는 분석에 활용할 때 베이즈 정리가 활용될 수 있다.

2. 확률 분포

1) 확률 변수

확률 변수(probability variable)란 주사위 한 개를 던진다고 가정할 경우, 숫자 2가 나올 확률, 짝수가 나올 가능성 등 그 결과를 일반화된 방식으로 표현한 것이다. 확률 변수는 확률의 형태로 표현되는 결과에 숫자를 부여하는 방식으로 영문 대문자 X, Y, Z 등으로 표현한다.

주사위를 던져서 1이 나올 확률은 $P(X=1) = 1/6$, 이런 식으로 표현된다. 확률 변수로 표현되기 위해서는 '확률적'인 '숫자'로 표현될 수 있어야 한다는 전제가 필요하다. 주사위를 던져서 나오는 숫자는 숫자이고 확률적이므로 확률 변수이다. 어제의 평균 기온은 숫자이지만 확률이 아니고 이미 확정된 숫자이므로 확률 변수가 아니지만, 내일 강수량은 숫자이고 확률이므로 확률 변수가 될 수 있다.

확률 변수는 크게 이산 확률 변수(discrete random variable)과 연속 확률 변수(continuous random variable)로 구분된다. 이산 확률 변수는 주사위처럼 확률 변수가 가질 수 있는 값의 수를 셀 수 있는 경우를 말하고, 고등학교 3학년 학생 중 키가 170 cm ~ 180 cm 인 학생의 비율처럼 연속 확률 변수는 값의 수를 셀 수 없고, 구간으로 표시된다.

확률 변수는 어떤 경우의 수를 확률로 표현하는 데, 이를 확률 분포 (probability distribution)라고 한다.
확률 분포의 종류는 매우 다양하나 여기서는 이산 확률 분포 중 이항 분포(binomial distribution)와 포아송 분포(Poisson distribution), 연속 확률 분포에 대해서는 정규 분포(normal distribution)와 이를 표준화한 표준 정규 분포(standard normal distribution)에 대해서 살펴보도록 한다.

2) 이산 확률 변수의 확률 분포

확률 분포는 일반적으로 표나 그래프로 표현된다. 예를 들어 동전을 세 번 던져서 앞면이 나올 횟수 0, 1, 2, 3 에 대한 확률은 각각 1/8, 3/8, 3/8, 1/8 인데 표로 정리하면 다음과 같다.

[그림 4.4]

X	0	1	2	3	합계
P(X=x)	0.125	0.375	0.375	0.125	1

위의 내용을 그래프로 그리면 다음과 같다.

[그림 4.5]

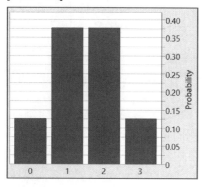

이와 같이 동전 던지기의 앞면과 뒷면, 또는 성공과 확률처럼 두 가지 경우로 표현될 수 있는 확률 변수의 확률 분포를 **이항 분포(binomial distribution)**라고 한다. 이항 분포는 시행 회수(n)와 해당 사건이 일어날 확률(p)에 의해 정해지므로 기호로는 다음과 같이 표현되며,

B(n, p)

확률 함수적으로 표현하면, n 번 시행에서 x 번 성공할 확률은 아래와 같다.

$$P(X = x) = {}_nC_x * p^x * (1-p)^{n-x}$$

앞의 예시에서 동전을 세 번 던져서 앞면이 한 번 나올 확률은 다음과 같이 계산되며,

$$P(X = x) = {}_3C_1 * (0.5)^1 * (1-0.5)^{3-1} = 0.375$$

해당 확률 변수는 3 번의 시행에서 0.375 의 확률을 가지므로,
이항 분포 B(3, 0.375)를 따른다고 표현한다.

JMP 에서 분포별 확률값(확률 분포표에서의 확률값)을 계산하는 방법에 대해
살펴보자. **Help / Sample index** 에서 **Content Type** 을 **Tool** 로 **Tool Type** 에서
Calculators 를 선택한 다음 **Distribution Calculator** 기능을 활용하면 된다.
[표 4.6]

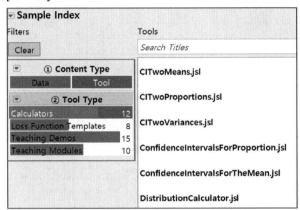

🖐 앞의 예시의 경우 Distribution 에서 Binomial 을 선택하고 Parameter 에서
P(Success)에 0.5, N 에 3 을 입력하여 다음과 같이 계산할 수 있다.
[표 4.7]

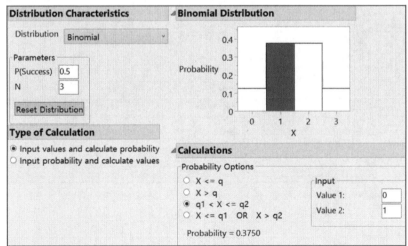

이번에는 이산확률분포의 또 다른 경우인 **포아송 분포(Poisson distribution)**에 대해 살펴보자.

포아송 분포는 단위당(단위 시간, 단위 면적 등) 발생 회수에 대한 분포를 말한다. 하루에 발생하는 코로나 확진자 수, 1 개 Lot 당 발생하는 불량품의 개수, 1 시간당 전송되는 스팸 메일의 개수 등이 그 예이다.

포아송 분포는 확률 변수 X 가 단위당 발생 회수이고, λ(lambda)를 단위당 발생 회수의 평균이라 할 경우, 확률 함수, 기대값 및 분산은 각각 다음과 같이 정리된다.

확률 함수 $P(X = x) = (λ * e^{-λ}) / x!$

기대값 $E(X) = λ$

분산 $Var(X) = λ$

🖱 1 시간당 불량이 평균적으로 3 회 발생하는 공정에서 불량이 1 개 발생할 확률을 **Distribution Calculator** 를 이용해 구해보면 14.9% 이다.

[그림 4.8]

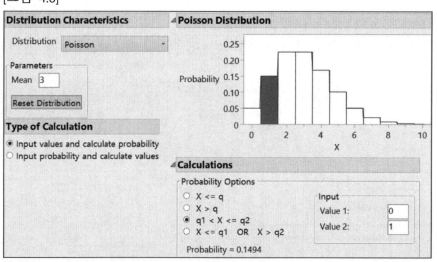

👈 이 예시에서 시간당 불량이 6 회 이상일 확률을 구하면 8.39% 이 된다.

[그림 4.9]

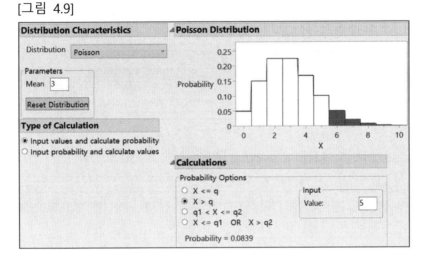

앞의 예시에서 포아송 분포의 모양을 보면 왜도(Skewness) 값이 + 값의 형태를 가지는 왼쪽으로 기울어진 비대칭 상태라는 것을 알 수 있는 데, 이러한 경향은 λ 값(단위당 발생 회수의 평균)이 커질수록 정규 분포에 가까워진다. 아래는 왼쪽부터 λ 값이 각각 5, 15, 30 일 때 포아송 분포를 표현한 것이다.

[그림 4.10]

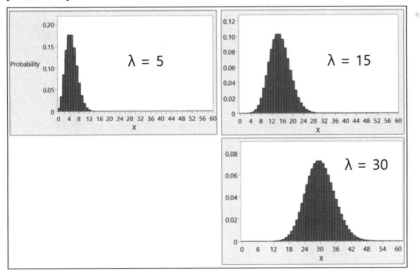

3) 연속 확률 변수의 확률 분포

가장 대표적인 연속 확률 분포는 **정규 분포(normal distribution)**이다.
자연 상태에서 데이터를 수집하였을 경우 일반적으로 나타나게 되는 분포의
모양을 정규 분포라 한다. 정규 분포는 아래처럼 평균을 중심으로 좌우가
대칭이며 평균에서 데이터의 빈도가 제일 높고, 평균에서 멀어질수록 그
빈도가 작아진다. 그리고 평균에서 떨어진 거리(분포의 폭)은 표준 편차를
이용하여 계산한다. 즉, 정규 분포는 평균에 의해 그 위치가 정해지고, 표준
편차에 의해 그 모양(분포의 폭)이 정해진다고 할 수 있다. 평균을 중심으로
좌우로 표준 편차의 한 배만큼 해당되는 면적이 전체 분포 면적의 68.27%를
차지하고, 표준 편차의 두 배에 해당되는 면적이 전체 면적의 95.45%를
차지한다.

[그림 4.11]

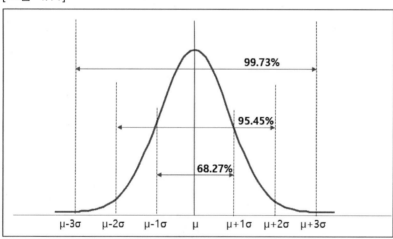

정규 분포를 따르는 어떤 확률 변수 X 의 평균이 μ, 표준편차가 σ 일 경우,
X 의 확률 분포 N(μ, σ^2)으로 표현하면 정규 확률 밀도 함수는 다음과 같이
표시한다.

$$f(x) = \frac{1}{\sigma * \sqrt{2\pi}} e^{-\frac{(x-\mu)^2}{2\sigma^2}}$$

Distribution Calculator 기능을 활용해 보자.

☞ 평균 100, 표준편차 10 인 정규 분포에서 P(X > 115) 확률은 구하면 6.68% 이다.

[그림 4.12]

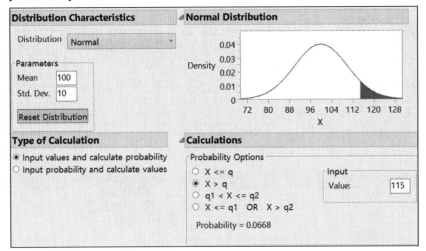

☞ 평균 100, 표준편차 10 인 정규 분포에서 양쪽 끝 확률 각각 2.5%에 해당하는 값은 80.4 와 119.6 이다.

[그림 4.13]

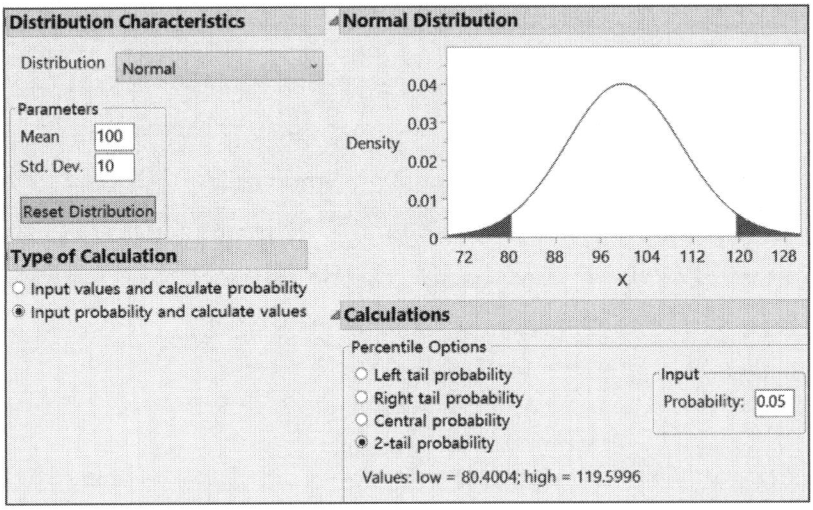

표준 정규 분포는 평균이 0, 표준편차가 1 인 정규 분포를 말하며 기호로
표현하면 확률 분포 N(0, 1)으로 표현되며, 확률 밀도 함수는 다음과 같이
표시된다.

$$f(x) = \frac{1}{\sqrt{2\pi}} e^{-\frac{x^2}{2}}$$

🖱 **Distribution Calculator** 기능을 이용하면 다음과 같이 +/- 몇 시그마에
해당하는 값을 쉽게 구할 수 있다. 1 시그마, 2 시그마, 3 시그마에 해당하는
값을 구하면 각각 0.6827, 0.9545, 0.9973 이 구해진다.

[그림 4.14]

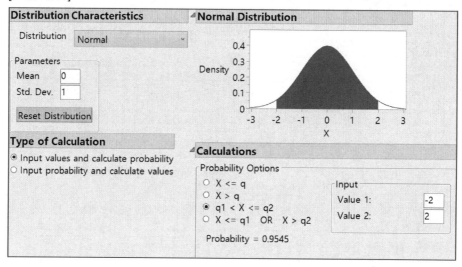

한편, 데이터 테이블에 있는 연속형 변수는 변수명에서 오른쪽 마우스 클릭,
New Formula Column / Distributional / Standardize 기능을 활용하여
표준화할 수 있고 **New Formula Column / Distributional / Custom
Binning(▼Cut Points / Fill using Mean/StdDev)** 기능을 활용하여
표준화하였을 경우 평균으로부터 몇 시그마 떨어져 있는 지를 구분하는
별도의 Column 을 만들 수도 있다.

[그림 4.15]의 Standardize[weight] 변수는 JMP 내의 Sample Data 인 'big class.jmp'의 weight 변수에 대하여 **New Formula Column / Distributional / Standardize** 를 이용하여 구한 값이다.

이 값은 우리가 흔히 **Z Value** 라고 부르는 값이다.

[그림 4.15]

weight	Standardize[weight]	Z Value
95	-0.45041249	-0.45041249
123	0.8107424812	0.8107424812
74	-1.396278718	-1.396278718
145	1.8016499582	1.8016499582
64	-1.846691207	-1.846691207
84	-0.945866228	-0.945866228
128	1.0359487259	1.0359487259

Z Value 는 특정 데이터가 평균으로부터 표준편차의 몇 배만큼 떨어져 있는 정도를 나타내는 통계량으로 계산 공식은 다음과 같다.

$$Z\ Value = \frac{x_i - \bar{x}}{\sigma}$$

지금의 경우 **Z Value** 를 **JMP formula** 를 이용하여 구할 경우 다음과 같다.

$$\frac{\left(weight - Col\ Mean\left(weight_\wedge\right)\right)}{Col\ Std\ Dev\left(weight_\wedge\right)}$$

Z Value 는 표준 점수라는 이름으로 학생들의 상대적 성취도를 파악할 때도 많이 활용된다. 예를 들어 A 학생은 영어가 80 점(전체 평균 70, 표준편차 5), 수학이 60 점(전체 평균 50, 표준편차 3)일 경우 점수는 영어가 높지만 과목별 Z Value 를 계속해 보면,

Z Value(영어) = (80 – 70) / 5 = 2

Z Value(수학) = (60 – 50) / 3 = 3.3 이므로 영어 성적(등수)보다 수학 성적(등수)이 훨씬 높다고 말할 수 있다.

3. 표본 분포

1) 표본과 통계량

2 장에서 통계의 정의를 모집단(Population)과 표본(Sample)의 관점에서 보면 통계(Statistics)를 '모집단(Population)의 특성을 표본(Sample)을 통해 설명, 분석하는 방법 및 체계'라고 할 수 있다고 하였다.

통계적 관찰의 대상이 되는 집단 전체를 모집단이라고 하며 모집단의 특성을 수치적으로 표현한 것을 모수(Parameter)라 하는 데, 모수에는 모평균(μ 또는 m), 모분산(σ^2), 모표준편차(σ) 등이 있다. 반면에 표본의 특성을 수치적으로 표현한 것을 통계량(Statistic)이라 하며 통계량에는 표본 평균($\bar{X}$), 표본 분산(s^2), 표본 표준편차(sigma 또는 s) 등이 있다.

여기서 모평균(μ)는 알 수 없는 수이지만, 표본 평균($\bar{X}$)는 추출된 표본의 값에 따라 다른 값을 가질 수 있는 확률 변수이다. 표본 평균($\bar{X}$)의 분포와 표본 평균과 모평균과의 관계에 대해 살펴보자

2) 표본의 분포(평균, 분산)

1, 2, 3, 4 가 각각 적혀 있는 4 개의 공이 있는 모집단이 있다. 공에 적혀 있는 숫자를 확률 변수 X 라 하면 X 의 확률 분포는 다음과 같다.

[그림 4.16]

X	1	2	3	4	합계
P(X = x)	1/4	1/4	1/4	1/4	1

이 분포의 모평균(μ), 모분산(σ^2)은 다음과 같이 구할 수 있다.

1) 모평균(μ) = *E(X)* = (1*1/4) + (2*1/4) +(3*1/4) +(4*1/4) = 10/4 = 5/2

2) 모분산(σ^2) = Var(X) = E(X^2) – μ^2

$$=((1^2*1/4) + (2^2*1/4) +(3^2*1/4) +(4^2*1/4)) - (5/2)^2 = 5/4$$

위의 모집단에서 임의 복원 추출한 크기가 2(n)인 표본 X1, X2 의 값과 그 표본의 평균($\bar{X}$)을 구하면 다음과 같다.

[그림 4.17]

X1, X2	Xbar	X1, X2	Xbar	X1, X2	Xbar	X1, X2	Xbar
(1,1)	1	(2,1)	1.5	(3,1)	2	(4,1)	2.5
(1,2)	1.5	(2,2)	2	(3,2)	2.5	(4,2)	3
(1,3)	2	(2,3)	2.5	(3,3)	3	(4,3)	3.5
(1,4)	2.5	(2,4)	3	(3,4)	3.5	(4,4)	4

경우의 수는 16 가지이므로 위의 결과를 요약하면 다음과 같고,

[그림 4.18]

Xbar	1	1.5	2	2.5	3	3.5	4	합계
P(X = xbar)	1/16	1/8	3/16	1/4	3/16	1/8	1/16	1

히스토그램으로 표현하면 아래와 같다.

[그림 4.19]

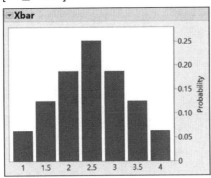

여기에서 표본 평균($\bar{X}$)과 표본 분산(S^2)을 각각 구하면 다음과 같다.

1) 표본 평균($\bar{X}$) = $E(\bar{X})$ = (1*1/16) + (1.5*1/8) ,,, ,,, +(4*1/16) = 5/2

2) 표본 분산(S^2) = $Var(\bar{X})$ = $E(\bar{X}^2) - [E(\bar{X})]^2$

$$=((1^2*1/16) + (1.5^2*1/8) + ,,, ,,, +(4^2*1/16)) - (5/2)^2 = 5/8$$

앞의 값을 확인해 보면 모평균(μ)과 표본 평균($\bar{X}$)은 5/2 로 그 값이 동일하고, 표본 분산(S^2)은 5/8 로 모분산(σ^2) / n = (5/4) / 2 임을 알 수 있다.

앞에서 살펴본 표본 평균의 평균, 분산, 표준편차를 요약하면 다음과 같이 정리할 수 있다.
모평균이 μ, 모분산이 σ^2 인 모집단에서 크기가 n 인 표본을 랜덤 추출할 때, 표본 평균($\bar{X}$)에 대해 다음과 관계가 성립한다.
1) 표본 평균의 평균, $E(\bar{X}) = \mu$
2) 표본 평균의 분산, $Var(\bar{X}) = \sigma^2 / n$
3) 표본 평균의 표준편차, $\sigma(\bar{X}) = \sigma / \sqrt{n}$

위와 같은 관계를 JMP 를 통해 시뮬레이션해 보자. **Help / Sample index** 에서 **Content Type** 을 **Tool** 로 **Tool Type** 에서 **Teaching Modules** 를 선택한 다음 **Sampling Distribution of Sample Means** 를 활용해 보자.

🖱 모집단에 대해 정규 분포를 가정하고 모집단의 평균과 표준편차가 각각 100, 5 일 경우 표본 10,000 개를 추출하였을 경우 표본 평균의 평균은 모집단과 같은 100, 표본 평균의 표준편차는 = 5 / $\sqrt{10,000}$ = 0.05 임을 확인할 수 있다.

[그림 4.20]

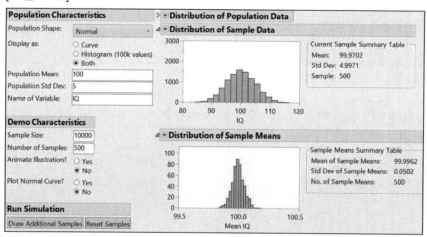

표본의 크기 n 이 커질수록 표본 평균($\bar{X}$)의 분포는 평균이 μ, 분산이 σ^2 / n 인 정규 분포에 가까워지므로 모집단이 정규 분포 $N(\mu, \sigma^2)$를 따르면 크기가 n 인 표본을 추출할 때 표본 평균($\bar{X}$)는 정규 분포 $N(\mu, \sigma^2 / n)$를 따르는 것으로 알려져 있다.

3) 중심 극한 정리

조금 더 일반화하면 표본의 크기 n 이 충분히 크면 모집단의 분포에 관계없이 표본 평균($\bar{X}$)는 근사적으로 정규 분포 $N(\mu, \sigma^2 / n)$를 따른다고 할 수 있는 데, 이를 **중심 극한 정리(CLT : Central Limit Theorem)**라 한다.

모집단에서 표본을 여러 번 추출하면 여러 개의 표본 평균을 구할 수 있고, 당연히 평균들의 표준 편차도 구할 수 있다. 이러한 평균들의 표준 편차를 평균의 표준 오차(Standard error of the mean) 또는 표준 오차(SE)라고 부르는 데, **Analyze / Distribution** 을 실행한 후 **Summary Statistics** 에 나오는 Std Err Mean 이 바로 표준오차이다.

[그림 4.21]

Summary Statistics	
Mean	9.9786836
Std Dev	1.0065036
Std Err Mean	0.1006504
Upper 95% Mean	10.178396
Lower 95% Mean	9.7789714
N	100

표준 오차 개념을 포함하여 중심 극한 정리를 다시 정리하면 표본의 크기가 클수록 그 표본의 분포는 평균이 모집단의 평균과 같고 표준 편차는 $\sigma / \sqrt{n}$ 인 정규 분포를 따른다는 것이다.

JMP 의 난수 발생 기능을 활용하여 중심 극한 정리를 살펴보자. 모집단의 평균이 10 이고 표준편차가 1 인 데이터에 대해 표본의 개수가 3 개인 경우부터 10,000 인 경우까지 열까지 경우에 대해 난수를 발생시켜 보았다.

[그림 4.21]의 왼쪽은 표본 평균을 표시한 것인 데, 표본의 크기가 클수록 모집단 평균 10 에 가까워지고 있음을 알 수 있다. 오른쪽 그림은 평균들의 표준 편차인 표준 오차를 나타낸 것인 데, σ / $\sqrt{n}$ 에서 n 이 커짐에 따라 0 에 가까워짐을 알 수 있다.

[그림 4.22]

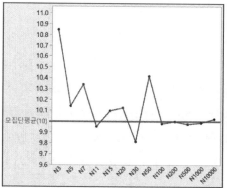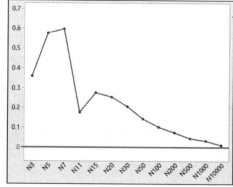

4) t 분포

중심 극한 정리는 표본 평균($\bar{X}$)이 정규 분포 N(μ, σ² / n)를 따른다는 것이므로 다시 정리하면 다음과 같다.

$$Z = \left[\frac{\bar{X}-\mu}{\sigma / \sqrt{n}} \right]$$

여기서 모표준편차(σ)-또는 모분산(σ²)-를 모르는 경우가 일반적이므로, 모표준편차는 표본의 표준 편차(sigma)로 대체되어 통계량은 (μ, s / n)로 바뀌고 다음과 같이 표기한다.

$$T = \left[\frac{\bar{X}-\mu}{s / \sqrt{n}} \right]$$

이 분포는 표준 정규 분포가 아닌 자유도(DF, Degree of Freedom)가 n-1 인 T

분포[13]를 따른다.

중심 극한 정리에 따르면 표본의 크기가 커질수록 표본의 표준편차는 모표준편차에 수렴하므로 표본의 크기가 커질수록(자유도가 커질수록) t 분포는 표준 정규 분포에 근사한다.

[그림 4.23]은 **Distribution Calculator** 기능을 이용하여 자유도가 30 인 t 분포와 표준 정규 분포를 비교한 것인 데, 95% 신뢰구간에 대한 추정값이 매우 비슷함을 알 수 있다.

[그림 4.23]

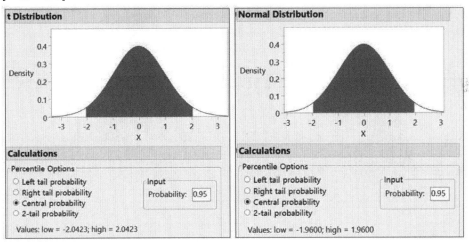

5) 카이 스퀘어(Chi-Square) 분포

카이 스퀘어 분포는 편차의 제곱합과 관련된 분포이다.
편차의 제곱합($\sum(\bar{X} - x_i)^2$)을 σ^2 으로 나눈 통계량에 대한 분포가 카이 제곱 분포이다.

---

[13] t 분포를 Student t 분포라고도 하는 데, 이는 t 분포에 대해 처음으로 논문을 발표한 사람이 Student 라는 가명을 사용한 데서 유래한다.

$$\chi^2 = \sum \frac{(\bar{X}-x_i)^2}{\sigma^2} = \frac{(n-1)*S^2}{\sigma^2}$$

다시 요약하면, 모집단이 정규 분포를 따를 경우, $\frac{(n-1)*S^2}{\sigma^2}$ 은 자유도가 n-1 인 χ^2(카이 스퀘어) 분포를 따른다.

[그림 4.24]는 자유도가 각각 1, 5, 10, 30 일 때의 카이 스퀘어 분포를 표현한 것인 데, 자유도가 커질수록 정규 분포와 유사해짐을 알 수 있다.

[그림 4.24]

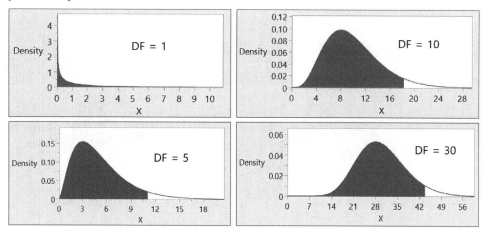

6) F 분포

F 분포는 표본 분산의 비율에 대한 분포이다. 표본 분산의 비율 (S_1^2 / S_2^2) 은 분모의 자유도가 n_2-1 이고, 분자의 자유도가 n_1-1 인 F 분포를 따른다.

예를 들어, 샘플의 크기가 각각 15, 20 이고, 유의 수준 5%에서 분산의 비율에 대한 F 검정 통계량을 구하기 위해서는 **Distribution Calculator** 에서 분자(Numerator)에 14, 분모(Denominator)에 19 를 입력하고 아래와 같이 구하면 된다.

[그림 4.25]

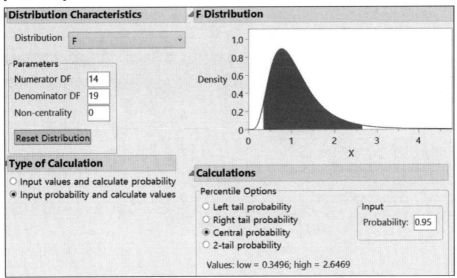

F 분포의 활용에 대해서는 '8 장, 두 모집단에 대한 비교'의 '분산(산포)의
차이에 대한 유의차 검정'에서 보다 상세히 살펴볼 것이다.

5 장. 추정(Estimation)

개요

1 장에서 통계는 크게 기술 통계와 추론 통계로 구분된다고 배웠다. 이 중에서 추론 통계는 크게 추정(Estimation)과 검정(Testing)으로 나뉘는 데 이번 장에서 학습할 내용이 추정이다. 만약, 대통령 후보에 대한 지지도를 조사하기 위해 표본으로 추출된 유권자를 대상으로 지지도를 조사하였을 경우 표본에 대한 조사 결과를 근거로 유권자 전체의 후보 A 에 대한 지지율을 추정하여 보통 다음의 두 가지 형태 중 하나로 표현한다.

1) 후보 A 지지율 30%

2) 후보 A 지지율 28% ~ 32%

위의 1)번처럼 모수를 표본으로부터 구한 하나의 값으로 추정한 것을 점추정 (Point Estimation)이라 하고 2)번처럼 구간으로 추정한 것을 구간 추정(Interval Estimation)이라 하며 구간 추정을 통해 얻은 데이터의 범위를 신뢰 구간 (Confidence Interval)이라고 한다.

1. 추정(Estimation)

추정(estimation)이란 표본으로부터 얻은 통계량인 표본 평균($\bar{X}$), 표본 분산(S^2), 표본 표준편차(Sigma 또는 S) 등을 가지고 모집단의 특성인 모평균(μ 또는 m), 모분산(σ^2), 모표준편차(σ) 등의 모수를 추정하는 것을 말한다. 또한, 정규 분포 N(μ , σ^2)을 따르는 모집단에서 크기가 n 인 표본을 랜덤 추출하여 구한 표본 평균이 $\bar{X}$일 때, 모평균(μ)에 대한 신뢰 구간은 다음과 같이 표현된다.

$$\bar{x} - z_{\frac{\alpha}{2}} \frac{\sigma}{\sqrt{n}} \leq \mu \leq \bar{x} + z_{\frac{\alpha}{2}} \frac{\sigma}{\sqrt{n}}$$

이를 95% 신뢰 구간, 99% 신뢰 구간으로 표현하면 다음과 같다.

1) 신뢰도 95%의 신뢰 구간

$$\bar{x} - 1.96\frac{\sigma}{\sqrt{n}} \leq \mu \leq \bar{x} + 1.96\frac{\sigma}{\sqrt{n}}$$

2) 신뢰도 99%의 신뢰 구간

$$\bar{x} - 2.58\frac{\sigma}{\sqrt{n}} \leq \mu \leq \bar{x} + 2.58\frac{\sigma}{\sqrt{n}}$$

4 장에서 배운 **Distribution Calculator** 기능을 활용하여 확인해 볼 수 있다. [그림 5.1]은 신뢰 구간 95%에 해당하는 확률 변수의 값을 추정한 것이고, [그림 5.1]

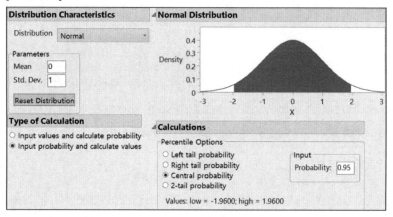

[그림 5.2]는 확률 변수의 값으로 신뢰 구간 99%를 추정한 것이다.

[그림 5.2]

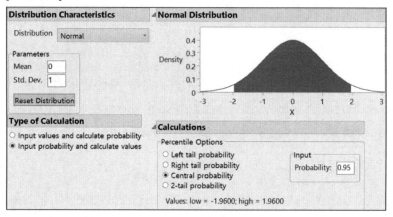

2. 모평균과 모비율에 대한 구간 추정

우리는 종종 선거 여론 조사 결과에서 '95% 신뢰도에서 특정 후보의 지지도가 30%, 오차범위 +/- 3.1%' 라는 말을 종종 듣게 된다.

여기서 신뢰도는 신뢰 수준 (Confidence Level)과 같은 말이고 오차 범위는 표본 오차(95% 신뢰도의 경우 $1.96\frac{\sigma}{\sqrt{n}}$)를 뜻한다.

95% 신뢰 수준의 의미는 똑같은 조사를 100 번 했을 때 95 번은 같은 결과가 나온다는 뜻이고, 오차 범위 +/- 3.1%는 전체의 95%에 해당하는 데이터가 그 범위(30% +/-3.1%, 즉 26.9% ~ 33.1%)에 있다는 뜻이다.

Help / Sample Index 에서 **Tool Type / Teaching Demos** 에 있는 **Confidence** 를 이용해 확인해 보자.

[그림 5.3]

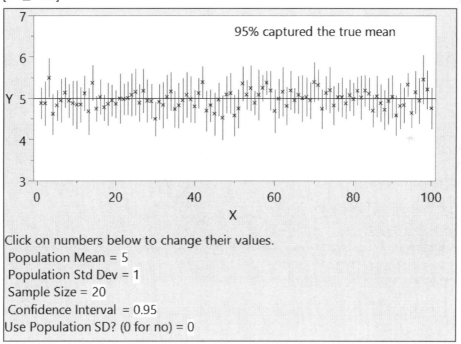

간혹, 95% 신뢰 구간의 의미를 전체 데이터의 95%를 포함한다고 혼동하는 경우가 있다. 95% 신뢰 구간의 의미는 [그림 5.3]에서 볼 수 있듯이 크기가 n 인 표본 추출을 100 번할 경우 그 중에 5 번 정도는 신뢰 구간에 모평균이 포함되지 않을 수 있다는 것을 의미한다.

다시 말하면, 신뢰도(신뢰 수준)은 신뢰 구간에 모수가 위치할 것이라고 믿는 확률을 말하고, 100*(1 - 유의 수준(α)) %로 나타낸다. 모수가 신뢰 구간 내에 있을 확률이 (1 - 유의 수준(α))이며 신뢰 구간 밖에 있을 확률이 유의 수준(α)이다.

구간 추정은 신뢰 구간을 추정한다는 뜻인 데 JMP 를 활용하여 모평균과 모비율을 대한 구간 추정을 하는 방법을 배워보자.

1) 모평균에 대한 구간 추정

Sample Data 는 big class.jmp 를 활용하였다.

☜ [그림 5.4]는 **weight** 변수에 대해 **Analyze / Distribution** 을 실행한 결과 중 **Summary Statistics** 부분이다. 평균(Mean), 표준 편차(Std Dev), 표준 오차(Std Err Mean), 평균값의 95% 신뢰 구간 상/하한, 데이터의 개수(N), 결측치의 개수(N Missing) 등의 통계량이 디폴트로 출력된다.

[그림 5.4]

▾ Summary Statistics	
Mean	105
Std Dev	22.201871
Std Err Mean	3.510424
Upper 95% Mean	112.1005
Lower 95% Mean	97.899497
N	40
N Missing	0

◈ 위의 경우는 디폴트로 되어 있는 95% 신뢰 구간 값인 데, **▼weight / Confidence Interval** 에서 90%, 95%, 99% 등 다양한 신뢰 구간을 추정할 수 있다. [그림 5.5]는 95%, 99% 신뢰 구간에 대한 출력 값이며 당연히 95% 신뢰 구간의 범위보다 99% 신뢰 구간의 범위가 보다 넓어졌음을 알 수 있다.

[그림 5.5]

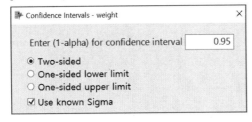

Confidence Intervals				
Parameter	Estimate	Lower CI	Upper CI	1-Alpha
Mean	105	97.8995	112.1005	0.950
Std Dev	22.20187	18.18691	28.50799	0.950

Confidence Intervals				
Parameter	Estimate	Lower CI	Upper CI	1-Alpha
Mean	105	95.49408	114.5059	0.990
Std Dev	22.20187	17.13493	31.00643	0.990

◈ **▼weight / Confidence Interval / Other** 을 활용하면 표본의 표준 편차가 아닌 알려진 표준 편차(모표준편차)를 활용하거나, 양측이 아닌 단측 신뢰 구간을 구할 수 있다. [그림 5.6]과 같이 알려진 표준 편차를 활용하고자 할 경우에는

[그림 5.6]

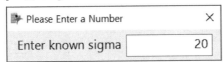

◈ 알려진 표준 편차를 입력한다.

[그림 5.7]

🖑 알려진 표준 편차 값을 이용한 신뢰 구간이 계산된다. [그림 5.8]에서 상/하한 신뢰 구간(Upper CI, Lower CI)는 아래와 같이 계산되어진다.

$$105 - 1.96\frac{20}{\sqrt{40}} \le \mu \le 105 + 1.96\frac{20}{\sqrt{40}}$$

[그림 5.8]

▾Confidence Intervals					
Parameter	Estimate	Lower CI	Upper CI	1-Alpha	Sigma
Mean	105	98.80205	111.198	0.950	20.00
Std Dev	22.20187	18.18691	28.50799		

2) 모비율에 대한 구간 추정

모비율이란 특정한 사건이 발생하는 상대적인 도수(비율)을 말하는 데 모비율 P 와 표본 비율 $\hat{P}$ 와의 통계적 관리는 다음과 같이 정리될 수 있다.

1) 표본 평균 $E(\hat{P})$ = P

2) 분산 $Var(\hat{P})$ = $\frac{\hat{P}(1-\hat{p})}{n}$

그리고 표본이 충분이 크면(np 가 10 보다 크고, n(1-p)가 10 보다 큰 경우) 표본 비율 $\hat{P}$ 은 정규 분포에 근접한다.

그러므로 신뢰 구간의 개념인 '점추정값 +/- 오차한계'에 이를 대입하면, 모비율에 대한 신뢰 구간을 다음과 같이 정리될 수 있다.

$$\left[\hat{p} - z_{\frac{\alpha}{2}}\sqrt{\frac{\hat{P}(1-\hat{p})}{n}}, \quad \hat{P} + z_{\frac{\alpha}{2}}\sqrt{\frac{\hat{P}(1-\hat{p})}{n}} \right]$$

🖑 아래는 1,000 명을 대상으로 한 짜장면, 짬뽕에 대한 선호도 조사 결과이다. **Analyze / Distribution** 에서 품목을 **Y** 로, 응답자를 **Freq** 로 선택하여 실행한 결과는 [그림 5.10]과 같다.

[그림 5.9]

	품목	응답자
1	짜장면	600
2	짬뽕	400

🖱 각각 600 명, 400 명인 각 level 별로 개수와 상대적 확률이 표시된다.

[그림 5.10]

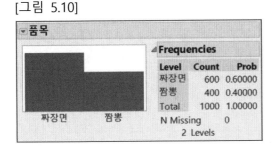

🖱 각 level 별로 95% 신뢰 구간을 구하고자 한다면 **▼품목 / Confidence Interval / 0.95** 를 선택하면 된다.

[그림 5.11]

▼ Confidence Intervals

Level	Count	Prob	Lower CI	Upper CI	1-Alpha
짜장면	600	0.60000	0.569309	0.629925	0.950
짬뽕	400	0.40000	0.370075	0.430691	0.950
Total	1000				

위의 값은(짜장면의 경우) 아래와 같이 계산한 결과이다.

$$\left[0.6 - 1.96\sqrt{\frac{0.6(1-0.6)}{1000}}, \quad 0.6 + 1.96\sqrt{\frac{0.6(1-0.6)}{1000}} \right]$$

모비율을 활용한 구간 추정의 대표적인 사례는 여론 조사이다. 여론 조사 결과를 보면 신뢰 수준, 오차 범위, 표본 오차, 경합, 우세, 열세 등 다양한 용어가 사용되는 데, 여론 조사에서 신뢰 구간을 어떻게 활용하는 지 살펴보자.

[그림 5.12]는 1,000 명에 유권자에게 네 명의 국회의원 후보자에 대한 지지 여부를 조사한 결과를 가지고 [그림 5.10]에서와 동일하게 **Analyze / Distribution** 을 실행한 다음, **▼국회의원 / Confidence interval / 95%**를 클릭하여 95% 신뢰 구간 값을 확인한 결과이다.

[그림 5.12]

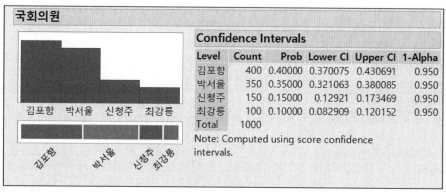

네 명의 지지율은 각각 40%, 35%, 15%, 10% 이고 김포항, 박서울 후보만 보면 각각 지지율이 40%, 35% 여서 김포항 후보가 앞선보다 볼 수 있지만, 오차범위(표본 오차)를 고려한 신뢰 구간을 보면 김포항 후보는 약 37% ~ 43%, 박서울 후보는 32% ~ 38%이므로 오차 범위 안에서 경합, 혼전 중이라고 할 수 있다.

신뢰 구간으로 계산된 구간 추정값은 겹치지만 지지율 점추정값은 김포항 후보가 더 높으므로 언론에서는 김포항 후보는 경합 우세, 박서울 후보는 경합 열세라고 말하기도 한다. 우세 또는 열세라고 표현될 경우는 당연히 신뢰 구간으로 계산된 구간 추정값이 겹치지 않을 경우이다.

3. 신뢰 구간과 통계적 유의성

앞에서 살펴본 것처럼 정규 분포를 가정할 경우 신뢰 구간은 다음과 같은 공식으로 계산되고 단순화하여 표현하면 평균 +/- 표준오차이다.

$$\bar{x} - z_{\frac{\alpha}{2}}\frac{\sigma}{\sqrt{n}} \leq \mu \leq \bar{x} + z_{\frac{\alpha}{2}}\frac{\sigma}{\sqrt{n}}$$

표준오차에는 표준 편차(σ)와 데이터의 개수(n)가 포함되어 있다. 즉, 데이터의 개수가 클수록 신뢰 구간의 폭이 좁아지고, 표준 편차가 작을수록 신뢰 구간의 폭이 좁아진다. 표준 편차 또한 분모에 데이터의 개수가 있으므로 신뢰 구간은 데이터의 개수에 매우 민감하다고 할 수 있다.

'Diet.jmp' 데이터를 가지고 살펴보자.
다이어트 약을 만드는 2 개의 회사가 있다. Quack 사는 500 명을 대상으로 체중 감소 효과를 테스트하였고 반면 Quick 사는 20 명을 대상으로 테스트하였다. 체중 감소 효과(평균치 차이)를 보면 Quack 사는 약 0.9 이고 Quick 사는 약 2.73 으로 Quick 사의 제품이 더 효과가 큰 것으로 보이지만 평균의 신뢰 구간(95% 신뢰도)을 보면 Quack 사는 -1.77 ~ 0.06 로 체중 감소 효과가 있다가 말할 수 있지만, Quick 사의 경우는 -7.96 ~ 2.50 으로 체중 감소 효과가 확실히 있다고 말할 수 없는 상황이다.

[그림 5.13]

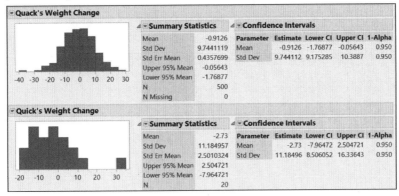

이러한 차이가 나는 근본적인 이유는 데이터의 개수 때문인 데, 데이터의 크기가 크면 아주 작은 차이에도 민감하고 데이터의 크기가 작으면 큰 차이에도 둔감할 수 있으므로 항상 신뢰 구간을 고려하는 것이 필요하다.

6 장. 유의차 검정(가설 검정)

데이터 분석에 있어서 중요한 영역 중의 하나는 가설 검정(Hypothesis Testing)이다.

5 장에서 배운 추정(Estimation)은 표본 데이터를 토대로 모평균, 모표준편차 등의 모수를 추측하는 것이라면 이번 장부터 학습하게 될 가설 검정은 모수에 대한 어떤 가설을 설정하고 그 가설이 적합한 지를 판정한다는 점에서 크게 차이가 있다. 가설 검정에 있어서 대부분의 경우는 가설 간에 통계적 유의성(Statistical Significance)를 따지는 것이어서 유의차 검정(Significance Test)이라고도 한다. 유의차 검정 외 통계적 동등성(Statistical Equivalence)을 검토하는 영역을 동등성 검정(Equivalence Test)이라 한다. 이 책에서 6 장 이후의 대부분의 내용은 유의차 검정에 대한 내용이며 동등성 검정에 대해서는 14 장에서 별도 설명하였다.

1. 가설 검정

1) 가설 검정 개요
가설 검정에 대해 예를 들어 살펴보자.

새로운 발령지까지의 출퇴근 시간이 많이 걸리게 되자 김 연경 과장은 출퇴근 비용을 줄이기 위해 평균 연비가 20km/리터, 연비의 표준 편차가 2km/리터라고 알려진(정규 분포 가정) 새로운 자동차를 구입하였다. 일정 기간 운전 후 김 연경 과장은 차량의 평균 연비를 계산해 본 결과 18km/리터로 확인되었다. 그 직원은 거짓말을 하였다고 할 수 있을까? 아니면 그 차이가 크지 않다고 판단할 수 있을까? 당신이라면 어떤 결론을 내릴 수 있을까?

만약 아래와 같이 판매 직원이 설명한 대로 계산하였을 경우, 연비가 18km 보다 더 적게 나올 확률이 15.87% 라는 것을 사전에 알았다면 차량을 구매했을까 ?

[그림 6.1]

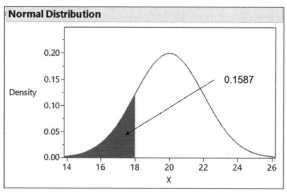

김 연경 과장이 구매한 차량의 평균 연비가 18km 나왔을 때 판매 직원이 이야기한 일반적인 특성(모집단의 특성이라 할 수 있겠다)에 견주어 봤을 때, 유의한 차이가 있는 지 없는 지를 확인하는 것을 '통계적 검정' 또는 '유의차 검정'이라 하고, 이러한 통계적 검정은 보통은 두 가지의 가설을 설정해 놓고, 어느 가설이 적합한 지를 선택(또는 채택)하거나 기각하는 형태를 띄므로 다른 말로 '통계적 가설 검정'이라고 한다. 위의 예에서 두 가지 가설을 세운다면 아래와 같다.

가설 A : 김연경 과장의 차량은 모집단의 특성과 유의한 차이가 없다
가설 B : 김연경 과장의 차량은 모집단의 특성과 유의한 차이가 있다

통계적 가설 검정 결과 가설 A 가 채택되었다면 김연경 과장의 차량은 (판매 직원이 말한 모집단 특성에서 벗어난 연비가 아니므로) 본인의 차량의 연비가 모집단의 평균(여기서는 20KM/리터)보다 작다고 하더라도, 모집단의 특성에 비추어 봤을 때 특별히 다른 점이 없다는 것을 의미한다.
가설 A 의 경우처럼 현재까지 주장되어 온 것과 변화나 차이가 없음을 설명하는 가설을 귀무 가설(Null Hypothesis)이라 하고 보통 Ho 로 표기한다.

반면 가설 B 처럼 새로이 주장하는 것, 샘플로부터 측정된 데이터를 근거로 증명하고자 하는 가설을 대립 가설(Alternative Hypothesis)이라 하고, H1 또는 Ha 로 표기한다. 일반적으로 귀무 가설이 직접 채택될 수 없을 때 자동적으로 대립가설이 채택된다.

2) 1 종 오류와 2 종 오류

귀무 가설을 기각할 것인지 아닌지를 결정할 때 두 가지 유형의 의사결정 과오를 저지를 수 있는 데 각각 1 종 오류, 2 종 오류라 한다. 양품과 불량을 예로 들면, 모집단이 양품일 때 불량이라고 결정 내리는 오류를 1 종 오류, Alpha(α) Risk 또는 생산자 위험이라고 한다. 이는 귀무 가설을 채택하여야 함에도 불구하고 이를 기각하는 위험으로 보통 α는 전형적으로 5%로 설정하고 유의 수준(Significance Level)이라 부른다. 유의 수준을 다른 말로 말하면 1 종 오류 α의 최대 허용치라고 할 수 있다. 반면에 모집단이 불량일 때 양품이라고 결정을 내린다면 이를 Beta(β) Risk, 소비자 위험이라고 한다. 이는 귀무 가설을 기각하여야 함에도 불구하고 이를 채택하는 위험을 뜻하며 전형적으로 10%를 많이 활용한다.

예를 들어 한국 사람과 일본 사람을 표본 추출하여 키를 측정하고 다음과 같이 가설을 설정하였다고 가정하면,
귀무 가설 : 두 나라 사람의 키에는 차이가 없다.
대립 가설 : 두 나라 사람의 키에는 차이가 있다.

[그림 6.2]의 왼쪽 그림 a)를 보자. 중간에 있는 수직 경계 축을 기준으로 일본 사람이지만 수직 경계 축보다 키가 크면 귀무 가설을 기각하는 1 종 오류를 범하게 된다. 반면, 한국 사람이라 하더라도 수직 점선 보다 키가 작으면 대립 가설을 기각, 즉 귀무 가설을 채택하는 2 종 오류를 범하게 된다.

[그림 6.2]의 오른쪽 그림 b)를 보자. 그림 a)와 데이터는 동일하지만 수직 점선을 오른쪽으로 이동하여 1 종 오류인 α는 작아지고, 2 종 오류인 β는 커진

상황이다.

[그림 6.2]

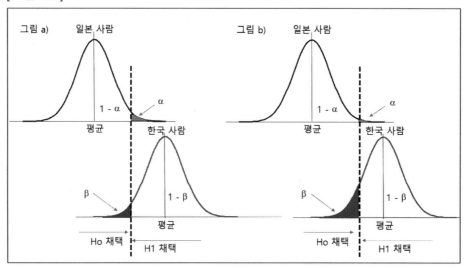

1 종 오류(α), 2 종 오류(β)에 대한 또 하나의 예시를 든다면 법원의 판결에 관한 것이다. 우리는 얼핏 법원에서 무죄 또는 유죄를 판결하는 것처럼 보이지만 엄밀히 말하면 유죄라고 판단할 만한 증거를 찾지 못한 경우와 유죄라고 판단할 충분한 증거를 찾은 경우로 구분할 수 있다. 무죄 또는 유죄 중에 둘 중 하나를 선택하는 것이 아니라 무죄를 기준으로 두고, 무죄가 아니라고 할 만한 충분한 증거가 있느냐 없느냐를 기준으로 판단하는 것이다. 이럴 경우 무죄이다가 귀무 가설, 무죄가 아니다가 대립 가설이 된다. 귀무 가설 또는 대립 가설 중에 양자 택일의 문제가 아니라 귀무 가설이 틀렸다고 할 충분한 증거를 찾았느냐, 아니냐를 따지는 것이다.

[그림 6.3]

		실제(귀무 가설)	
		True(OK)	False(NG)
예측 (판단)	True(OK)	옳은 판단 (1-α)	2종 오류 (β)
	False(NG)	1종 오류 (α)	옳은 판단 (1-β)

3) PValue

가설 검정을 하다 보면 PValue 라는 통계량을 흔히 접하게 되는 데 PValue 란 귀무 가설이 맞을 때 표본 데이터를 가지고 계산된 검정 통계량 값에 대하여 귀무 가설을 기각할 수 있는 최소한의 유의 수준을 말한다. PValue 가 미리 선택한 유의수준 α(보통 5%)보다 작으면 귀무 가설을 기각하고 PValue 가 α 보다 크면 귀무 가설을 채택한다. 그래서 우리가 흔히 PValue 가 0.05 보다 작으면-즉, 유의 수준보다 작으면-귀무 가설을 채택할 수 없으므로 유의하다, 중요한 인자라고 말하는 것이다. 이를 간략히 표현하면 [그림 6.4]와 같다.

[그림 6.4]

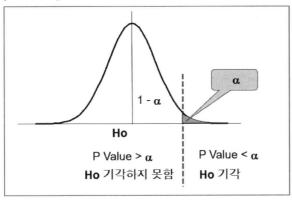

PValue 는 간단히 말하면 유의 확률(Significance Probability)인 데 실무에서는 아래와 같이 다양한 의미로 사용되고 있다.

1) 귀무 가설에 대한 지지도

2) 귀무 가설이 일어날 확률

3) 귀무 가설이 맞다는 전제하에서 실제로 관측된 통계량과 '같거나 더 극단적인' 통계량이 나올 확률

4) 귀무 가설을 기각할 수 있는 최소한의 유의수준(α, alpha)

5) 1 종 오류가 발생할 확률.

일반적으로(또는 습관적으로) PValue 를 위험률(1-신뢰수준, 보통은 0.05) 보다 크냐 작으냐를 판단의 기준으로 활용하지만 PValue 자체가 가설이 옳은 지

여부에 대해 알려주는 지표는 아니고 가설이 데이터와 일치하는 지 아닌
지만 판별해 주는 기능을 가진다고 말하는 게 보다 적절하다.

PValue 와 관련하여 간략하게 정리하면
1) PValue 와 유의 수준을 단순 비교하여 판단해서는 안 된다. 예를 들어
0.05 보다 크므로 또는 0.05 보다 작으므로 등으로 이분법적으로 접근해서는
안 된다.
2) PValue(통계적 유의성)와 효과 크기(Effect Size)를 모두 고려해야 한다.

[그림 6.5]를 보면 A 와 B 는 상관계수도 크고 PValue 도 유의하지만 A 와 C 는
(상대적으로) 상관 계수도 작고, PValue 도 덜 유의하다.
[그림 6.5]

Correlations			
	A	B	C
A	1.0000	0.8986	0.5864
B	0.8986	1.0000	0.5376
C	0.5864	0.5376	1.0000

The correlations are estimated by Row-wise method.

Correlation Probability			
	A	B	C
A	<.0001	0.0004	0.0748
B	0.0004	<.0001	0.1090
C	0.0748	0.1090	<.0001

하지만 [그림 6.6]의 결과를 보면(왼쪽은 A 와 B, 오른쪽은 A 와 C 간의 회귀
분석을 한 결과이다) 효과의 크기(Effect Size)를 나타내는 총변동(SS, Sum of
Squares)이나 회귀 계수를 보면 [그림 6.5]와 다른 결론을 낼 수 있음을 알 수
있다. 그러므로 실제 가설 검정에 있어서는 PValue(통계적 유의성)와 효과
크기(Effect Size)를 모두 고려해야 한다.

144

[그림 6.6]

Analysis of Variance(A와 B)				
Source	DF	Sum of Squares	Mean Square	F Ratio
Model	1	0.000065		33.5421
Error	8	0.00006459	1.926e-6	Prob > F
C. Total	9	0.00001541		0.0004*
		0.00008000		

Analysis of Variance(A와 C)				
Source	DF	Sum of Squares	Mean Square	F Ratio
Model	1	2044.0415	2044.04	4.1929
Error	8	3900.0395	487.50	Prob > F
C. Total	9	5944.0810		0.0748

Parameter Estimates(A와 B)				
Term	Estimate	Std Error	t Ratio	Prob>|t|
Intercept	1.0051333	0.000948	1060.3	<.0001*
A	0.0008848	0.000153	5.79	0.0004*

Parameter Estimates(A와 C)				
Term	Estimate	Std Error	t Ratio	Prob>|t|
Intercept	-4.406667	15.08318	-0.29	0.7776
A	4.9775758	2.430874	2.05	0.0748

PValue 가 유의하고 효과 크기가 크면 당연히 실제적으로도 매우 유의미할 가능성이 높지만 PValue 는 유의한 데, 효과 크기가 작으면 통계적으로는 유의하더라도 중요한 실제적 의미를 가지지 않을 수도 있다. 반면 PValue 는 유의하지 않더라도 효과 크기가 크면 현실적으로 중요한 의미를 가질 수도 있다. 물론 데이터의 개수가 너무 작은 지, PValue 가 유의하지 않게 나온 다른 이유(예를 들면, 다른 변수의 영향)가 있는 지 확인이 필요할 것이다.

몇 년 전 미국 통계학회에서 PValue 에 대한 아주 의미있는 보고서[14]를 발간하였는 데 핵심 내용은 아래와 같다.

1) PValue 는 해당 통계량이 데이터와 같거나 더 극단적일 확률을 의미한다 (Informally, a p-value is the probability under a specified statistical model that a statistical summary of the data (e.g., the sample mean difference between two compared groups) would be equal to or more extreme than its observed value)

2) PValue 는 해당 가설(통계 기법)과의 일치 여부를 나타낸다(P-values can indicate how incompatible the data are with a specified statistical model)

---

[14] https://amstat.tandfonline.com/doi/full/10.1080/00031305.2016.1154108#.Vt2XIOaE2MN]

3) PValue 가 가설이 참인 지에 대한 측정 지표는 아니다(P-values do not measure the probability that the studied hypothesis is true, or the probability that the data were produced by random chance alone)

4) PValue 만으로 의사 결정을 하면 안 된다(Scientific conclusions and business or policy decisions should not be based only on whether a p-value passes a specific threshold)

5) PValue 만이 아닌 다른 통계량, 가설이 설정된 과정과 내용 등을 모두 살펴보아야 한다(Proper inference requires full reporting and transparency)

6) PValue 가 효과의 크기나 결과의 중요성을 측정하지 않는다(p-value, or statistical significance, does not measure the size of an effect or the importance of a result)

7) PValue 그 자체가 모델 또는 가설에 관한 좋은 증거 척도가 될 수는 없다 (By itself, a p-value does not provide a good measure of evidence regarding a model or hypothesis)

8) (PValue 를 포함하여) 어떠한 단일한 지표도 과학적 추론을 대신할 수 없다. 실제 데이터, 그래프를 활용한 요약, 실제 상황(데이터)에 대한 기술적 이해, 올바른 가설, 여러 다양한 통계량 등 종합적인 고려를 하여야 한다(Good statistical practice, as an essential component of good scientific practice, emphasizes principles of good study design and conduct, a variety of numerical and graphical summaries of data, understanding of the phenomenon under study, interpretation of results in context, complete reporting and proper logical and quantitative understanding of what data summaries mean. No single index should substitute for scientific reasoning)

4) 가설 검정 프로세스

가설 검정은 일반적으로 다음의 순서를 따른다.

첫째, 적절한 가설을 설정한다.
[그림 6.2]와 같은 상황이라면 다음과 같이 가설을 설정할 수 있을 것이다.
귀무 가설 : 두 나라 사람의 키에는 차이가 없다.
대립 가설 : 두 나라 사람의 키에는 차이가 있다.

둘째, 검정 통계량(Test Statistic)을 결정한다. 검정 통계량이란 가설의 적절성 여부를 확인하기 위해 수단으로 활용하는 통계량을 말한다. 키의 모평균(μ)을 추정하기 표본 평균($\bar{x}$)을 사용한다면 표본 평균이 검정 통계량이 된다. 이를 통해 가설이 보다 구체화된다.
귀무 가설 : 두 나라 사람의 키의 평균에는 차이가 없다.
대립 가설 : 두 나라 사람의 키의 평균에는 차이가 있다.

셋째, 유의 수준(α)를 설정한다.
유의 수준(α)은 0.01(1%), 0.05(5%), 0.1(10%)를 주로 사용하며 이 중 0.05(5%)가 가장 많이 활용된다. JMP 에서는 해당 기능에서 유의 수준(α) 또는 신뢰 수준(confidence level, 1- α)를 사용자가 임의로 조정할 수 있다.

넷째, 검정 규칙을 결정한다.
가설을 채택 또는 기각할 검정 통계량의 범위를 정하는 것을 말한다. 우리는 5 장에서 정규 분포를 가정할 경우 신뢰 구간은 다음의 공식에 따름을 배웠다.

$$\bar{x} - z_{\frac{\alpha}{2}} \frac{\sigma}{\sqrt{n}} \leq \mu \leq \bar{x} + z_{\frac{\alpha}{2}} \frac{\sigma}{\sqrt{n}}$$

이 경우, 검정 통계량은 $\left[\frac{\bar{x}-\mu}{\sigma/\sqrt{n}}\right]$ 가 된다.

다섯째, 데이터를 수집한다.

여섯째, 검정 통계량을 계산하여 가설의 채택 여부를 결정한다.

양측 검정의 경우 검정 통계량이 [그림 6.7]의 ⓐ의 영역에 있으면 귀무 가설이 채택하고, ⓐ영역을 벗어나 색깔이 칠해진 영역에 해당되면 귀무 가설이 기각되고 대립가설이 채택된다.

[그림 6.7]

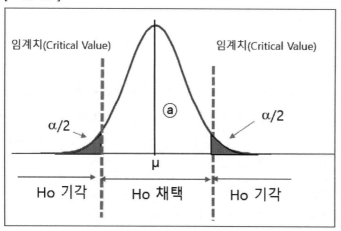

앞서 PValue 란 귀무 가설이 맞을 때 표본 데이터를 가지고 계산된 검정 통계량 값에 대하여 귀무 가설을 기각할 수 있는 최소한의 유의 수준이라 하였는 데, 여기서 계산된 P-Value 가 α(유의 수준)보다 작으면, 즉 1 종 오류보다 작으면 귀무 가설을 기각할 수 있는 상황이고 P-Value 가 α(유의 수준)보다 크면 귀무 가설을 기각할 수가 없는 상황이라는 뜻이 된다.

2. JMP 에서의 가설 검정

1) 가설 검정을 위한 준비 사항

JMP 를 이용하여 가설 검정을 하기 위해서는 반드시 확인해야 할 두 가지 사항이 있다. 가설 검정을 하기 전에 검정의 대상이 되는 변수의 모델링 타입(Modeling Type)과 분포(Distribution)가 그것이다. 모델링 타입과 분포에 따라 적절할 검정 방법을 선택해야 하기 때문이다.

2) 모델링 타입의 확인

데이터 테이블 왼쪽 중간에 있는 Column Table 의 변수명 왼쪽에 해당 변수의 모델링 타입을 나타내는 아이콘이 표시되어 있다. 여기서 각 변수의 모델링 타입이 명목형(Nominal, 붉은 색 막대 그래프)인지 서열형(Ordinal, 또는 순서형, 연두색 그래프)인지 연속형(Continuous, 파란색 그래프)인지를 반드시 확인해야 한다.

만약 모델링 타입을 변경하고자 한다면 모델링 타입을 표시하는 아이콘에서 오른쪽 마우스를 클릭하여 변경하거나,

[그림 6.8]

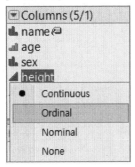

데이터 테이블의 변수명 위에서 오른쪽 마우스 클릭 후 **Column Info** 에서 변경할 수 있다.

[그림 6.9]

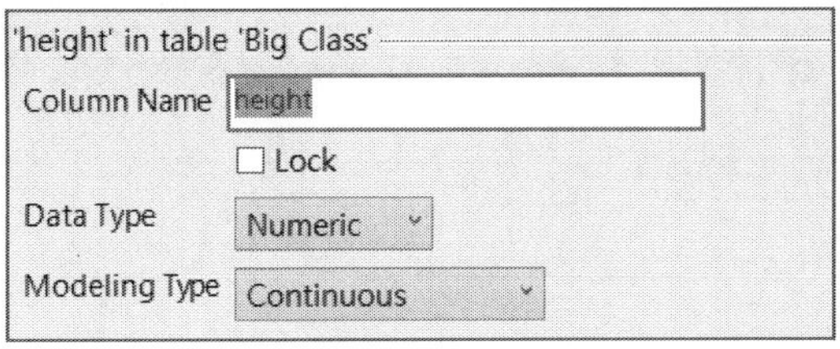

3) 분포의 확인

가설 검정의 관점에서는 해당 분포가 정규 분포(Normal Distribution)라고 할
수 있는 지 아니면 비모수적 검정(Nonparametric Test)을 해야 하는 지 등에
대해 판단을 하기 위해 분포에 대한 확인이 필요하다.

물론 분포에 대한 확인 과정에서 검정 대상이 되는 데이터의 모습, 형태,
관련성 등을 시각적으로 파악하는 것도 매우 중요하다. 여기서는 정규 분포
여부를 확인하는 정규성 검정(Normality Test)에 대해 살펴 보기로 한다.

🐭 'big class.jmp' 데이터에서 연속형 변수인 weight 변수에 대해 정규성
   검정을 하기 위해서는 **Analyze / Distribution** 을 실행한 다음, ▼**weight /**
   Continuous Fit / Fit Normal 을 실행한다. 그런 다음 ▼**Fitted Normal**
   Distribution / Goodness of Fit 을 클릭하면 정규성에 대한 적합도
   검정(Goodness-of-Fit Test) 결과가 출력된다.

   [그림 6.10]

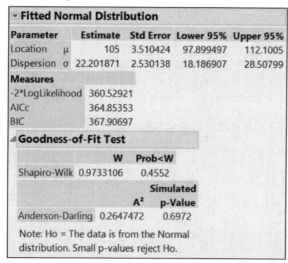

🐭 보통은 **Anderson-Darling** 검정의 PValue 값을 기준으로 정규성에 대해
   판단한다. 여기서는 0.697 이므로 정규 분포가 아니라는 대립 가설을

채택할 수 없다, 즉 정규 분포라고 볼 수 있다로 결론을 내릴 수 있다(이 값은 시뮬레이션된 값이므로 실행할 때마다 값이 약간씩 다르게 나올 수 있고 JMP 는 2,500 개의 Sample 을 활용하여 시뮬레이션한다).

JMP 에서는 데이터 개수가 2,000 개 이하일 경우에는 **Shapiro-Wilk 검정** 결과도 함께 보여준다. 데이터 크기가 작을 때(보통 수십 개 이하)는 Shapiro-Wilk 검정이 더 강력하다고 알려져 있다(Anderson Darling 검정의 결과보다 PValue 가 더 작게 나와서 좀 더 보수적으로 판단할 수 있다)

4) 가설 검정 관련 JMP 기능(메뉴)

JMP 에서 대부분의 설 검정은 아래 세 가지 메뉴에서 실행된다
- **Analyze / Distribution**
- **Analyze / Fit Y by X**
- **Analyze / Fit Model**

상황과 목적에 따른 가설 검정 방법은 매우 다양하나 여기서 다루는 내용을 기준으로 가설 검정 방법과 해당하는 JMP 메뉴를 정리하면 아래와 같다.

하나의 변수에 대한 가설 검정에 대해서는 7 장에서 살펴볼 것이다.

[그림 6.11]

유의차 검정	JMP Menu	비고
정규성 검정 (Normality Test)	Analyze / Distribution ▼Continuous Fit / Fit Normal	
평균에 대한 검정	Analyze / Distribution ▼Test Mean	
산포에 대한 검정	Analyze / Distribution ▼Test Std Dev	
비율 검정	Analyze / Distribution ▼Test Probabilities	범주형 변수

범주형 X, 연속형 Y 일 경우의 두 변수에 대한 가설 검정은 8 장에서 살펴본다.

[그림 6.12]

유의차 검정	JMP Menu	비고
분산의 동질성 검정	Analyze / Fit Y by X ▼Unequal variances	Levene Bartlett, Welch Test 등
평균에 대한 검정	Analyze / Fit Y by X ▼T Test	Equal Variance 가정 안함
(2 Sample T Test)	Analyze / Fit Y by X ▼Means/Anova/Pooled T	Equal Variance 가정
Paired(쌍체) T Test	Analyze / Specialized Modeling / Matched Pairs	동일 집단에 대한 검정

9 장에서는 세 변수 이상에 대한 검정(범주형 X, 연속형 Y)인 ANOVA 에 대해 살펴볼 것이다.

[그림 6.13]

유의차 검정	JMP Menu	비고
One Way ANOVA	Analyze / Fit Y by X ▼Means/ANOVA	이분산 : Welch Test (ANOVA, Unequal Variance)
One Way ANOVA (다중 비교)	Analyze / Fit Y by X ▼Compare Means	Tukey HSD 등
Two Way ANOVA	Analyze / Fit Model	X인자가 두 개 이상

10 장과 11 장에서는 연속형 X, Y 변수일 경우 사용되는 상관 분석과 회귀 분석에 대해 학습한다.

[그림 6.14]

유의차 검정	JMP Menu	비고
상관 분석	Analyze / Fit Y by X	이변량
	Analyze / Multivariate Methods / Multivariate	다변량
단순 회귀 분석	Analyze / Fit Y by X	하나의 X 변수
다중[다변량] 회귀 분석	Analyze / Fit Model	두 개 이상의 X 변수
단계별 회귀	Analyze / Fit Model	Stepwise

12 장에서는 범주형 Y 일 경우 활용되는 분할 분석, 로지스틱 회귀 등에 대해 살펴본다.

[그림 6.15]

유의차 검정	JMP Menu	비고
범주형 두 변수	Analyze / Fit Y by X	Chi Square Test, Fisher Exact Test 등
연속형 X, 범주형 Y	Analyze / Fit Y by X	로지스틱 회귀

13 장에서는 비모수 검정에 대해 살펴볼 것이고,

[그림 6.16]

유의차 검정	JMP Menu	비고
하나의 집단에 대한 검정	Analyze / Distribution ▼Test Mean	Wilcoxon Signed Rank
두 집단에 대한 검정	Analyze / Fit Y by X ▼Nonparametric	Wilcoxon Rank Sum(Mann Whitney), Exact Test 등
세 집단 이상에 대한 검정	Analyze / Fit Y by X ▼Nonparametric	Kruskal Wallis
비모수 상관 관계	Analyze / Multivariate Method / Multivariate ▼ Nonparametric Correlations	Spearman's ρ(로), Kendall's τ(타우)

14 장에서는 유의차 검정이 아닌 동등성 검정에 대해 학습할 것이다.

[그림 6.17]

동등성 검정	JMP Menu	비고
하나의 집단에 대한 검정	Analyze / Distribution ▼Test Equivalence	
두 집단 이상에 대한 검정	Analyze / Fit Y by X ▼Equivalence Tests	평균 및 표준 편차에 대한 동등성 검정
비율에 대한 동등성 검정	Analyze / Fit Y by X ▼Contingency ~ / Relative Risk 또는 Risk Difference	
비모수 동등성 검정	Analyze / Fit Y by X ▼Equivalence Tests	Type of Test에서 Wilcoxon Test 선택
쌍을 이룬 데이터에 대한 동등성 검정	Analyze / Specialized Modeling / Matched Pairs ▼Matched Pairs / Equivalence Tests	정규 분포 전제(T Test), 비모수 가정(Wilcoxon Test)

이 외에도 **Help / Sample Index** 에서도 가설 검정 관련 기능을 활용할 수 있다.

📖 **Content Type(Tool), Tool Type : Teaching Modules**

[그림 6.18]

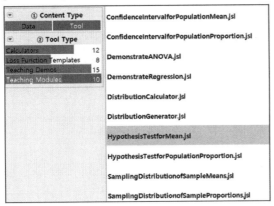

📖 Content Type(Tool), Tool Type : Calculators

[그림 6.19]

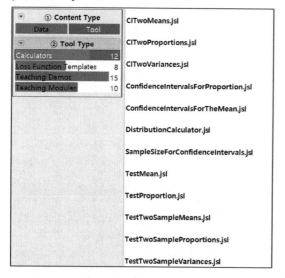

📖 이 기능은 JMP Community 에서 해당 Add-in[15]을 다운로드, 설치하여
사용할 수도 있다.

[그림 6.20]

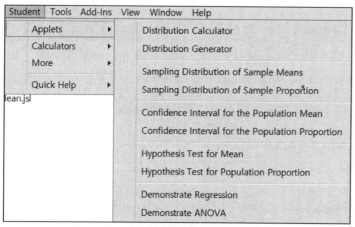

---

[15] JMP User Community(https://community.jmp.com/)에서 student add-in 으로
검색하면 된다.

7 장. 하나의 모집단에 대한 유의차 검정

개요

7 장에서는 모집단이 하나일 때의 유의차 검정에 대해 살펴본다. 구체적으로 다음의 세 가지 경우에 대해 학습한다.

1) 평균에 대한 유의차 검정
2) 산포(표준 편차)에 대한 유의차 검정
3) 비율에 대한 유의차 검정.

1. 평균에 대한 유의차 검정

1) 1 Sample T Test

어느 회사에서 만드는 부품의 강도가 평균 50, 표준편차 2 인 정규분포를 따른다고 가정하자. 원가 절감을 위해 새로운 기계를 도입하여 25 개를 시범 생산한 결과 평균 50.3, 표준편차 2 로 파악되었다고 할 때, 새로운 기계로 만든 부품이 기존 평균과 차이가 나는 지 여부를 검정하고자 한다.

정규 분포를 따른다고 가정할 경우 검정 통계량은 $Z\left[\dfrac{\bar{x}-\mu}{\sigma/\sqrt{n}}\right]$ 가 되므로, 유의 수준 5% 기준으로 검정해 보면,

$Z\left[\dfrac{50.3-50}{2/\sqrt{25}}\right]$ = 0.3/0.4 = 0.75 가 된다.

유의 수준 5% 기준 임계치 $Z_{\frac{\alpha}{2}}$ = 1.96 이므로 그림으로 표현하면 다음과 같다. 검정 통계량 값이 0.75 로 임계치 내에 있으므로 귀무 가설이 채택된다. 즉, 새로운 기계에서 생산한 부품의 강도가 기존 기계에서 생산한 것과 다르다는 충분한 증거가 없다고 해석할 수 있다.

[그림 7.1]

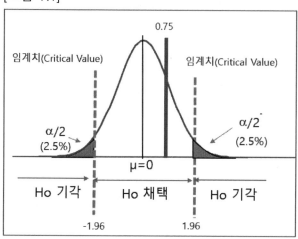

🖐 'Bands Data.jmp' 데이터의 **Viscosity** 변수에 대해 **Analyze / Distribution** 을
실행해 보자. 대략 평균이 50.95, 표준편차 8.06 이다.

[그림 7.2]

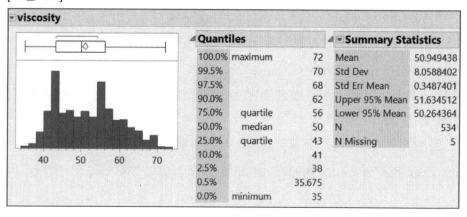

🖐 이 데이터를 기준으로 모집단의 평균이 50 이라고 말할 수 있는 지를
검정하기 위해서는 **▼Viscosity / Test Mean** 을 클릭하여 아래와 같이 50 을
입력한다(통계적으로 말하면 모집단 평균에 대해 1 Sample T Test 를
수행하는 과정이다).

[그림 7.3]

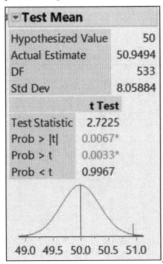

⌐ 결과는 다음과 같다. 검정 통계량(Test Statistic) 2.7225 는 앞에서 살펴본 것처럼 다음과 같이 계산되었다.

$$Z \left[\frac{\bar{x}-\mu}{\sigma/\sqrt{n}}\right] = \left[\frac{50.9494 - 50}{8.05884/\sqrt{534}}\right] = 2.7225$$

[그림 7.4]

▼ Test Mean

Hypothesized Value	50
Actual Estimate	50.9494
DF	533
Std Dev	8.05884

t Test	
Test Statistic	2.7225
Prob > |t|	0.0067*
Prob > t	0.0033*
Prob < t	0.9967

49.0 49.5 50.0 50.5 51.0

⌐ 검정 통계량 아래에 있는 세 가지 PValue 의 의미는 다음과 같다.

1) **Prob > |t|** : '검정 평균(50)은 추정값(50.9494)과 같다'라는 귀무 가설에 대한 검정이다. 양측 검정(two-tailed T Test)이라고 말한다. 지금은 P-Value (0.0067)를 기준으로 귀무 가설을 기각(대립 가설 채택)해야 하는 상황이다.

2) **Prob > t** : '검정 평균(50)이 추정값(50.9494)보다 크다'라는 귀무 가설에 대한 검정이다. 단측 검정(이 경우는 upper-tailed T Test)의 경우인 데 지금은 P-Value (0.0033)를 기준으로 귀무 가설을 기각해야 하는 상황이다.

3) **Prob < t** : '검정 평균(50)이 추정값(50.9494)보다 작다'라는 귀무 가설에 대한 검정이다. 단측 검정(이 경우는 lower-tailed T test)으로 P-Value (0.9967)를 기준으로 귀무 가설을 채택해야 하는 상황이다.

2) 1 Sample Z Test

실제 모표준 편차를 알고 있고 그 표준 편차를 활용하여 검정하고자 한다면, 실행 화면([그림 7.3])의 '**Enter True Standard Deviation to do z-test rather than t test**'에 표준 편차를 입력하면 된다. 이렇게 하면 T Test 가 아닌 Z Test 가 실행된다. 만약 모표준편차 8 을 입력하고 실행하면 결과는 다음과 같다.
검정 통계량(Test Statistic) 2.7425 는 다음과 같이 계산되었다.

$$Z \left[\frac{\bar{x} - \mu}{\sigma / \sqrt{n}} \right] = \left[\frac{50.9494 - 50}{8 / \sqrt{534}} \right] = 2.7425$$

[그림 7.5]

▾Test Mean	
Hypothesized Value	50
Actual Estimate	50.9494
DF	533
Std Dev	8.05884
Sigma given	8

	z Test
Test Statistic	2.7425
Prob > |z|	0.0061*
Prob > z	0.0030*
Prob < z	0.9970

158

3) PValue Animation

PValue Animation 기능(▼Test Mean / PValue Animation)을 이용하면 검정 통계량과 샘플 사이즈, 표준편차와의 관계를 보다 명확하게 이해할 수 있다.

[그림 7.6]

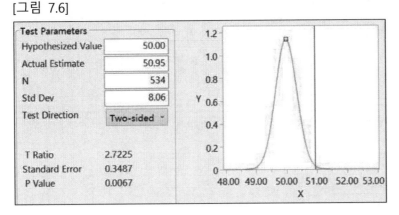

☞ 검정 통계량을 50.5 로 변경하면 PValue 가 커진다. 오른쪽 그래프에서의 분포선은 검정 평균값을 전제로 한 분포(distribution under hypothesis mean)를 나타내며 음영이 칠해진 부분이 Pvalue 를 뜻한다.

[그림 7.7]

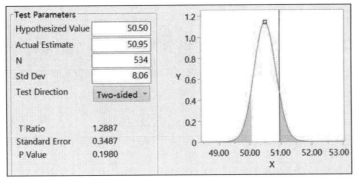

☞ 데이터 개수가 커지면 PValue 가 작아진다. 즉, 데이터의 개수가 증가하면 검정 평균과 실제 평균의 차이가 크지 않더라도 평균치 차이에 대한 검정을 했을 경우 유의하다고 판정할 가능성이 높아진다는 뜻이다.

[그림 7.8]

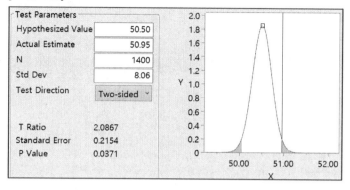

🖰 반대로 산포(표준편차)가 커지면 PValue 는 커지게 된다.

[그림 7.9]

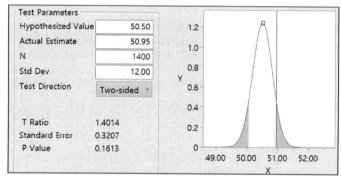

🖰 Test Direction 에서 양측 검정(Two-sided)을 단측 검정(Low Side 또는 High Side)으로 변경할 수 있다.

[그림 7.10]

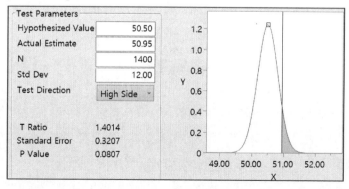

4) 검출력(Power)에 대한 확인

1 종 오류, 유의 수준(α) 외에도 2 종 오류, β 에 대해서도 확인을 할 수 있다. 보통 검출력(Power)이라는 말하는 것은 (1-β)인 데 통계적으로 β 의 의미는 대립 가설을 채택해야 하는 상황임에도 불구하고 귀무 가설을 채택하는 오류(위험률)을 말한다.

그러므로 검출력 (1-β)는 대립 가설을 대립 가설로 판단하는 능력을 말한다.

🖱 ▼**Test Mean / Power Animation** 을 클릭하면 아래와 같은 결과가 표시된다. 처음에 보이는 결과는 양측 검정(Two-sided)에 대한 것이다. 여기서 검정 방법(양측, 단측), 검정 평균, 실제 평균(True Mean), 데이터의 개수, 유의 수준(α)를 조정하면서 검출력을 추정해 볼 수 있다.

각각의 의미는 아래와 같다.

1) 붉은 선 : 검정 평균(Hypothesized Mean)에 대한 분포를 표시
2) 파란 선 : 실제 평균(True Mean)에 대한 분포를 표시
3) 주황색 영역 : 유의 수준(α)
4) 푸른색 영역 : β, 즉 1-Power

[그림 7.11]

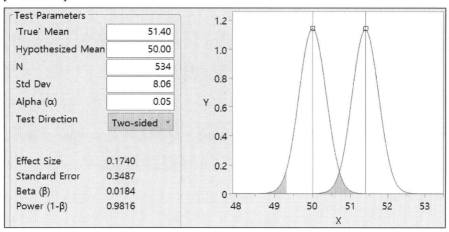

⑧ 예를 들어 데이터의 개수를 줄이면 표준오차가 커져서 검출력(Power)이
작아지고,

[그림 7.12]

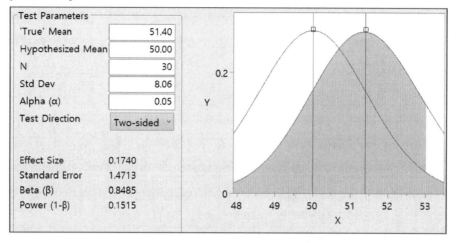

⑧ 유의 수준(α)이 커지면 β 가 작아져서 검출력(Power)이 커진다.

[그림 7.13]

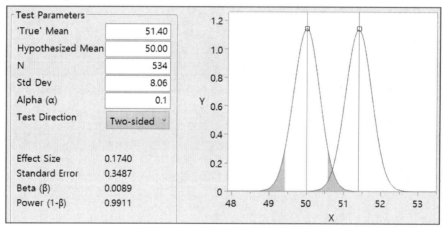

2. 산포(표준 편차)에 대한 유의차 검정

앞에서 모평균에 대한 검정에 대해 살펴보았는 데 모집단의 산포에 대한
유의차 검정에 대해 배워보자.

모분산 σ^2에 대한 검정 통계량은 자유도(DF : Degree of Freedom)가 n-1 인
카이 스퀘어(Chi Square) 분포를 따른다고 알려져 있다. 여기서 s 는 표본
표준편차, σ는 모표준편차이다.

$$\left[\frac{(n-1) * S^2}{\sigma^2}\right]$$

만약 기존에 표준편차(σ)가 2 인 어느 공정에서 새로운 장비를 도입한 후,
20 개를 시범 생산하여 표준편차(s)가 2.5 가 나왔고 이 표준편차가 모집단과
차이가 나는 지 유의 수준 5%에 검정하고자 한다면 다음과 같이 계산된다.

$$\left[\frac{(n-1)*S^2}{\sigma^2}\right] = \left[\frac{(20-1)*(2.5)^2}{2^2}\right] = 29.6875$$

☞ 이 경우에 대한 카이 스퀘어 분포는 **Help / Sample Index** 에서
Distribution Calculator 를 활용하여 구할 수 있다.

[그림 7.14]

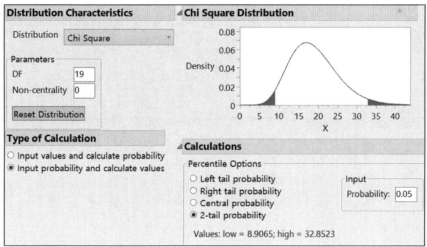

✑ 검정 통계량 값이 29.6875로 임계치(89065, 32.8523) 사이에 있으므로 귀무 가설을 채택하게 된다. 즉, 표본의 표준 편차(2.5)가 모표준편차(2)와 다르다는 충분한 증거가 없다. 만약 표본의 표준 편차가 2.8 이라고 하면, 검정 통계량은 37.24 가 되는 데, 임계치를 벗어나므로 대립 가설을 채택하게 될 것이다.

✑ 앞에서 살펴보았던 'Bands Data.jmp' 데이터의 **Viscosity** 변수에 대해 모집단 표준편차인 8 이라고 볼 수 있는 지를 검정하고자 한다면 **▼Viscosity / Test Std Dev** 에서 8 을 입력하면 된다.

[그림 7.15]

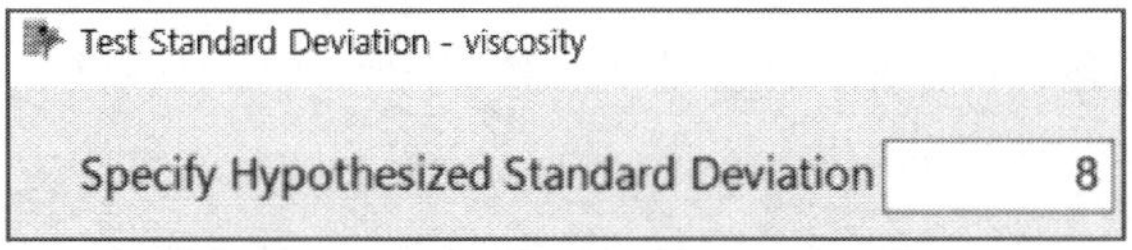

Test Standard Deviation - viscosity	
Specify Hypothesized Standard Deviation	8

✑ 결과는 다음과 같다. Min PValue 가 0.7947 로 귀무 가설을 채택하여 모표준편차와 유의한 차이가 없다고 해석할 수 있다. Min PValue 는 양쪽 PValue 중에서 작은 값에 2 를 곱하여 계산한다.

[그림 7.16]

Test Standard Deviation

Hypothesized Value	8
Actual Estimate	8.05884
DF	533

Test	ChiSquare
Test Statistic	540.8693
Min PValue	0.7947
Prob < ChiSq	0.6027
Prob > ChiSq	0.3973

Viscosity 변수에 대해 **Distribution Calculator** 기능을 통해 임계치 등을 확인하면 다음과 같다.

[그림 7.17]

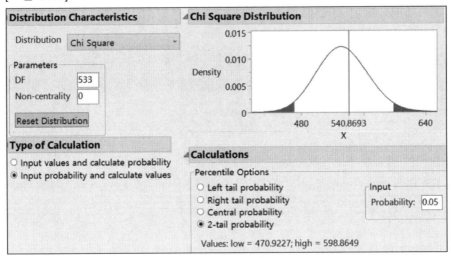

3. 비율에 대한 유의차 검정

표본 자료를 활용하여 모비율에 대한 가설 검정에 대해 살펴보자. 표본이 충분이 크면(np 가 10 보다 크고, n(1-p)가 10 보다 큰 경우) 표본 비율 $\hat{P}$ 은 정규 분포에 근접하므로 모비율에 대한 검정 통계량은 다음과 같이 구할 수 있다(p_0 는 모비율)

$$\frac{\hat{P} - p_0}{\sqrt{p_0(1 - P_0)/n}}$$

예를 들어 보자.

JMP 제품에 대한 인지도가 기존 30%였고 새로운 미케팅 활동을 한 후 그 효과를 확인하기 위해 1,000 명을 대상으로 조사한 결과 370 명이 인지한다고 대답하였다면 마케팅 활동으로 인해 인지도가 향상되었는 지를 검정해 보자. 이 경우 검정은 양측 검정이 아니라 단측 검정이 되고 가설은 다음과 같이 설정된다.

귀무 가설 : p ≤ 0.3 (인지도가 그대로이다)
대립 가설 : p > 0.3 (인지도가 향상되었다)

검정 통계량을 계산하면 다음과 같다.

$$\frac{\hat{P}-p_0}{\sqrt{p_0(1-P_0)/n}} = \frac{0.37-0.3}{\sqrt{0.3(1-0.3)/1000}} = 4.83$$

Distribution Calculator 기능을 통해 임계치를 계산하면 1.6449 이고, 검정통계량이 임계치보다 크므로 대립가설이 채택된다. 즉, 마케팅으로 인지도가 향상되었다고 볼 수 있다.

[그림 7.18]

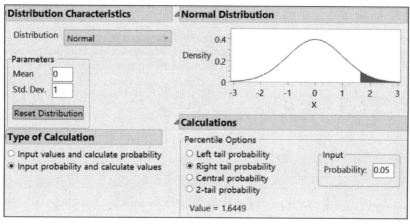

🖱 [그림 7.19]는 앞에서 살펴보았던 'Bands Data.jmp'에서 범주형 변수인 **Banding** 변수에 대해 **Analyze / Distribution** 을 실행한 결과이다.

[그림 7.19]

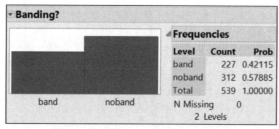

두 범주(band, noband)의 비율이 각각 0.4, 0.6 이라고 할 수 있는 지를 검정하고자 한다면 ▼**Banding? / Test Probabilities** 에서 검정 확률(Hypoth Prob)에 각각 0.4, 0.6 을 입력한 뒤 Done 버튼을 클릭한다.

[그림 7.20]

Test Probabilities

Level	Estim Prob	Hypoth Prob
band	0.42115	0.4
noband	0.57885	0.6

Click then Enter Hypothesized Probabilities.

Select an alternative hypothesis for testing probabilities.
- ● probabilities not equal to hypothesized value (two-sided chi-square test)
- ○ probability greater than hypothesized value (exact one-sided binomial test)
- ○ probability less than hypothesized value (exact one-sided binomial test)

[Done] [Help]

검정 결과 귀무 가설을 채택(모비율 0.4, 0.6 과 차이가 없다)할 수 있는 상황이다.

[그림 7.21]

Test Probabilities

Level	Estim Prob	Hypoth Prob
band	0.42115	0.4
noband	0.57885	0.6

Test	ChiSquare	DF	Prob>Chisq
Likelihood Ratio	0.9991	1	0.3175
Pearson	1.0046	1	0.3162

band 범주에 대해 검정 통계량을 계산하면 약 0.65 이고 **Distribution Calculator** 기능을 통해 임계치를 계산하면 +/-1.96 이어서 검정 통계량이 임계치 내에 있으므로 귀무 가설이 채택됨을 확인할 수 있다.

$$\frac{\hat{P}-p_0}{\sqrt{p_0(1-P_0)/n}} = \frac{0.42115-0.4}{\sqrt{0.4\,(1-0.4)/227}} = 0.65$$

[그림 7.22]

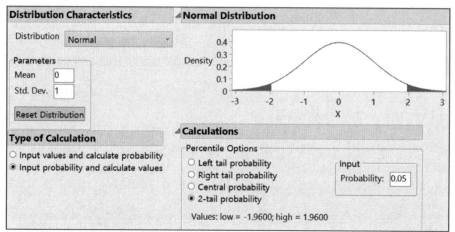

8 장. 두 모집단에 대한 비교

개요

7 장에서 모집단이 하나일 때의 유의차 검정에 대해 살펴보았다. 8 장에서는 두 모집단에 대한 유의차 검정에 대해 살펴보기로 한다.

세부적으로 다음의 네 가지 경우에 대해 학습한다.

1) 평균의 차이에 대한 유의차 검정

2) 분산(산포)의 차이에 대한 유의차 검정

3) 쌍을 이룬 집단의 경우 평균의 차이에 대한 검정

4) 비율의 차이에 대한 유의차 검정.

1. 평균의 차이에 대한 유의차 검정

1) 분산의 동질함을 전제하지 않은 경우

두 모집단의 모평균을 비교하기 위해서는 두 모집단의 표본 평균으로부터 추정할 수도 있지만, 모평균의 차이에 대해 검정하는 것이 훨씬 효과적이다.

'5 장. 추정(Estimation)'에서 살펴본 내용을 다시 정리해보면 다음과 같다.

1) 두 표본 평균의 차이($\bar{X}_1 - \bar{X}_2$)의 기대값 = $E(\bar{X}_1) - E(\bar{X}_2) = \mu_1 - \mu_2$

2) 두 표본 평균의 차이($\bar{X}_1 - \bar{X}_2$)의 분산 (두 표본이 독립적인 경우)

$$\text{Var}(\bar{X}_1 - \bar{X}_2) = \text{Var}(\bar{X}_1) + \text{Var}(\bar{X}_2) = \frac{\sigma_1^2}{n_1} + \frac{\sigma_2^2}{n_2}$$

3) 그러므로 모집단 평균의 차이($\mu_1 - \mu_2$)에 대한 검정은 추정량이 평균의 차이($\bar{X}_1 - \bar{X}_2$)이고 검정 통계량은 다음과 같으며 평균 0, 분산 1 인 표준 정규 분포를 따른다.

$$Z = \frac{(\bar{x}_1 - \bar{x}_2) - \mu_0}{\sqrt{\frac{\sigma_1^2}{n_1} + \frac{\sigma_2^2}{n_2}}}$$

⏳ 'big class.jmp' 데이터에서 성별로 몸무게 평균의 차이에 대한 검정(유의 수준 5%)을 해 보자.

Analyze / Fit Y by X 에서 **sex** 를 X 로, **weight** 를 Y 로 선택해서 OK 를 클릭한 다음, 분석 결과에서 **▼Oneway ~ / Means and Std De**v 를 클릭하면 **sex** 별로 **weight** 에 대한 평균, 표준 편차 등의 통계량을 확인할 수 있다.

[그림 8.1]

Means and Std Deviations

Level	Number	Mean	Std Dev	Std Err Mean	Lower 95%	Upper 95%
F	18	100.94444	23.4357	5.5238474	89.290145	112.59874
M	22	108.31818	21.099281	4.4983818	98.963285	117.67308

⏳ **sex** 변수의 M 범주를 X1, F 범주를 X2 라 가정하고 검정 통계량을 구하면 다음과 같다. 검정 통계량 값(1.0351)이 유의 수준 5%에서의 임계치 (1.645)보다 작으므로 귀무 가설이 채택된다. 즉 성별에 따라 **weight** 의 차이가 난다는 증거가 없다.

$$Z = \frac{(\bar{x}_1 - \bar{x}_2) - \mu_0}{\sqrt{\frac{\sigma_1^2}{n_1} + \frac{\sigma_2^2}{n_2}}} = \frac{(108.31818 - 100.94444) - 0}{\sqrt{\frac{(21.099281)^2}{22} + \frac{(23.4357)^2}{18}}} = \frac{7.3737}{7.1238} = 1.0351$$

⏳ **▼Oneway ~ / t test** 를 선택하면 두 집단의 평균의 차이에 대한 검정인 **2 Sample T Test** 가 실행된다(이 경우는 분산의 동질함을 전제하지 않았다) 평균의 차이 값, 차이 값의 표준 오차 및 검정 통계량이 앞에서 구한 값과 동일하다.

1) 평균의 차이 값의 신뢰 구간에 '0'이 존재하는 점, PValue(Prob > |t|)가 유의 수준보다 훨씬 크므로 평균의 차이가 있다고 말할 수 없다.

2) **Prob > t** 는 평균의 차이에 대한 검정 값(0)이 추정된 값(7.3737)보다 크다라는 귀무 가설에 대한 검정이다. 이 경우의 단측 검정은 PValue 가 0.1539 로 귀무 가설이 채택된다.

3) **Prob < t** : 평균의 차이에 대한 검정 값(0)이 추정된 값(7.3737)보다

작다라는 귀무 가설에 대한 검정이다. P-Value 가 0.8461 로 귀무 가설이 채택된다.

[그림 8.2]

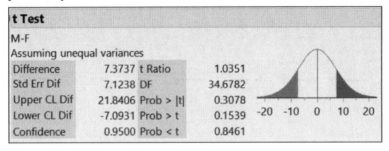

⌐ 참고로 [그림 8.2]에서의 DF(자유도, Degree of Freedom) 값은 다음의 공식에 의해 계산되었다.

$$\frac{(\sigma_1^2/n_1 + \sigma_2^2/n_2)2}{\dfrac{(\sigma_1^2/n_1)2}{n_1 - 1} + \dfrac{(\sigma_2^2/n_2)2}{n_2 - 1}}$$

2) 분산의 동질함을 전제할 경우

앞의 예시에서는 평균의 차이에 대한 유의차를 검정할 때 분산의 동질함을 전제하지 않았다. 두 모집단 분산의 동질함을 가정할 경우, 두 표본의 자유도의 상대적 크기를 가중치를 하여 모분산을 추정하는 데 이를 합동 분산(pooled variance)라고 하며 다음과 같이 계산된다.

$$합동\ 분산(\sigma_p^2) = \frac{(n_1-1)\sigma_1^2 + (n_2-1)\sigma_2^2}{n_1 + n_2 - 2}$$

또한, 검정 통계량은 다음과 같이 계산된다.

$$\frac{(\bar{x}_1 - \bar{x}_2) - \mu_0}{\sqrt{\dfrac{\sigma_p^2}{n_1} + \dfrac{\sigma_p^2}{n_2}}}$$

여기서 자유도(DF)는 $n_1 + n_2 - 2$ 이다.

ⓐ 분산의 동질함을 전제로 평균의 차이에 대한 유의차 검정을 위한 T Test 는 ▼Oneway ~ / Means/Anova/Pooled t test 를 선택하면 된다.

[그림 8.3]

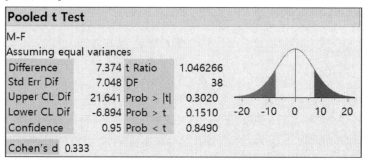

[그림 8.3] 하단에 있는 **Cohen's D** 는 평균치 차이의 효과 크기(effect size)를 표현하는 지표로 평균치 차이(Mean Difference)를 합동 표준 편차(Pooled Standard Deviation)로 나누어 계산한다. 의미상으로는 평균치 차이에 들어갈 수 있는 표준편차의 개수이며 합동 표준 편차는 앞에서 설명한 합동 분산의 제곱근이다.

이 값은 0.2 보다 작으면 효과의 크기가 매우 작다고(small) 해석하고 0.2 에서 0.5 사이면 중간 수준(medium), 0.5 이상이면 크다고 해석한다. 지금은 **Cohen's D** 가 0.333 으로 성별로 따른 weight 변수의 평균값의 차이의 효과 크기가 그리 크지 않는 상황이다.

2. 분산(산포)의 차이에 대한 유의차 검정

1) 분산(산포)의 차이에 대한 유의차 검정

두 모집단의 분산의 비율은 F 분포를 따른다고 알려져 있다. 예를 들어 어느 학교에서 수학 및 영어 성적의 산포가 동일한 지를 확인하기 위하여 수학 시험 응시자 20 명을 대상으로 확인한 결과 표준 편차가 10 점이었고 영어 시험 응시자 15 명을 대상으로 확인한 표준 편차가 15 점이었다고 가정할 때, 유의 수준 5% 기준으로 두 과목 점수의 표준 편차의 차이를 확인해 보자.

☞ **Help / Sample Index** 에서 **Tool Type(Calculator)**에서 TestTwoSampleVariances.jsl 을 선택한 뒤 Choose Input 화면에서 Summary Statistics 를 선택하고 아래와 같이 입력한다. 여기서는 분산이 아닌 표준 편차를 입력하였다.

[그림 8.4]

Test Inputs	
Input Variances Instead	
Hypothesized Ratio (Var2/Var1)	1
Sample 1 Std. Dev.	10
Sample 1 Size	20
Sample 2 Std. Dev.	15
Sample 2 Size	15
Significance Level (alpha)	0.05

☞ 검정 결과를 보면 분산비(Variance Ratio)와 F 분포 임계치가 있는 데, 검정 통계량인 분산비가 임계치 내에 있으므로 두 과목 점수의 표준 편차에 차이가 있다고 말할 수 없다. 이는 PValue 가 0.101 인 점에서도 확인된다.

[그림 8.5]

Test Results	
Result	**Value**
Variance Ratio	2.250
F-ratio	2.250
F critical value(s)	0.350; 2.647
Observed Significance (p-value)	0.1010
Fail to Reject Null Hypothesis	

☞ F 분포에 대한 확인은 **Distribution Calculator** 에서도 확인할 수도 있다. 다만 [그림 8.4]에서와 달리 분모(Denominator)와 분자(Numerator)의 입력 순서가 반대이고 샘플 사이즈가 아니라 DF(자유도, N-1)를 입력해야 한다.

[그림 8.6]

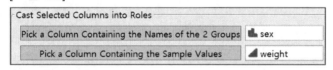

🖐 'big class.jmp' 데이터에서 성별로 몸무게 분산의 차이에 대한 검정(유의수준 5%)을 [그림 8.4]에서 활용한 TestTwoSampleVariances.jsl 를 이용해 보자. Choose Input 화면에서 Raw Data 를 선택하고 아래와 같이 선택한다.

[그림 8.7]

Cast Selected Columns into Roles

| Pick a Column Containing the Names of the 2 Groups | 🔳 sex |
| Pick a Column Containing the Sample Values | ◢ weight |

🖐 F 검정량(0.811)이 임계치 사이에 있으므로 성별에 따른 몸무게의 산포에 유의한 차이가 없다는 귀무 가설을 채택하게 된다(여기서는 성별 중 M 의 분산이 분자로 F 의 분산이 분모로 하여 계산되었다)

[그림 8.8]

Choose Type of Alternative Hypothesis

● (Var2/Var1) is unequal to the hypothesized value (two-tailed)
○ (Var2/Var1) is less than the hypothesized value (one-tailed)
○ (Var2/Var1) is greater than the hypothesized value (one-tailed)

Test Inputs

Hypothesized Ratio of Variances (Var2/Var1) 1
Significance Level (alpha) 0.05

Summary Statistics

Sample 1 Variance 549.232
Sample 1 Size 18
Sample 2 Variance 445.18
Sample 2 Size 22
Ratio (Var2 / Var1) 0.8105

Test Results

Result	Value
F-ratio	0.811
F critical value(s)	0.403; 2.600
Observed Significance (p-value)	0.6415
Fail to Reject Null Hypothesis	

2) 실무적인 활용

앞에서 살펴본 것처럼 두 모집단의 평균의 차이에 대한 검정을 하기 위해서는 분산의 동질성에 대한 사전 확인이 필요하고 분산의 동질성에 대한 확인 방법은 데이터가 정규 분포하는 지 여부에 따라 달라진다.

이런 관계로 실무에서는 두 모집단에 대한 가설 검정의 경우 아래의 순서에 따라 실시하는 게 일반적이다.

1) 정규성 검정(Normality Test)

2) 분산의 동질성(Homogeneity of Variance) 검정
 -정규성을 만족하면 주로 Bartlett 검정 사용
 -정규성을 만족하지 않으면 보통 Levene's 검정 사용

3) 평균치 검정
 -분산이 동질하면 Pooled t/ANOVA
 -등분산을 전제하지 않으면 2 Sample T 검정

☞ 'big class.jmp' 데이터에서 성별로 몸무게 평균의 차이에 대한 검정(유의 수준 5%)을 위의 순서대로 해 보자. **weight** 변수에 대해 성별로 정규성 검정을 하기 위해서는 **Analyze / Distribution** 에서 **weight** 를 Y, **sex** 를 by 로 선택하여 실행한다.
두 결과 중 아무데서나 Ctrl 키를 누른 상태에서 ▼**weight / Continuous Fit / Fit Normal** 을 실행하고, 다시 한 번 두 결과 중 아무데서나 Ctrl 키를 누른 상태에서 ▼**Fitted Normal Distribution / Goodness of Fit** 을 클릭하면 정규성에 대한 적합도 검정 (Goodness-of-Fit Test) 결과가 출력된다. **Anderson Darling** 검정 기준으로 볼 때 두 경우 모두 정규 분포한다고 볼 수 있다.

[그림 8.9]

Goodness-of-Fit Test(F)		
	W	Prob<W
Shapiro-Wilk	0.9601134	0.6038
		Simulated
	A²	p-Value
Anderson-Darling	0.2793513	0.6328
Note: Ho = The data is from the Normal distribution. Small p-values reject Ho.		

◢Goodness-of-Fit Test(M)		
	W	Prob<W
Shapiro-Wilk	0.9124884	0.0532
		Simulated
	A²	p-Value
Anderson-Darling	0.5124706	0.1720
Note: Ho = The data is from the Normal distribution. Small p-values reject Ho.		

✍ 분산의 동질성 검정을 위해서는 **Analyze / Fit Y by X** 에서 **sex** 를 X 로, **weight** 를 Y 로 선택해서 OK 를 클릭한 다음 분석 결과에서 ▼**Oneway ~ / Unequal Variances** 를 클릭한다.

[그림 8.10]

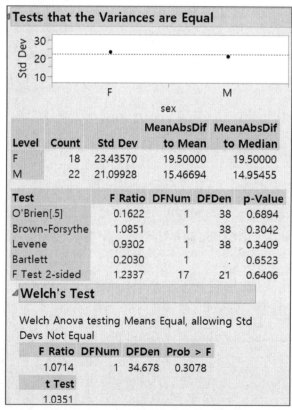

Tests that the Variances are Equal

Level	Count	Std Dev	MeanAbsDif to Mean	MeanAbsDif to Median
F	18	23.43570	19.50000	19.50000
M	22	21.09928	15.46694	14.95455

Test	F Ratio	DFNum	DFDen	p-Value
O'Brien[.5]	0.1622	1	38	0.6894
Brown-Forsythe	1.0851	1	38	0.3042
Levene	0.9302	1	38	0.3409
Bartlett	0.2030	1	.	0.6523
F Test 2-sided	1.2337	17	21	0.6406

◢Welch's Test

Welch Anova testing Means Equal, allowing Std Devs Not Equal

F Ratio	DFNum	DFDen	Prob > F
1.0714	1	34.678	0.3078
t Test			
1.0351			

1) **O'Brien** : 각 그룹의 분산을 평균값으로 변환한 후 검정하는 방법이다.

2) **Brown-Forsythe** : 평균값 대신 중앙값을 사용하고 중앙값과 개별 값의 차이의 절대값을 활용하여 검정하는 방법으로 분포가 비대칭이거나 왜도(Skewness) 등이 존재할 때 주로 사용된다.

3) **Levene** : 그룹별 중앙값과 각 관측값의 차이에 대한 절대값을 이용하여 검정하는 방법으로 정규성을 만족하지 않을 때 많이 활용된다.

4) **Bartlett** : 분산에 대한 가중 산술평균을 가중 기하평균과 비교하고 두 평균으로부터 카이 제곱값을 계산한 후 이를 다시 F 값으로 변환하는 데, 데이터가 정규성을 만족할 때 많이 활용되는 방법이다.

5) **F Test 2-sided** : 분산비에 대한 표준 F 검정으로 검정 대상 그룹이 두 그룹일 때만 표시된다. Bartlett 검정 결과와 값이 유사하다.

지금은 정규성을 만족하고, Bartlett 검정 결과로 보았을 때 분산의 동질성도 확보된다고 할 수 있겠다.

[그림 8.10] 하단의 **Welch Test** 는 분산이 동질하지 않다고 판정되었을 때 일반적인 ANOVA 대신에 사용할 수 있는 평균치 차이에 대한 검정 방법이다. 지금처럼 검정의 수준(level)이 두 개일 경우는 Welch Test 검정 결과가 [그림 8.2]처럼 분산의 동질함을 전제하지 않은 2 Sample T Test 결과와 동일하다.

🖐 분산의 동질성을 확인하였으므로 ▼**Oneway ~ / Means/Anova/Pooled t test** 를 실행하면 된다. 그 결과는 [그림 8.3]과 동일하다.

3. 쌍을 이룬 집단의 경우 평균의 차이에 대한 검정

쌍을 이룬 데이터에 대한 평균치 검정 방법은 일반적인 2 Sample T Test 와는 조금 다른 방법을 활용해야 한다. 이런 방법은 Matched Pair T Test, Paired T Test 또는 쌍체 비교라 불리는 데 이에 대해 살펴보자.

쌍을 이룬 데이터라 함은 각 열(row)의 데이터가 동일한 개체라는 전제가 있어야 한다. 예를 들면 동일한 사람의 식사 전후 혈당 또는 동일한 부품의 코팅 전후 강도 같은 데이터가 이에 해당된다. 쌍을 이룬 데이터의 차이 값의 평균에 대한 검정이므로 검정 통계량은 1 Sample T Test 와 동일하다. 여기서 $\bar{x}$ 는 쌍을 이룬 표본 데이터의 차이의 평균이고 μ 는 이 데이터의 모집단 평균이다.

$$Z\left[\frac{\bar{x}-\mu}{\sigma/\sqrt{n}}\right]$$

🐭 Therm.jmp 데이터는 두 가지 유형의 온도계(Oral, Tympanic)를 사용한 체온 측정 결과이다. 두 온도계 측정 결과 사이에 유의한 차이가 있는 지를 확인하기 위해 20 명을 대상으로 측정하였다.

[그림 8.11]

	Name	Oral (F)	Tympanic (F)	difference
1	John	96.9	98.5	1.6
2	Andrew	98.0	98.4	0.4
3	Sally	100.5	101.5	1
4	Joanie	98.3	99.5	1.2

🐭 쌍을 이룬 집단에 대한 평균의 차이에 대한 검정을 하기 위해서는 **Analyze / Specialized Modeling / Matched Pairs** 에 들어가서 **Oral, Tympanic** 변수를 선택한 후 OK 를 클릭한다. 분석 결과에서 ▼**Matched Pairs / Reference Frame** 을 클릭하면 그 결과는 [그림 8.12]와 같다. 아래의

산점도는 원래의 산점도를 45 도 회전한 것으로 X 축에는 두 변수의 평균값, Y 축에는 차이값이 표시된다. 붉은 색 선은 차이의 평균값을 나타내며 아래위 붉은 점선은 차이의 평균값의 95% 신뢰구간을 뜻한다. 그 신뢰구간 안에 차이값 0 이 포함되어 있지 않으면 쌍을 이룬 두 데이터는 유의미한 차이(어느 한쪽이 더 크거나 작다고 볼 수 있음)가 있다고 볼 수 있다. 반면에 차이점 0 위아래로 데이터들이 산재되어 있다면 두 표본은 유의미한 차이가 있다고 볼 수 없다.

지금은 평균의 차이(Mean Difference)가 1.12 이고 차이값의 신뢰 구간이 0.828 ~ 1.412 이므로 유의미한 차이가 있는 경우이다.

[그림 8.12]

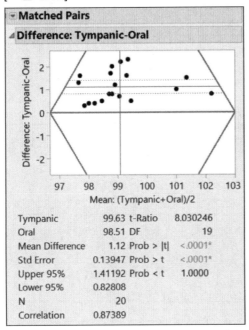

Tympanic	99.63	t-Ratio	8.030246
Oral	98.51	DF	19
Mean Difference	1.12	Prob > |t|	<.0001*
Std Error	0.13947	Prob > t	<.0001*
Upper 95%	1.41192	Prob < t	1.0000
Lower 95%	0.82808		
N	20		
Correlation	0.87389		

☞ 이 결과는 차이 값에 대해 1 Sample T Test 를 실시한 결과와 동일하다 (1 Sample T Test 는 차이 값에 **Analyze / Distribution** 을 실행한 다음, ▼**difference / Test Mean** 을 클릭하고 검정 평균값에 0 을 입력하면 된다)

[그림 8.13]

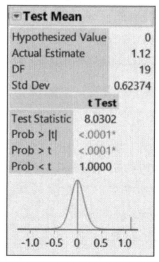

ᐁ Test Mean

Hypothesized Value	0
Actual Estimate	1.12
DF	19
Std Dev	0.62374

	t Test
Test Statistic	8.0302
Prob > |t|	<.0001*
Prob > t	<.0001*
Prob < t	1.0000

-1.0 -0.5 0 0.5 1.0

🖱 만약 데이터가 [그림 8.14]처럼 정리되어 있다면 **Data** 를 Y 로, **온도계**를
X 로, **Name** 을 Block 으로 지정하여 **Analyze / Fit Y by X** 를 실행한 다음
▼**Oneway ~ / Means/anova/pooled t** 를 실행하면 된다.

[그림 8.14]

	Name	온도계	Data
1	John	Oral	96.9
2	John	Tympanic	98.5
3	Andrew	Oral	98.0
4	Andrew	Tympanic	98.4

🖱 결과는 [그림 8.12] 및 [그림 8.13]의 내용과 같다.

[그림 8.15]

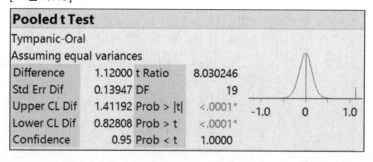

Pooled t Test

Tympanic-Oral
Assuming equal variances

Difference	1.12000	t Ratio	8.030246
Std Err Dif	0.13947	DF	19
Upper CL Dif	1.41192	Prob > |t|	<.0001*
Lower CL Dif	0.82808	Prob > t	<.0001*
Confidence	0.95	Prob < t	1.0000

-1.0 0 1.0

4. 비율의 차이에 대한 유의차 검정

'5 장, 추정(Estimation)에서 살펴본 '모비율에 대한 구간 추정' 내용을 참조하여 두 모집단 비율의 차이에 대한 검정을 정리하면 다음과 같다.

모비율을 P, 표본 비율을 $\hat{P}$ 라고 할 때,

1) 두 표본 비율의 차이($\hat{P}_1$-$\hat{P}_2$)의 기대값 $= E(\hat{P}_1) - E(\hat{P}_2) = P_1 - P_2$

2) 두 표본 비율의 차이($\hat{P}_1$-$\hat{P}_2$)의 분산 (두 표본이 독립적인 경우)

$$Var(\hat{P}_1\text{-}\hat{P}_2) = Var(\hat{P}_1) + Var(\hat{P}_2) = \frac{p_1(1-p_1)}{n_1} + \frac{p_2(1-p_1)}{n_2}$$

3) 그러므로 모집단 비율의 차이($P_1 - P_2$)에 대한 검정은 추정량은 표본 비율의 차이($\hat{P}_1$-$\hat{P}_2$)이고 검정 통계량은 다음과 같으며 평균 0, 분산 1 인 표준 정규 분포를 따른다.

$$Z = \frac{(\hat{P}1 - \hat{P}2) - 0}{\sqrt{\dfrac{p_1(1-p_1)}{n_1} + \dfrac{p_2(1-p_1)}{n_2}}}$$

A 회사 구내 식당에서 점심 식단에 대한 만족도를 200 명을 대상으로 조사한 결과 90 명이 만족한다고 응답하였다. 식단에 대한 개선 활동 후 결과를 확인하기 위해 160 명을 대상으로 조사한 결과 96 명이 만족한다는 응답이 나왔다. 유의 수준 5% 기준으로 식단에 대한 만족도가 개선되었는 지를 확인해 보자.
이 경우 가설은 다음과 같이 세울 수 있다.
귀무 가설 : 점심 식단에 대한 만족도가 개선되지 않았다
대립 가설 : 점심 식단에 대한 만족도가 개선되었다.

$\hat{P}1 = (96/160) = 0.6$, $\hat{P}2 = (90/200) = 0.45$ 이므로

검정 통계량을 계산해 보면 다음과 같다.

$$Z = \frac{(0.6 - 0.45) - 0}{\sqrt{\dfrac{0.6(1 - 0.6)}{160} + \dfrac{0.45(1 - 0.45)}{200}}}$$

$$= 2.8669$$

검정 통계량 값이 임계치(1.6449)보다 크므로 귀무 가설을 기각하고, 대립 가설을 채택하게 된다. 점심 식단에 대한 만족도가 개선되었다고 볼 수 있다.

[그림 8.16]

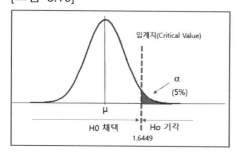

이러한 내용은 JMP 에서 다음과 같이 확인할 수 있다.

☞ **Help / Sample Index** 에서 **Tool Type(Calculator)**에서 TestTwoSampleProportions.jsl 을 선택한 뒤 Choose Input 화면에서 Summary Statistics 를 선택하고 아래와 같이 입력하면 된다.

[그림 8.17]

Choose Type of Alternative Hypothesis		Test Inputs	
○ (p2-p1) is not equal to the hypothesized difference (two-tailed)		Hypothesized Difference (p2-p1)	0
○ (p2-p1) is less than the hypothesized difference (one-tailed)		Sample 1 Count (x1)	90
● (p2-p1) is greater than the hypothesized difference (one-tailed)		Sample 1 Size (n1)	200
		Sample 2 Count (x2)	96
Choose Variance Option		Sample 2 Size (n2)	160
○ Use Pooled Estimate of Variances		Significance Level (alpha)	0.05
● Do Not Use Pooled Estimate of Variances			
		Test Results	
☐ Reveal Decision		**Result**	**Value**
		Sample 1 Proportion	0.45
		Sample 2 Proportion	0.6
		Difference in Proportions (p2-p1)	0.15
		Standard Error of the Difference (p2-p1)	0.0523
		z-score	2.8669
		z Critical Value(s)	1.6449
		Observed Significance (p-value)	0.0021

⌐ 만약 측정 데이터가 [그림 8.17]과 같이 정리되어 있다면,

[그림 8.18]

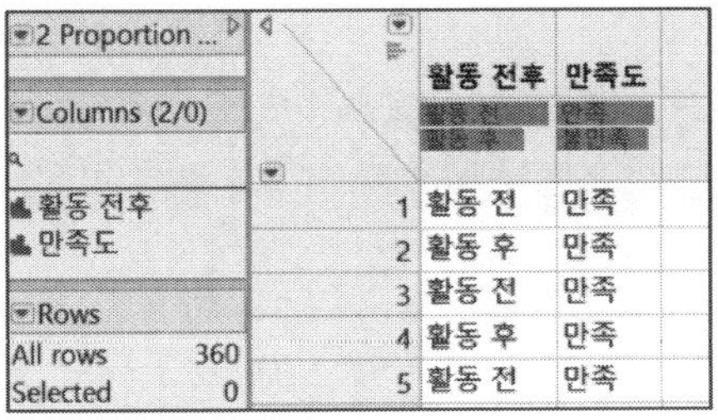

⌐ **Help / Sample Index** 에서 **Tool Type(Calculator)**에서 TestTwoSampleProportions.jsl 을 선택한 뒤, Choose Input 화면에서 Raw Data 를 선택하고 아래와 같이 선택 및 'Enter the Value Associated with a Success'에 '만족'을 입력하면 된다.

[그림 8.19]

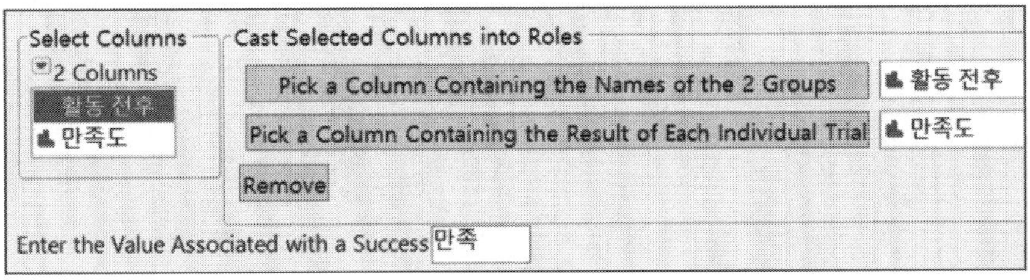

⌐ 출력 결과는 아래와 같고 내용은 [그림 8.17]과 같다.

[그림 8.20]

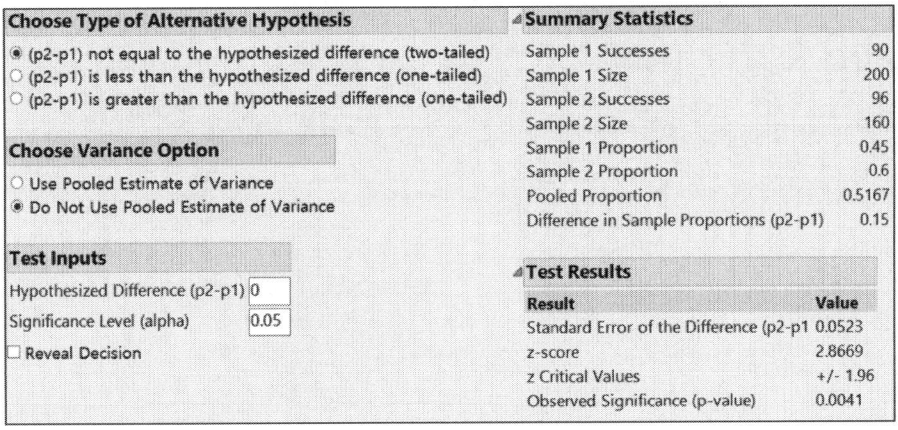

⌨ 참고로 [그림 8.20]의 **Choose Variance Option** 에서 **Use Pooled Estimate of Variance** 를 선택한 경우의 결과는 다음과 같은 데,

[그림 8.21]

Choose Type of Alternative Hypothesis	Summary Statistics	
⦿ (p2-p1) not equal to the hypothesized difference (two-tailed)	Sample 1 Successes	90
○ (p2-p1) is less than the hypothesized difference (one-tailed)	Sample 1 Size	200
○ (p2-p1) is greater than the hypothesized difference (one-tailed)	Sample 2 Successes	96
	Sample 2 Size	160
Choose Variance Option	Sample 1 Proportion	0.45
⦿ Use Pooled Estimate of Variance	Sample 2 Proportion	0.6
○ Do Not Use Pooled Estimate of Variance	Pooled Proportion	0.5167
	Difference in Sample Proportions (p2-p1)	0.15

Test Inputs	Test Results	
Hypothesized Difference (p2-p1) 0	**Result**	**Value**
Significance Level (alpha) 0.05	Standard Error of the Difference (p2-p1	0.053
☑ Reveal Decision	z-score	2.83
	z Critical Values	+/- 1.96
	Observed Significance (p-value)	0.0047
	Reject Null Hypothesis	

⌨ 이 결과는 **Analyze / Fit Y by X** 메뉴에서 **Chi-Square Test** 를 실행한 결과(Pearson Test 결과)와 동일하다. 이에 대한 보다 상세한 사항은 '12 장. 범주형 반응치에 대한 유의차 검정' 편을 참조하길 바란다.

[그림 8.22]

Tests			
N	**DF**	**-LogLike**	**RSquare (U)**
360	1	4.0233185	0.0161

Test	ChiSquare	Prob>ChiSq
Likelihood Ratio	8.047	0.0046*
Pearson	8.009	0.0047*

9 장. ANOVA(분산 분석)

개요

두 집단간 평균을 비교하고자 하다면 '8 장. 두 모집단에 대한 비교'에서 배운
방법을 이용하여 검정하면 되지만 세 집단 이상일 경우에는 ANOVA(분산
분석, Analysis of Variance) 방법을 활용한다. ANOVA 는 X 인자가 범주형이고
Y 인자가 연속형일 때 사용하는 대표적인 유의차 검정 방법이다.

이번 장에서는 ANOVA 에 대한 기본 원리, 개념에 대해 살펴본 다음 X 인자가
각각 하나 또는 둘인 One Way ANOVA(일원 분산 분석), Two Way ANOVA(이원
분산 분석) 및 다중 비교(Multiple Comparison)에 대해 알아보기로 한다.

1. ANOVA 에 대한 이해

분산 분석은 '분산' 이라는 단어가 들어가 있지만 정확하게는 분산(산포)의
성질을 이용하여 그룹간 평균치 차이를 검정한다는 뜻이다. 아래와 같은
간단한 데이터가 있고 두 그룹간 평균치 차이를 검정하는 상황이라 가정하자.
[그림 9.1]

	Group	Data	
1	A	3	
2	A	4	
3	A	5	
4	B	7	
5	B	8	
6	B	10	

⌃ [그림 9.2]는 **Analyze / Fit Y by X**에 들어가서 Group을 X로, Data를 Y로 하여 실행한 다음 **▼Oneway ~ / means/anova/pooled t**를 클릭한 결과 중의 일부이다.

보통은 마지막에 있는 PValue 값(Prob > F)을 기준으로, 그 값이 0.0147로 유의 수준 0.05보다 작으므로 두 그룹간 평균치 차이가 있다고 해석하는데 어떤 과정을 거쳐 이렇게 계산이 되었는 지 살펴보자.

[그림 9.2]

Analysis of Variance

Source	DF	Sum of Squares	Mean Square	F Ratio	Prob > F
Group	1	28.166667	28.1667	16.9000	0.0147*
Error	4	6.666667	1.6667		
C. Total	5	34.833333			

Means for Oneway Anova

Level	Number	Mean	Std Error	Lower 95%	Upper 95%
A	3	4.00000	0.74536	1.9306	6.069
B	3	8.33333	0.74536	6.2639	10.403

Std Error uses a pooled estimate of error variance

위의 분석 결과에 표시된 ANOVA Table에 대해 다음과 같이 요약할 수 있는데 하나씩 살펴보자.

[그림 9.3]

Source	DF(자유도, Degree of Freedom)	Sum of Squares (SS, 제곱합)	Mean Square (평균 제곱)	F Ratio	Prob > F (P Value)
군간 변동	Level 수 - 1	SS Factor	SS Factor / DF	MS Factor / MS Error	
군내 변동	N - Level 수	SS Error	SS Error / DF		
Total	N - 1	SS Total			

1) 먼저 데이터 전체의 평균(총 평균)과 각 그룹의 평균을 구한다

-총 평균 : (3+4+5+7+8+10) / 6 = 6.166667

-그룹 A 평균 : (3+4+5) / 3 = 4

-그룹 B 평균 : (7+8+10) / 3 = 8.3333

[그림 9.4]

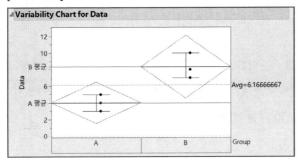

2) 총평균과 개별 데이터 간의 차이의 제곱 합(총 제곱합, Total Sum of Squares)를 구한다.

Total = Total = $(3-6.16667)^2 + (4-6.166667)^2 + (5-6.16667)^2$
$+(7-6.16667)^2 + (8-6.16667)^2 + (10-6.16667)^2$
$= 34.83333$

3) 그리고, 각 그룹의 평균과 개별 데이터 간의 차이의 합(오차 제곱합, Error Sum of Squares)를 구한다. 이 경우 군내 변동 또는 오차라고 말한다.
- A 의 오차 제곱합 : $(3-4)^2 + (4-4)^2 + (5-4)^2 = 2$
- B 의 오차 제곱합 : $(7-8.3333)^2 + (8-8.3333)^2 + (10-8.3333)^2$
$= 4.66667$
- 전체 오차 제곱합 : $2 + 4.66667 = 6.6667$

[그림 9.5]

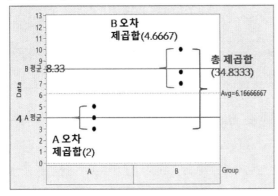

4) Level 간 차이의 합을 계산한다. 방법은 두 가지이다
-위에서 구한 총 제곱합에서 오차 제곱합을 빼거나,

 34.8333 – 6.6667 = 28.1667
-데이터 개수 * (총 평균 - 그룹 A 평균)^2 + 데이터 개수 * (총 평균 - 그룹 B 평균)^2 = 3*(6.16667-4)^2+ 3*(6.16667-8.333)^2 = 28.16667
이런 방법으로 계산된 것을 군간 변동이라 한다.

[그림 9.6]

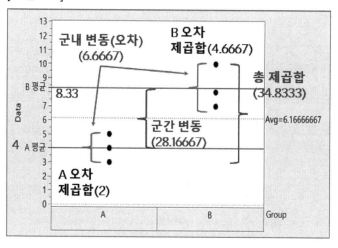

5) 제곱합으로 계산된 군간 변동(여기서는 28.1667)과 군내변동(여기서는 6.6667)을 각각의 자유도(DF, Degree of Freedom)로 나눈 값의 비율이 F 비율이다.

간단히 요약하면 ANOVA 는 분산 비(분산의 비율)이라 할 수 있다. 개념적으로는 (군간 변동 / 군내 변동), (그룹 간의 변동 / 그룹 내의 변동) 또는 (전체 평균과 개별 그룹 평균 차이) / (개별 그룹 평균과 개별 데이터의 차이)라 할 수 있다.

F 비율에 대한 확인은 **Help / Sample Index, Distribution Calculator** 에서도 확인할 수도 있다. 분모(Denominator)와 분자(Numerator)에 각각 군내 변동(오차)의 자유도인 4 와 군간 변동의 자유도인 1 을 입력하고 계산해 보면

F 분포에 대한 임계치가 7.7086 인 데, 임계치보다 검정 통계량 값(24)이 훨씬 크므로 그룹 간 평균의 차이가 크다고 판정할 수 있다.

[그림 9.7]

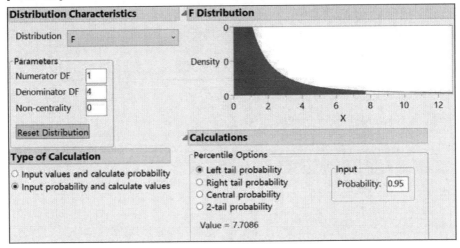

ANOVA 실행 결과 중 Summary of Fit 부분에 대해 좀 더 살펴보자.

[그림 9.8]

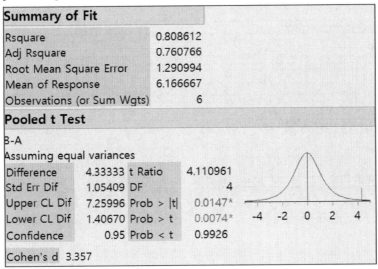

1) Rsquare 는 전체 변동에서 요인에 의한 변동이 가지는 비율로서 제곱합의 비율로서 계산된다.

RSquare = SS Factor(28.1667) / SS Total(34.83) = 0.808

2) Adj Rsquare 는 요인의 수가 많아질수록 값이 커지는 Rsquare 의 단점을 보완하기 위해 RSquare 를 요인의 개수를 고려하여 보정한 것으로 다음과 같이 계산된다.

$$RSquare\ adj = 1 - \frac{MS_{error}}{MS_{total}} = 1 - \frac{SS_{error}/DF_{error}}{SS_{total}/DF_{total}}$$

3) RMSE = Root MSE = $\sqrt{1.16667}$ = 약 1.291

4) Mean of Response 는 반응치의 평균값, Observation 은 데이터의 개수를 뜻한다.

ANOVA 를 적용하기 위해서는 모집단에 대한 몇 가지 가정이 충족되어야 하는 데 이에 대해서는 '13 장. 비모수적 방법'을 참고하길 바란다.
일반적으로 고려되는 가정은 다음의 세 가지이다
1) 분포의 정규성
2) 분산의 동질성(Homogeneity)
3) 변수간 독립성

2. One Way ANOVA(일원 분산 분석)

One Way ANOVA(일원 분산 분석)는 성별에 따른 키의 차이, 음식 종류에 따른 칼로리 량의 차이 등 X 인자가 하나일 때의 ANOVA 를 말한다.

'Analgesics.jmp' 데이터는 A, B, C 세 가지 진통제의 통증 수준을 측정한 결과인 데 ANOVA 를 이용하여 진통제 종류별로 평균 통증 수준이 다른 지를 확인해 보자.

🖑 **Analyze / Fit Y by X** 에 들어가서 drug 을 X 로 pain 를 Y 로 하여 실행한다. 진통제 A 가 다른 진통제에 비해 통증의 정도가 다소 낮다[16].

[그림 9.9]

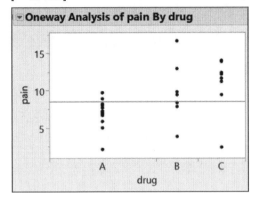

🖑 **▼Oneway ~ / means/anova/pooled t** 를 클릭하면 ANOVA 가 실행된다.

[그림 9.10]

Oneway Anova

Summary of Fit

Rsquare	0.30
Adj Rsquare	0.25
Root Mean Square Error	2.82
Mean of Response	8.53
Observations (or Sum Wgts)	33

Analysis of Variance

Source	DF	Sum of Squares	Mean Square	F Ratio	Prob > F
drug	2	99.89459	49.9473	6.2780	0.0053*
Error	30	238.67877	7.9560		
C. Total	32	338.57335			

Means for Oneway Anova

Level	Number	Mean	Std Error	Lower 95%	Upper 95%
A	18	6.9791	0.6648	5.6214	8.337
B	7	9.8318	1.0661	7.6545	12.009
C	8	10.8948	0.9972	8.8582	12.931

Std Error uses a pooled estimate of error variance

---

[16] 이 경우 X 축의 간격은 진통제의 데이터 개수에 비례하여 표시된다. ▼Oneway / Display options / X axis proportional 을 선택 해제하면 간격이 동일해 진다.

ANOVA 분석 결과를 보면 F Ratio 가 6.278, PValue 가 0.0053 으로 진통제 간에 통증의 정도에 유의한 차이가 있음을 확인할 수 있다. Means for Oneway ANOVA 에는 각 진통제별 평균, 표준 오차 등이 표시된다.

 ▼Oneway ~ / means/anova/pooled t 를 실행하면 그래프에 녹색의 평균 다이아몬드(Mean Diamond)가 표시되는 데, 다이아몬드의 위아래 부분은 평균값의 95% 신뢰구간을 표시한다. 그 중간에는 **Overlap Mark**(중첩 표시, 겹침 표시)가 표시되고 Overlap Mark 가 서로 Overlap 되지 않으면 각 평균값은 통계적으로 다르다(significantly different)라고 해석할 수 있다. Overlap Mark 의 계산 공식 [17] 을 보면 정규 분포 기준으로 대략 +/-1 Sigma(68.27%)에 해당된다.

[그림 9.11]은 **Mean Diamond** 를 보다 명확히 표현하기 위해 **▼Oneway / Display options / Mean CI Line** 을 추가적으로 선택한 결과이다.

[그림 9.11]

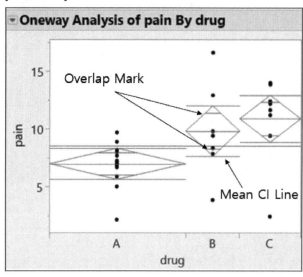

---

[17] 그룹 평균$\pm(\sqrt{2})/2 \times CI/2$

3. Two Way ANOVA(이원 분산 분석)

Two Way ANOVA(이원 분산 분석)은 인자의 수가 2 개인 경우의 ANOVA 이다. 인자의 수가 두 개라는 점을 제외하고 분석 방법은 One Way ANOVA(일원 분산 분석)과 동일하다. 다만 Two Way ANOVA 와 One Way ANOVA 는 군내 변동을 표현하는 오차의 제곱합의 의미와 계산 방식이 다른 점이 중요한 데, 이에 대해 먼저 살펴보자.

ANOVA 는 군간 변동과 군내 변동의 비율인 F 값에 의해 유의성이 결정된다. 만약 결과에 있는 영향을 미치는 A, B, C 세 인자가 있을 경우 결과 값의 총 변동은 A, B, C 인자에 의한 변동과 오차(Error)로 구성된다.

[그림 9.12]

만약 세 인자 모두를 X 인자로 하여 ANOVA 를 하게 되면 세 인자에 대한 F 값은 각각 (A 로 인한 변동/Error), (B 로 인한 변동/Error) 및 (C 로 인한 변동/Error)으로 계산되는 반면, A 인자만을 고려하여 ANOVA 를 하게 되면 분자에 들어가는 'A 로 인한 변동'은 동일하지만 분모에는 'B 로 인한 변동', 'C 로 인한 변동' 및 'Error'가 모두 합쳐져서 Error 로 계산되어 분모 값이 커져서 결과적으로 F 값이 작아지고 PValue 가 커져서 유의하지 않은 인자라고 판단될 가능성이 커진다.

실험을 통해 인자에 대한 유의성을 판단하고자 할 때 유의하다고 생각되는 인자만을 고려하여 실험을 하게 되면 오히려 그 인자가 유의하다고 판정되지 않을 가능성이 높아진다. 반대로 실험에 포함되는 인자가 많아질수록 각각의 인자가 유의하다고 판정될 가능성 또한 많아진다. 이처럼 ANOVA 를 해석하는 데 있어서는 포함되는 인자의 수에 따라 분석 결과가 달라질 수 있으므로 이

점에 유의하여 Two Way ANOVA 에 대해 살펴보아야 한다.

[그림 9.13]

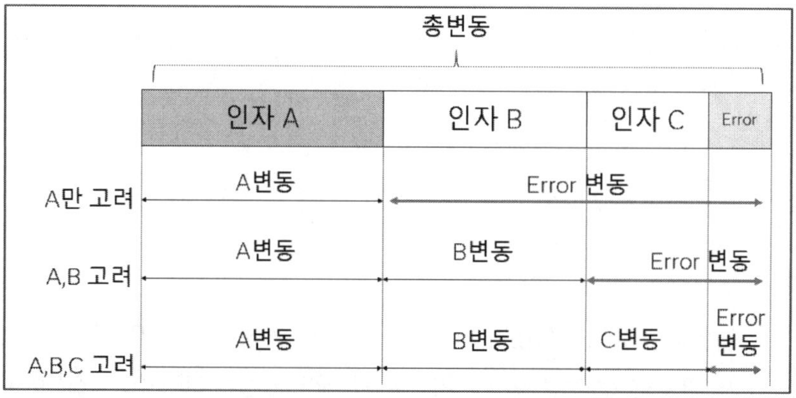

One Way ANOVA 에서 살펴본 'Analgesics.jmp' 데이터를 보면 A, B, C 세 가지 진통제(drug)뿐만 아니라 두 개의 범주를 가진 sex 변수가 있다. drug 및 sex 변수를 인자로 하는 Two Way ANOVA 를 해 보자. Two Way ANOVA 를 위해서는 **Analyze / Fit Model** 메뉴를 이용해야 한다.

🖱 **Analyze / Fit Model** 에서 **pain** 을 Y 로 선택하고 **sex** 와 **drug** 을 선택한 다음 **Construct Model Effects** 에서 **Add** 버튼을 클릭한다. 우측 상단 **Personality** 는 **Stand Least Squares** 를 선택하고 Run 을 클릭한다. [그림 9.14] 내용 중 위의 부분은 분석 결과 중 일부이고 아래 부분은 One Way ANOVA 결과 중 일부이다([그림 9.10] 참조).

Two Way ANOVA 의 Effect Test 내용을 보면 두 변수 모두 유의하다고 결론을 내릴 수 있다. One Way ANOVA 에서는 drug 변수만을 대상으로 분석을 하여 sex 변수로 인한 변동은 Error 에 포함되어 있다. 즉, One Way ANOVA 에서의 Error 에 대한 제곱합(238.67877)에는 sex 변수에 대한 제곱합(50.448015)과 순수 Error(188.23075)가 함께 포함되어 있다.

[그림 9.14]

<Two Way ANOVA>

Analysis of Variance

Source	DF	Sum of Squares	Mean Square	F Ratio
Model	3	150.34260	50.1142	7.7209
Error	29	188.23075	6.4907	Prob > F
C. Total	32	338.57335		0.0006*

Effect Tests

Source	Nparm	DF	Sum of Squares	F Ratio	Prob > F
gender	1	1	50.448015	7.7723	0.0093*
drug	2	2	46.107687	3.5518	0.0417*

<One Way ANOVA>

Analysis of Variance

Source	DF	Sum of Squares	Mean Square	F Ratio	Prob > F
drug	2	99.89459	49.9473	6.2780	0.0053*
Error	30	238.67877	7.9560		
C. Total	32	338.57335			

🖑 **Analyze / Fit Model** 기능을 활용하여 인자가 두 개 이상인 경우에 대해 ANOVA 를 하게 되면 다양한 옵션을 활용할 수 있는 데 그 중에 대표적인 것인 **Prediction Profiler** 기능이다. ▼**Response pain / Factor Profiling / Profiler** 를 이용하면 X 인자의 값 변화에 따라 결과값을 추정할 수 있다. [그림 9.15]의 pain 값은 두 X 인자의 해당 범주에서의 점 추정 값과 구간 추정(95% 신뢰 구간) 값이다.

[그림 9.15]

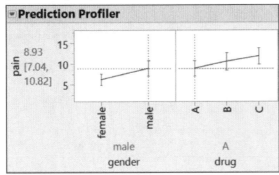

195

이번에는 인자 간의 상호작용(Interaction)을 고려한 Two Way ANOVA 에 대해 살펴보자.

'Balanced ANOVA.jmp' 데이터는 A, B 두 가지의 인자가 있고, 두 인자는 각각 4 level, 3 level 의 범주를 가지고 있다.

🖰 **Analyze / Fit Model** 에서 **Y** 를 Y 로 선택하고 **A** 와 **B** 을 선택한 다음 **Construct Model Effects** 에서 **Macros / Full factorial** 를 클릭한다. 우측 상단 **Personality** 는 **Stand Least Squares** 를 선택하고 Run 을 클릭한다.

[그림 9.16]

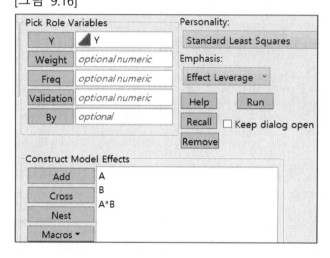

🖰 **Effect Summary** 를 보면 A, B 및 A 와 B 의 상호작용(A*B)의 효과가 요약되어 있는 데 Pvalue 값을 기준으로 A 의 효과가 가장 크고, A*B 의 효과가 가장 작다. Logworth 값은 -log(PValue)로 계산된다. PValue(그림의 파란 선)가 0.01 이면 logworth 값은 2 가 된다.

[그림 9.17]

Effect Summary			
Source	Logworth		PValue
A	2.532		0.00294
B	1.090		0.08121
A*B	1.013		0.09712

🖐 그 외 분석 결과는 다음과 같다.

[그림 9.18]

Summary of Fit

RSquare	0.60267
RSquare Adj	0.42056
Root Mean Square Error	7.909207
Mean of Response	58.61111
Observations (or Sum Wgts)	36

Analysis of Variance

Source	DF	Sum of Squares	Mean Square	F Ratio
Model	11	2277.2222	207.020	3.3094
Error	24	1501.3333	62.556	Prob > F
C. Total	35	3778.5556		0.0069*

Parameter Estimates

Effect Tests

Source	Nparm	DF	Sum of Squares	F Ratio	Prob > F
A	3	3	1156.5556	6.1628	0.0029*
B	2	2	349.3889	2.7926	0.0812
A*B	6	6	771.2778	2.0549	0.0971

🖐 Two Way ANOVA 의 ANOVA Table 의 값은 아래와 같이 계산된다.

[그림 9.19]

Source	DF(자유도, Degree of Freedom)	Sum of Squares (SS, 제곱합)	Mean Square (평균 제곱)	F Ratio	Prob > F (P Value)
요인 A	Level 수(a) - 1	SS(A)	SS(A) / (a-1)	MS(A)/MSE	
요인 B	Level 수(b) - 1	SS(B)	SS(B) / (b-1)	MS(B)/MSE	
A * B	(a-1)*(b-1)	SS(A*B)	SS(A*B)/ (a-1)(b-1)	MS(A*B)/ MSE	
군내 변동 (error)	N-ab	SS Error	SS Error / (N-ab)		
Total	N - 1	SS Total			

Source	DF(자유도, Degree of Freedom)	Sum of Squares (SS, 제곱합)	Mean Square (평균 제곱)	F Ratio	Prob > F (P Value)
Model	11	2277.2223	207.0202091	3.309381746	
요인 A	3	1156.5556	385.5185333	6.162818609	
요인 B	2	349.3889	174.69445	2.792628925	
A * B	6	771.2778	128.5463	2.054914255	
군내 변동 (error)	24	1501.3333	62.55555417		
Total	35	3778.5556			

4. 다중 비교(Multiple Comparison)

앞서 살펴본 대로 ANOVA 의 종류에는 일원 분산 분석(One-Way ANOVA), 이원 분산 분석(Two-Way ANOVA) 등이 있는 데 이 때 일원 또는 이원의 의미는 인자(요인)의 개수를 말한다.

이번에는 인자(요인)의 개수가 아닌 요인 수준(Level)의 개수가 여러 개인 경우에 적용할 수 있는 다중 비교(Multiple Comparison)에 대해 살펴보기로 한다.

ANOVA 를 사용하여 평균치 차이 검정을 할 경우 가설은 다음과 같은 데,

1) 귀무 가설(Ho) : 모든 수준에서의 평균은 같다

2) 대립 가설(H1) : 모든 수준에서의 평균이 같은 것은 아니다

(하나 이상은 다르다)

핵심은 적어도 한 수준의 평균이 다른 수준의 평균과 다르면 귀무 가설을 기각하는 데에 있다. 즉 귀무 가설을 기각한다고 해서 모든 수준의 평균치 차이가 나는 것이 아니라는 점이다. 이처럼 수준의 개수가 3 개 이상인 다중 비교(Multiple Comparison)의 경우 어떤 문제가 생길 수 있는 지 알아보자.

예를 들어 A, B, C, D, E 다섯 가지 비교 대상 재료에 대해 ANOVA 를 활용하여 두 재료간 평균치 차이 검정을 한다고 가정하면 모두 10 가지의 비교가 가능하다.

이 때 유의 수준(α, 1 종 오류) 0.05 기준으로 보면 검정 전체의 위험률은 0.401 이 된다. 왜냐하면 유의 수준(1 종 오류)이 0.05 일 때, 1 종 오류가 발생하지 않을 확률은 (1-0.05) = 0.95 가 되는 데, 10 가지의 비교에 대해 1 종 오류가 발생하지 않을 확률은 $(0.95)^{10}$ = 0.599 가 되므로 10 가지의 비교에서 적어도 하나의 비교에서 1 종 오류가 발생할 확률은 1 − 0.599 = 0.401 이 되어 유의하지 않는 데도 유의한 차이가 있다고 해석할 가능성이 높아지게 되므로 다중 비교의 경우에는 일반적인 ANOVA 와는 좀 다른 방법과 해석이 필요하다.

🖐 'big class.jmp' 데이터를 가지고 나이에 따라 키의 평균의 차이가 나는 지를 확인하기 위해 **age** 를 X 로, **height** 를 Y 로 하여 **Analyze / Fit Y by X** 를 실행한 다음, **▼Oneway ~ / Means/Anova** 를 실행한다. [그림 9.20]은 분석 결과 중 일부이다.

[그림 9.20]

Summary of Fit

Rsquare	0.445765
Adj Rsquare	0.364259
Root Mean Square Error	3.382558
Mean of Response	62.55
Observations (or Sum Wgts)	40

Analysis of Variance

Source	DF	Sum of Squares	Mean Square	F Ratio	Prob > F
age	5	312.88214	62.5764	5.4692	0.0008*
Error	34	389.01786	11.4417		
C. Total	39	701.90000			

Means for Oneway Anova

Level	Number	Mean	Std Error	Lower 95%	Upper 95%
12	8	58.1250	1.1959	55.695	60.555
13	7	60.2857	1.2785	57.688	62.884
14	12	64.1667	0.9765	62.182	66.151
15	7	64.5714	1.2785	61.973	67.170
16	3	64.3333	1.9529	60.365	68.302
17	3	66.6667	1.9529	62.698	70.635

Std Error uses a pooled estimate of error variance

🖐 위의 결과에서 PValue(0.0008) 만을 보고 나이에 따라 키 차이가 난다고 판단하면 안 된다. 여기서는 여섯 가지 나이 Level(12 살 ~ 17 살) 중 적어도 하나 이상의 Level 간에 차이가 난다는 뜻이지 모든 나이 Level 간에 차이가 난다는 뜻이 아니므로 조심해야 한다.

이와 같이 3 개 이상의 다중 비교일 경우에는 **▼Oneway ~ / Compare Means** 아래에 있는 방법 중 어느 하나를 사용해서 검정해야 한다. 여기서는 다섯 가지 방법 중 상대적으로 많이 활용되는 앞의 두 가지 방법에 대해 살펴보기로 한다.

[그림 9.21]

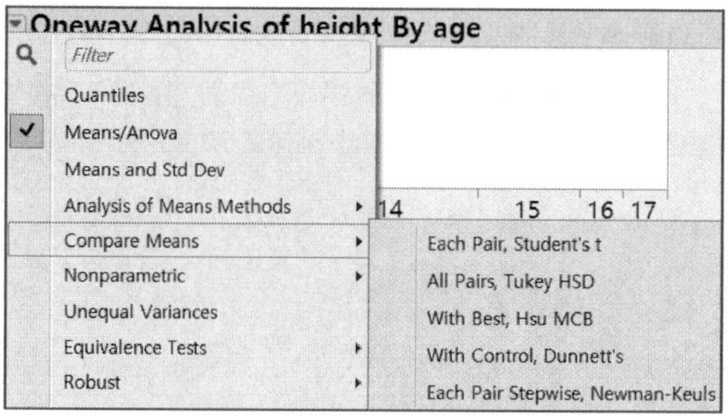

1) Each Pairs, Student's t

각 Level 쌍 간의 차이를 검정하는 Student t 검정에 기반한 Fisher LSD(Least Square Difference) 검정을 사용한다. LSD 는 유의 수준에서 차이를 보이는 최소값을 말한다.

🖰 **LSD Threshold Matrix** 는 실제 두 Level 간 차이의 절대값, Abs(Dif)에서 LSD 를 뺀 값인 데 이 값이 양수 값으로 표현된 Level 간에는 유의한 차이가 있다는 뜻이 된다.

[그림 9.22]

LSD Threshold Matrix						
Abs(Dif)-LSD						
	17	15	16	14	13	12
17	-5.6127	-2.6484	-3.2794	-1.9373	1.6373	3.8878
15	-2.6484	-3.6744	-4.5055	-2.8646	0.6113	2.8887
16	-3.2794	-4.5055	-5.6127	-4.2706	-0.6960	1.5545
14	-1.9373	-2.8646	-4.2706	-2.8064	0.6116	2.9040
13	1.6373	0.6113	-0.6960	0.6116	-3.6744	-1.3970
12	3.8878	2.8887	1.5545	2.9040	-1.3970	-3.4371
Positive values show pairs of means that are significantly different.						

🖰 **Connecting Letters Report** 에서는 같은 문자가 포함된 Level 은 유의한 차이가 없다는 뜻이다. 예를 들어 14, 15, 16, 17 Level 은 모두 A 로 표현되므로 유의차가 없다.

[그림 9.23]

Connecting Letters Report			
Level			Mean
17	A		66.666667
15	A		64.571429
16	A	B	64.333333
14	A		64.166667
13		B C	60.285714
12		C	58.125000
Levels not connected by same letter are significantly different.			

🖑 **Ordered Difference Report** 에는 Level 간 차이 값의 95% 신뢰구간이 표시되는 데 유의성 여부에 따라 별도의 색깔로 표시된다.

[그림 9.24]

Ordered Differences Report									
Level	- Level	Difference	Std Err Dif	Lower CL	Upper CL	p-Value	0	5	10
17	12	8.541667	2.290003	3.88782	13.19551	0.0007*			
15	12	6.446429	1.750640	2.88870	10.00416	0.0008*			
17	13	6.380952	2.334187	1.63731	11.12459	0.0099*			
16	12	6.208333	2.290003	1.55449	10.86218	0.0104*			
14	12	6.041667	1.543920	2.90404	9.17929	0.0004*			
15	13	4.285714	1.808054	0.61131	7.96012	0.0236*			
16	13	4.047619	2.334187	-0.69602	8.79126	0.0920			

🖑 **▼Comparisons~ / Detailed Comparison Report** 를 클릭하면 두 Level 간 비교 결과(여기서는 비교 대상 Level 이 6 가지 이므로 모두 15 가지의 비교 결과)를 확인할 수 있다. [그림 9.25]는 그 결과 중 일부이다.

[그림 9.25]

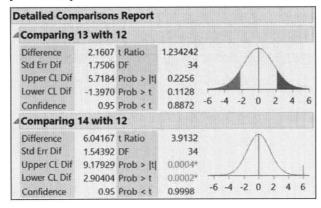

Detailed Comparisons Report			
◢Comparing 13 with 12			
Difference	2.1607	t Ratio	1.234242
Std Err Dif	1.7506	DF	34
Upper CL Dif	5.7184	Prob > |t|	0.2256
Lower CL Dif	-1.3970	Prob > t	0.1128
Confidence	0.95	Prob < t	0.8872
◢Comparing 14 with 12			
Difference	6.04167	t Ratio	3.9132
Std Err Dif	1.54392	DF	34
Upper CL Dif	9.17929	Prob > |t|	0.0004*
Lower CL Dif	2.90404	Prob > t	0.0002*
Confidence	0.95	Prob < t	0.9998

2) All Pairs, Tukey HSD(Honestly Significant Difference)

Tukey HSD 방법은 위의 Student's t 검정과 비교할 때 상당히 보수적인 것으로 알려져 있다. 통계적 유의성을 매우 엄격하게 해석하므로 이러한 엄격성이 필요한 상황에서 실무적으로 많이 활용된다.

이 방법은 다중 비교에서 발생되는 전체 1 종 오류율이 5%보다 크게 되는 것을 조정하면서 검정을 하는 데, 조정된 1 종 오류율에 해당되는 두 Level 의 평균 차이가 Tukey Kramer HSD(Honestly Significant Difference)이고 이에 해당되는 통계량이 q* 이다.

[그림 9.26]은 분석 결과 중 일부이다. **Connecting Letters Report** 를 보면 **Each Pairs, Student's t** 의 결과([그림 9.23])와는 다소 차이가 있다.

[그림 9.26]

HSD Threshold Matrix

Abs(Dif)-HSD

	17	15	16	14	13	12
17	-8.3359	-4.9499	-6.0026	-4.0901	-0.6642	1.6299
15	-4.9499	-5.4572	-6.8071	-4.4508	-1.1714	1.1626
16	-6.0026	-6.8071	-8.3359	-6.4235	-2.9975	-0.7035
14	-4.0901	-4.4508	-6.4235	-4.1680	-0.9746	1.3817
13	-0.6642	-1.1714	-2.9975	-0.9746	-5.4572	-3.1231
12	1.6299	1.1626	-0.7035	1.3817	-3.1231	-5.1047

Positive values show pairs of means that are significantly different.

Connecting Letters Report

Level		Mean	Std Error
17	A	66.667	1.9529
15	A	64.571	1.2785
16	A B	64.333	1.9529
14	A	64.167	0.9765
13	A B	60.286	1.2785
12	B	58.125	1.1959

Levels not connected by same letter are significantly different.

🖱 **Ordered Difference Report** 를 보면 **Each Pairs, Student's t** 의 결과([그림 9.24])보다 PValue 값이 상대적으로 크고 비교 대상 Level 간 유의성에 대해

훨씬 더 보수적인 결과를 보이고 있음을 알 수 있다.

[그림 9.27]

Ordered Differences Report											
Level	- Level	Difference	Std Err Dif	Lower CL	Upper CL	p-Value	-5	0	5	10	15
17	12	8.541667	2.290003	1.62987	15.45346	0.0084*					
15	12	6.446429	1.750640	1.16257	11.73029	0.0095*					
17	13	6.380952	2.334187	-0.66420	13.42610	0.0944					
16	12	6.208333	2.290003	-0.70346	13.12013	0.0991					
14	12	6.041667	1.543920	1.38174	10.70160	0.0051*					
15	13	4.285714	1.808054	-1.17144	9.74287	0.1953					
16	13	4.047619	2.334187	-2.99753	11.09277	0.5199					
14	13	3.880952	1.608727	-0.97458	8.73649	0.1805					
17	14	2.500000	2.183432	-4.09014	9.09014	0.8589					
17	16	2.333333	2.761847	-6.00260	10.66927	0.9567					
13	12	2.160714	1.750640	-3.12315	7.44458	0.8171					
17	15	2.095238	2.334187	-4.94991	9.14039	0.9444					
15	14	0.404762	1.608727	-4.45077	5.26030	0.9998					
15	16	0.238095	2.334187	-6.80706	7.28325	1.0000					
16	14	0.166667	2.183432	-6.42347	6.75680	1.0000					

3) 다중 비교에 대한 실무적 활용

1) 실무적으로는 Student's t 방법과 Tukey-Kramer(Tukey HSD) 방법이 가장 많이 활용된다. 이 중에서도 Tukey-Kramer 방법이 보다 보수적이고 엄격하다. 유의한 차이가 있다고 판정할 가능성이 낮다는 뜻이다.

2) 이러한 다중 비교는 수준(범주)의 개수가 3 개 이상일 경우 ANOVA 등을 활용하여 평균치 차이 여부를 검정한 다음 어떤 수준(범주)들 간에 평균치 차이가 나는 지를 확인하는 목적으로 활용되므로 사후 검정(post-hoc test)이라고도 한다.

3) 다중 비교 방법을 선택하면 Significance Circle 이 생성되는 데, 상단에 있는 Circle 중의 어느 하나를 클릭하면 아래와 같이 유의차가 없는 Level 은 같은 붉은 색으로, 유의차가 있는 Level 은 검은 색으로 표시된다.

4) [그림 9.28]은 **Turkey-Kramer** 방법에서 age level 13 을 선택했을 때의 결과이고 [그림 9.29]는 **Each Pair Student's t** 방법에서 age level 13 을

선택했을 때의 결과이다. 다중 비교 방법에 따라 유의성 판정 결과가 조금씩 다를 수 있다.

[그림 9.28]

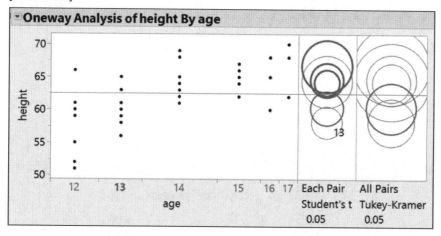

[그림 9.28]

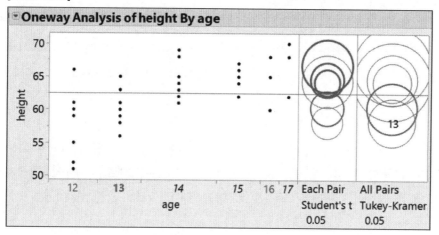

10 장. 상관 분석

개요

이번 장에서 학습할 상관 분석은 연속형 변수 간의 관련성에 대한 분석 방법이다. 여기서 말하는 관련성이란 변수 간의 원인과 결과의 관계를 말하는 인과 관계(Causation)가 아니라 단순한 상관 관계(Correlation)을 말한다.

공분산(Covariance)과 상관 계수의 개념에 대해 살펴보고 변수가 여러 개 있을 경우의 다변량 상관 분석에 대해 학습해 보자.

1. 공분산과 상관 계수

1) 공분산

공분산(Covariance)은 연속형 변수 사이에 어떠한 관계가 있는 지를 살펴보고자 할 때 활용되는 개념이다. 공분산은 공통된 분산이라는 뜻이고 분산(Variance)은 표준 편차의 제곱을 말하는 데, 앞에서 살펴본 대로 샘플의 분산에 대한 계산식은 다음과 같다.

$$S^2 = \frac{\sum(\bar{X} - x_i)^2}{N - 1}$$

분산 개념의 핵심은 분자에 있는 '평균과의 차이'이다. 만약 두 변수들의 분산(평균과의 차이)의 방향이 같으면 그 곱은 양수가 되고, 다르다면 음수가 될 것이다. 즉, 두 변수 각각의 '평균과의 차이'를 곱한 것을 공분산(Covariance)이라고 한다. 아래 공분산의 계산 공식을 보면 한 변수의 '평균과의 차이'를 제곱하는 대신 두 변수의 '평균과의 차이'를 곱한다는 점만 빼고는 분산의 공식과 같다. 공분산이 양수라는 것은 한 변수가 평균에서 이탈할 때, 다른 변수도 같은 방향으로 이탈한다는 뜻이다.

$$\text{공분산}(x, y) = cov(x, y) = \frac{(\bar{X}-X_i)(\bar{Y}-Y_i)}{N-1}$$

2) 상관 계수

이처럼 두 변수의 관계와 관계의 방향을 파악할 때 공분산은 유용한 통계량이지만 한 가지 큰 단점이 있다. 변수의 측도(Scale), 즉 숫자의 단위에 의존한다는 점이다. 이러한 문제를 극복하고자 한다면 어떤 기준을 가지고 표준화(Standardization)를 해야 필요가 있는 데 공분산을 표준화한 것이 바로 상관 계수(Correlation efficient)이다.

아래 공식이 우리가 일반적으로 사용하는 피어슨 상관 계수이다. 두 변수의 표본 편차의 곱의 제곱근을 분모로 하고 공분산을 분자로 하는 값이 바로 상관 계수이다.

$$\text{상관 계수}(r) = \frac{\frac{\Sigma(\bar{X}-X_i)(\bar{Y}-Y_i)}{N-1}}{\sqrt{\frac{\sum(\bar{X}-X_i)^2}{N-1} \times \frac{(\bar{Y}-Y_i)^2}{N-1}}}$$

상관 계수는 공식에서 알 수 있듯이 -1 부터 1 까지의 값을 가지고 있도록 구조화되어 있다. 상관 계수가 0 보다 크면 X 변수의 값이 증가할 때 Y 변수의 값도 증가하다는 뜻이며, 반대로 상관 계수가 0 보다 작으면 X 변수의 값이 증가할 때 Y 변수의 값이 감소한다는 뜻이다. 상관 계수의 절대값이 클수록 두 변수간의 상관성이 높다고 할 수 있다.

상관 계수는 연속형 변수간의 선형 관련성의 정도(strength of linear between continuous variables)를 나타내는 통계량으로 몇 가지 유의사항을 정리해 보면 다음과 같다.

1) 상관 계수는 변수간의 선형 관련성을 표현하므로 변수간의 곡선 형태의 관련성이 있을 경우 그 때의 상관 계수 값은 작을 수밖에 없다.

2) 상관 계수는 상관성(Correlation)을 나타내는 개념으로 인과성(Causation)과는 전혀 다른 개념이다. 예를 들어 X 축에 월별 강수량, Y 축에 월별 냉면 소비량을 표시하면 아마 양의 상관 관계를 보일 것이다.

이 때 두 변수 간은 그냥 상관성을 보일 뿐이지, 비가 많이 오면 냉면 소비량이 늘어난다는 인과 관계로 해석하면 안 된다. 이런 경우는 아마 기온과 같은 잠복/잠재 변수(Lurking Variable)가 내재되어 있을 가능성이 높다.

3) 상관 계수는 이상치(outlier)의 영향으로 그 값이 실제보다 아주 크게 또는 아주 작게 나올 수 있으므로 항상 그래프와 함께 상관 계수 값을 확인해야 한다. 이럴 경우 그래프는 보통 산점도(Scatter Plot), 밀도 타원(Density Ellipse) 등이 많이 활용된다.

별도로 첨부된 '상관 분석.jmp' 데이터를 가지고 살펴보자. 다섯 개의 연속형 변수에 대해 10 개씩의 데이터가 있다.

[그림 10.1]

	A	B	C	D	B2
1	1	9	374	9.3	9
2	2	15	343	7.11	15
3	3	17	309	3.9	17
4	4	25	288	3	100
5	5	22	274	2.8	22
6	6	27	263	3.6	27
7	7	28	238	4.4	28
8	8	35	201	6.7	35
9	9	47	199	7.9	47
10	10	44	176	9.4	44

✆ JMP 에서 공분산과 상관 계수를 구하기 위해 가장 많이 사용하는 메뉴는 **Analyze / Fit Y by X** 이다. **A** 를 X 로, **B** 를 Y 로 하여 **Analyze / Fit Y by X** 를 실행한 다음, ▼**Bivariate ~ / Summary Statistics** 를 클릭한다. 공분산 및 상관 계수, 상관 계수의 95% 신뢰 구간, 상관 계수의 유의성을 확인할 수 있는 PValue 등을 확인할 수 있다.

[그림 10.2]

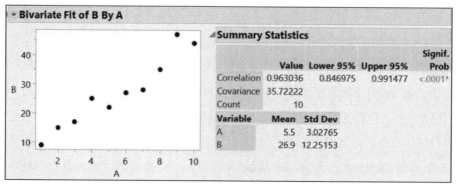

이번에는 **A** 를 X 로, **C** 를 Y 로 하여 **Analyze / Fit Y by X** 를 실행해 보자. A 변수의 값이 증가함에 따라 C 변수의 값이 감소하므로 상관 계수는 (-) 값을 보이고 있다. C 변수의 자리수가 B 변수보다 한 자리 더 많음으로 인해, 공분산 값의 자리수도 [그림 10.2]의 결과보다 한 자리가 증가하였다.

[그림 10.3]

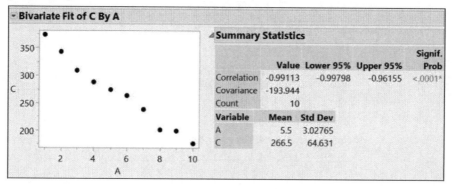

이번에는 **A** 를 X 로, **D** 를 Y 로 하여 **Analyze / Fit Y by X** 를 실행해 보자. 산점도에서 보면 두 변수 간에는 직선이 아닌 곡선 형태의 관련성이 있어 보인다. 이처럼 상관성이 있다 하더라도, 곡선 형태의 관련성이 있을 때에는 관련성의 직선 근접도를 의미하는 상관 계수 값은 작은 값을 가진다.

[그림. 10.4]

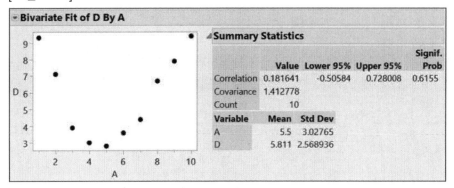

⍟ 마지막으로 **A**를 X로, **B2**를 Y로 하여 **Analyze / Fit Y by X**를 실행해 보자. B2 변수는 B 변수와 네 번째 행의 값만 다르고 나머지 값은 모두 동일하다. B2 변수는 하나의 이상치를 가지고 있는 데, 지금의 경우 상관 계수는 이상치의 영향을 받아 그 값이 매우 작아진다..

[그림. 10.5]

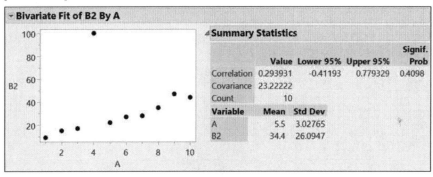

3) 상관성의 시각화

그래프 빌더를 이용해 상관성을 시작해 보자. 상관성을 표현할 때는 산점도(Scatter Plot) 및 밀도 타원(Density Ellipse)이 많이 활용된다.

⍟ **Graph / Graph Builder**에 들어가서 **A**를 Y축에, **B**, **B2**, **C**, **D** 변수를 X 축에 순차적으로 드롭한 다음, 그래프 종류로 **Points**와 **Ellipse**를 선택한다. 그런

다음 왼쪽 패널에서 **Correlation** 을 선택하여 그래프에 상관 계수를 추가한다.

[그림 10.6]

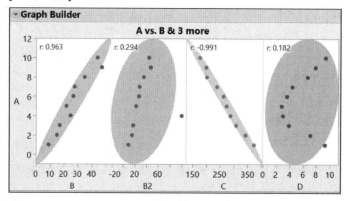

☝ 필요할 경우 **Column Switcher** 기능을 이용할 수도 있을 것이다. **Column Switcher** 기능은 ▼**Graph Builder / Redo / Column Switcher** 를 활용하면 된다.

[그림 10.7]

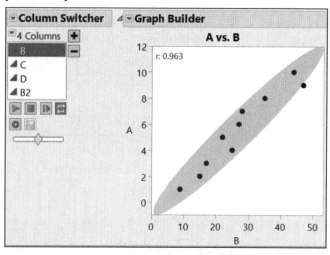

☝ 물론 **Column Switcher** 기능은 **Analyze / Fit Y by X** 에서도 동일하게 활용할 수 있다.

[그림 10.8]

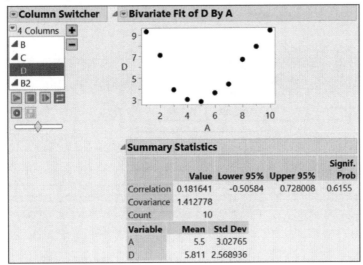

2. 다변량 상관 분석

1) 다변량 상관 분석

다변량 상관 분석이란 변수가 여러 개인 경우의 상관 분석을 말한다. 다변량 상관 분석을 할 수 있는 JMP 의 메뉴는 **Analyze / Multivariate Methods / Multivariate** 이다.

'상관 분석.jmp' 데이터를 가지고 살펴보자.

🖱 **Analyze / Multivariate Methods / Multivariate** 에서 다섯 개 변수를 모두 Y 로 선택하고 OK 를 클릭한다. 그런 다음 ▼**Multivariate / Correlation Probability** 를 클릭하면 상관 계수와 더불어 상관 계수의 유의성을 판정할 수 있는 PValue 를 확인할 수 있다.

A 와 B 는 강한 양의 상관 관계, A 와 C, B 와 C 는 강한 음의 상관 관계가 있다. 통계적 유의성을 확인해 보면 A, B, C 변수 간에는 유의성이 있지만 D 및 B2 변수와 관련해서는 유의성이 보이지 않는다.

[그림 10.9]

Correlations					
	A	B	C	D	B2
A	1.0000	0.9630	-0.9911	0.1816	0.2939
B	0.9630	1.0000	-0.9541	0.2467	0.4200
C	-0.9911	-0.9541	1.0000	-0.1110	-0.3417
D	0.1816	0.2467	-0.1110	1.0000	-0.2336
B2	0.2939	0.4200	-0.3417	-0.2336	1.0000

The correlations are estimated by Row-wise method.

Correlation Probability					
	A	B	C	D	B2
A	<.0001	<.0001	<.0001	0.6155	0.4098
B	<.0001	<.0001	<.0001	0.4919	0.2269
C	<.0001	<.0001	<.0001	0.7601	0.3338
D	0.6155	0.4919	0.7601	<.0001	0.5160
B2	0.4098	0.2269	0.3338	0.5160	<.0001

🖱 ▼**Multivariate / CI of Correlation** 에서 상관 계수의 신뢰 구간을 확인할 수 있고, ▼**Multivariate / Pairwise Correlations** 을 클릭하면 상관 계수의 신뢰 구간을 비롯하여 PValue 등을 함께 살펴볼 수 있다.

[그림 10.10]

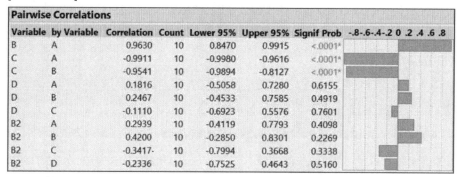

Variable	by Variable	Correlation	Count	Lower 95%	Upper 95%	Signif Prob	-.8-.6-.4-.2 0 .2 .4 .6 .8
B	A	0.9630	10	0.8470	0.9915	<.0001*	
C	A	-0.9911	10	-0.9980	-0.9616	<.0001*	
C	B	-0.9541	10	-0.9894	-0.8127	<.0001*	
D	A	0.1816	10	-0.5058	0.7280	0.6155	
D	B	0.2467	10	-0.4533	0.7585	0.4919	
D	C	-0.1110	10	-0.6923	0.5576	0.7601	
B2	A	0.2939	10	-0.4119	0.7793	0.4098	
B2	B	0.4200	10	-0.2850	0.8301	0.2269	
B2	C	-0.3417·	10	-0.7994	0.3668	0.3338	
B2	D	-0.2336	10	-0.7525	0.4643	0.5160	

🖱 상관 계수와 함께 출력된 **Scatterplot Matrix** 는 하위 옵션의 활용을 통해 보다 분명하게 가시적으로 표현할 수 있다. 예를 들어 Alt Key 를 누른 상태에서 Scatterplot Matrix 옆의 붉은 색 역삼각형을 클릭하면 하위 옵션 전체에 대한 윈도우가 열리는 데, 필요한 내용을 선택(여기서는 **Show**

Points, Density Ellipses, Shaded Ellipses, Show Correlation 등을 선택)하고 나면 보다 많은 정보를 **Scatterplot Matrix** 에서 표현할 수 있다.

[그림 10.11]

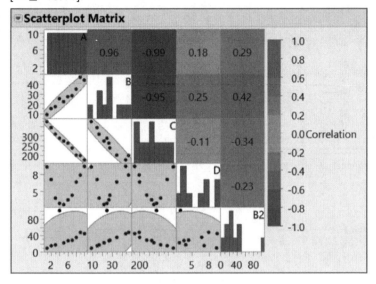

다변량 상관 분석의 실행 화면을 보면 상관 계수 계산을 위한 분산 추정 (Variance Estimation)과 관련된 옵션이 있는 데 옵션별 차이에 대해 살펴보자. 몇 가지 방법 중에서 REML 과 Pairwise 방법이 가장 많이 활용되며 일부는 Missing Data 를 처리할 수 있다.

1. **Default** : Row-wise, Pairwise, 및 REML 중 하나의 방법을 자동 선택한다
1) **Row-wise** : Missing value 가 없을 경우 사용되며, 일반적으로 알고 있는 상관계수인 피어슨 상관 계수 값이다.

[그림 10.12]

Correlations		
	A	B
A	1.0000	0.9630
B	0.9630	1.0000

The correlations are estimated by Row-wise method.

2) **Pairwise** : Missing value 가 있고 Column 이 10 개 이상이고, row 가 5,000 개 이상이거나 row 보다 column 수가 많을 경우 사용된다.

3) **REML** : 위의 두 가지 경우가 아닐 경우 REML(Restricted maximum likelihood)이 활용된다. 결측치가 있고 아래 상황 중 하나 이상의 경우에 해당하면 Pairwise 방법이 실행된다.
-Column 이 10 개 미만이거나
-Row 가 5,000 개 미만이거나
-Row 보다 Column 수가 작은 경우
[그림 10.13]

Correlations		
	A	B
A	1.0000	0.9378
B	0.9378	1.0000

There are 2 missing values. The correlations are estimated by Row-wise method.

2. Restricted maximum likelihood (REML)
1) Bias 를 보정하기 때문에, 데이터가 크거나 결측치가 많은 경우에는 분석이 느려지므로 작은 데이터 셋에 주로 활용된다.

2) 결측 값이 없을 경우 REML 과 ML 추정치는 동일하고 표본 공분산 행렬(sample covariance matrix)과 동일하다.

3) 결측 값이 있을 경우 REML 의 분산 및 공분산 추정치는 ML 추정치 보다 덜 편향(less biased)된다.

3. Maximum likelihood (ML)
1) 결측 값이 있는 경우에도 모든 데이터를 사용하여 추정한다.
2) 결측 값이 있는 큰 데이터 셋의 경우에 많이 활용된다.

4. Robust estimation

1) 결측 값이 있는 경우에도 모든 데이터를 사용하여 추정한디.

2) 극단치의 가중치를 낮추므로 Outlier 가 있을 경우 유용하다

5. Row-wise

1) 피어슨(Pearson) 상관 계수이다.

2) 결측치가 있는 row 는 사용하지 않는다.

6. Pair-wise

1) 결측 값이 있는 경우에도 모든 데이터를 사용하여 추정한다.

2) 결측치가 없는 모든 관찰 값을 사용하여 피어슨(Pearson) 상관 계수를 추정한다.

3) 결측치가 있고 Column 이 10 개 이상이고, row 가 5,000 개 이상이거나 row 보다 column 수가 많을 경우 사용된다.

REML, ML 또는 Robust 를 선택했더라도 row 의 수보다 column 의 수가 많고 결측치가 있으면 Pairwise 로 추정방법이 변경된다.

2) 편상관(Partial Correlation)[18]

앞에서 살펴본 상관 계수(피어슨 상관 계수) 외에도 변수간 상관성을 확인하는 다양한 상관 계수가 있는 데, 그 중에서 편상관(Partial Correlation)은 하나 이상의 다른 변수들의 효과를 제어한 뒤에 추정한 두 변수의 상관 관계를 말한다. 즉 편상관은 다른 변수의 효과를 고정한 상태에서의 두 변수의 상관 관계이다.

---

[18] 편상관에 대해서는 '앤디 필드의 유쾌한 R 통계학'의 6 장 상관 관계 부분을 참조하였다.

샘플 데이터 '편상관.jmp'는 불안, 시험성적, 복습 간의 상관 관계를 분석하기 위해 측정된 것인 데, 불안과 시험 점수 간은 음의 상관, 복습과 시험 점수는 양의 상관, 복습과 불안은 음의 상관 관계를 가지고 있다. 복습이 시험 점수와 불안에 모두 영향을 미치고 있으므로(복습을 하면 불안이 감소하고, 시험 점수가 올라감) 불안과 시험 점수와의 관계를 순수하게 측정하고 싶다면 복습이 두 변수에 미치는 영향을 고려해야 한다.

[그림 10.14]

Correlations	불안	복습	시험 점수
불안	1.0000	-0.7092	-0.4410
복습	-0.7092	1.0000	0.3967
시험 점수	-0.4410	0.3967	1.0000

Correlation Probability	불안	복습	시험 점수
불안	<.0001	<.0001	<.0001
복습	<.0001	<.0001	<.0001
시험 점수	<.0001	<.0001	<.0001

The correlations are estimated by Row-wise method.

이를 고려하기 위해서는 변수간의 R Square[19] 값을 확인하면 된다.

[그림 10.16]에서 숫자는 각각 두 변수를 대상으로 회귀 분석을 하였을 경우 R Square 값이다. 복습의 변동이 불안 변동의 50%를 차지하므로 불안 변동이 시험 점수 변동과 공유하는 19.4%에는 상당 부분 복습에 의한 영향이 있을 것으로 추정할 수 있다.

[그림 10.15]

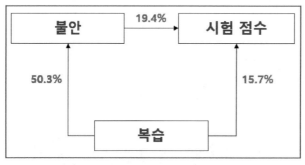

다른 방식으로 도식화하면 아래와 같다.

---

[19] R-Square 에 대한 상세한 설명은 11 장. 회귀 분석을 참조하기 바란다.

[그림 10.16]

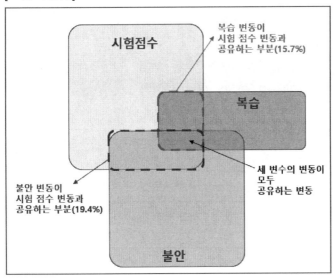

시험점수

복습 변동이
시험 점수 변동과
공유하는 부분(15.7%)

복습

불안 변동이
시험 점수 변동과
공유하는 부분(19.4%)

세 변수의 변동이
모두
공유하는 변동

불안

☜ [그림 10.17]은 불안 및 복습과 시험 점수와의 선형 회귀 분석을 실시한 결과이다.

[그림 10.17]

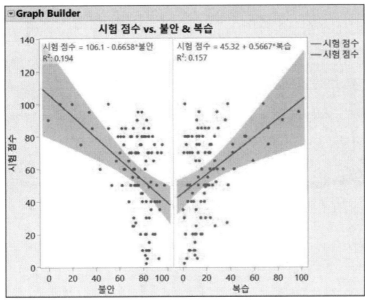

☞ [그림 10.18]은 **Analyze / Multivariate Methods / Multivariate** 실행 후 **▼Multivariate / Partial Correlations** 에서 편상관을 구한 결과이다. 편상관은 다른 변수의 영향을 제어한 후의 결과이므로 피어슨 상관 계수보다 값이 작다. 아래 결과를 보면 상관 계수 값 및 효과 크기를 나타내는 PValue 모두 작아졌음을 알 수 있다.

[그림 10.18]

Partial Corr				◢Partial Correlation Probability			
	불안	복습	시험 점수		불안	복습	시험 점수
불안	.	-0.6485	-0.2467	불안	.	<.0001	0.0124
복습	-0.6485	.	0.1327	복습	<.0001	.	0.1837
시험 점수	-0.2467	0.1327	.	시험 점수	0.0124	0.1837	.
partialed with respect to all other variables				partialed with respect to all other variables			

☞ 편상관 값의 크기를 **Partial Correlation Diagram** 으로 표현할 수 있다. **Partial Correlation Diagram** 은 **▼Multivariate / Partial Correlations Diagram** 에서 그릴 수 있다. 선의 굵기는 Partial Correlation 의 절대값을 나타내고 선의 색상은 (기본값 기준으로) Partial Correlation 이 양수이면 빨간색, 음수이면 파란색으로 표현된다.

[그림 10.19]

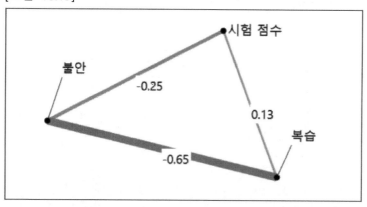

218

11 장. 회귀 분석

개요

연속형 변수에 대해 변수들 간의 관련성을 규명하기 위하여 어떤 수학적 모델을 가정하고 이 모델을 측정된 데이터로부터 추정하는 통계적 분석 방법을 회귀(Regression) 분석이라 말한다. 회귀 분석은 X 인자의 Y 인자에 대한 유의성에 대한 검정뿐만 아니라 관계의 규명 및 나아가 예측을 위해서도 사용된다.

회귀 분석 중에서 하나의 X 인자와 하나의 Y 인자 간의 관련성을 파악하는 것을 단순 회귀 분석 또는 이변량(Bivariate) 회귀 분석이라 하고 X 인자가 두 개 이상인 회귀 분석을 다중(Multiple) 회귀 분석 또는 다변량(Multivariate) 회귀 분석이라 부른다.

또한, X 인자와 반응치 Y 간의 관계의 형태가 직선이냐 곡선이냐에 따라 선형 회귀(Linear Regression)와 곡선 회귀(Curvilinear Regression)으로 구분된다. 선형 회귀는 직선 회귀로 곡선 회귀는 다항 회귀(Polynomial Regression)로 불리기도 한다.

JMP 에서는 X 인자가 하나인 단순 회귀 분석의 경우 주로 **Analyze / Fit Y by X** 메뉴에서 회귀 분석을 수행하고 X 인자가 두 개 이상인 다중 회귀는 **Analyze / Fit Model** 메뉴를 활용한다.

이번 장에서는 회귀 분석과 관련하여 아래와 같이 다섯 개의 소주제로 나누어서 살펴보기로 한다.

1) 회귀 분석에 대한 이해
2) 단순 회귀 분석
3) 다항 회귀 분석
4) 다중 회귀 분석
5) 단계별 회귀(Stepwise Regression)

1. 회귀 분석에 대한 이해

1) 회귀식의 도출

회귀 분석을 하게 되면 Y = 3+2*X 와 같은 회귀 방정식이 도출되는 데, 일반화하여 $Y = \beta_0 + \beta_1 x$ 로 표현한다.

1) 이 때 β_0는 Y 절편(Intercept, 회귀선이 그래프의 수직 축과 만나는 선)이고
2) β_1은 회귀 방정식의 기울기(slope)를 뜻한다.
β_0와 β_1을 합쳐서 회귀 계수(regression coefficient)라고 하며 회귀선과 실제 값과의 차이를 잔차(residual 또는 error)라고 한다. 회귀 분석에서 흔히 이야기하는 최소 제곱의 의미는 잔차의 제곱합이 최소가 된다는 것을 말하며 잔차의 합은 항상 '0' 이다.

잔차를 포함하여 회귀 방정식을 아래와 같이 표현하기도 한다. ε 는 잔차를 지칭한다.
$Y = \beta_0 + \beta_1 x + \varepsilon$

회귀식의 도출과정을 예제를 통해 살펴보자.
'성적-회귀.jmp' 데이터는 수학 및 국어 점수와 통계 점수 간의 관련성을 확인하기 위해 6 명의 학생들을 대상으로 측정한 결과이다.

🖰 **Analyze / Fit Y by X** 에서 수학을 X로 통계를 Y로 선택 후 OK 클릭한 다음, ▼**Bivariate** 에서 **Fit Mean** 을 선택하여 Y의 평균선을 추가하고 **Fit Line** 을 선택하여 단순(선형) 회귀를 적합한다.
[그림 11.1]은 분석 결과에서 설명을 위해 몇 가지를 추가한 것이다. 회귀선이 적합되었고 X 인자와 Y 에 대한 평균선을 표시하였다. 이 데이터의 전체 변동은 회귀선과 실제 값의 차이인 잔차들의 합으로 계산된 잔차 변동과 회귀 변동(회귀선과 전체 평균과의 차이)으로 분해될 수 있다.

[그림 11.1]

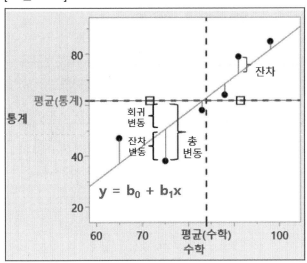

🖰 ▼**Bivariate** 에서 **Summary Statistics** 를 클릭하면 두 변수의 평균, 표준편차, 공분산 및 표준 편차 등의 통계량을 확인할 수 있는 데 이를 이용해 회귀선의 도출과정을 살펴보자.

[그림 11.2]

Summary Statistics				
	Value	Lower 95%	Upper 95%	Signif. Prob
Correlation	0.889232	0.279057	0.987876	0.0177*
Covariance	190.6667			
Count	6			
Variable	**Mean**	**Std Dev**		
수학	83.33333	11.84342		
통계	61.83333	18.10433		

[그림 11.1]에서 회귀선은 X 변수의 증감에 따른 Y 변수의 증감을 의미하지만 측정의 단위가 다르면 상대적 변화량(ΔY/ΔX)을 가지고 기울기를 추정할 수가 없다. 이럴 경우 두 변수의 표준편차를 가지고 기울기를 추정할 수 있다. 두 변수의 상관 계수가 1 이라면 회귀선의 기울기는 sigma(Y) / sigma(X)로 구하면

되지만, 데이터는 회귀선 주변에 흩어져 있으므로 회귀선의 기울기는 상관계수를 곱하여 다음과 같이 구할 수 있다.

기울기(β_1) = (두 변수의 상관 계수) * (sigma(Y) / sigma(X))

= 0.889232 * (18.10433 / 11.84342)

= 1.3593

그 다음으로 회귀선의 절편(b0)를 구해보자. 도출된 회귀선은 X 변수의 평균과 Y 변수의 평균을 무조건 지나므로, 회귀선의 공식에 이를 대입하여 절편을 계산할 수 있다.

Y = β_0 + β_1*X 을 치환하면,

절편(β_0) = Y(평균) - β_1*X(평균)

= 61.8333 – (1.3593)*(83.33333)

= -51.44

즉, 회귀선은 Y(통계) = -51.44 + 1.3593 * X(수학) 이 된다.

2) 회귀 분석 결과의 해석

🖱 ▼Bivariate / Fit Line 을 클릭하면 단순 회귀 분석이 실행된다. **Parameter Estimates** 부분을 보면 앞에서 구한 회귀식과 동일함을 확인할 수 있다.

[그림 11.3]

Linear Fit

통계 = -51.44297 + 1.3593156*수학

Summary of Fit

RSquare	0.790734
RSquare Adj	0.738417
Root Mean Square Error	9.259488
Mean of Response	61.83333
Observations (or Sum Wgts)	6

Analysis of Variance

Source	DF	Sum of Squares	Mean Square	F Ratio
Model	1	1295.8809	1295.88	15.1144
Error	4	342.9525	85.74	Prob > F
C. Total	5	1638.8333		0.0177*

Parameter Estimates

Term	Estimate	Std Error	t Ratio	Prob>|t|
Intercept	-51.44297	29.3811	-1.75	0.1549
수학	1.3593156	0.349643	3.89	0.0177*

[그림 11.3]의 분석 내용을 좀 더 살펴보자.

먼저 ANOVA 테이블의 결과부터 살펴보면,

[그림 11.1]에서 볼 수 있듯이 총 변동(SST, Sum of Square Total)은 잔차 변동(SSE, Sum of Square Error)과 회귀 변동(SSR, Sum of Square Regression)의 합으로 설명되는 데, 이 때 잔차 변동은 잔차 제곱합으로 회귀선과 개별 데이터 간의 변동을 말하며(설명이 안되는 변동), 회귀 변동은 전체 평균과 회귀선 간의 변동(설명이 되는 변동)을 말한다.

총 변동(SST) = 잔차 변동(SSE) + 회귀 변동(SSR)

$$\sum (Y_i - \bar{Y})^2 = \sum (Y_i - \hat{Y}_i)^2 + \sum (\hat{Y}_i - \bar{Y})^2$$

[그림 11.4]는 위의 계산식을 활용하여 계산한 결과이다.

[그림 11.4]

X(수학)	Y(통계)	(Yi-Y평균)	총변동 (Yi - Y평균)^2	추정값	잔차 변동 (추정값-Yi)^2	회귀 변동 (추정값-Y평균)^2
65	47	-14.8333	220.0278	36.9116	101.7764	621.0943
75	38	-23.8333	568.0278	50.5046	156.3643	128.3409
83	58	-3.8333	14.6944	61.3790	11.4174	0.2064
88	64	2.1667	4.6944	68.1755	17.4346	40.2227
91	79	17.1667	294.6944	72.2534	45.5170	108.5772
98	85	23.1667	536.6944	81.7685	10.4428	397.4097
83.33333	61.83333	합계	1638.8333		342.9525	1295.8511

[그림 11.3]의 Sum of Squares(Model)이 회귀 변동이고 Sum of Squares (Error)가 잔차 변동이다. Mean Squares(MS)는 이 값들을 자유도로 나눈 값으로 MS(Model)과 MS(Error)로 구분된다.

F Ratio 는 MS(Model) / MS(Error)로 계산된다. 지금은 회귀 모델에 대한 F 검정 통계량이 상당히 커서 회귀 모델이 매우 유의하다고 할 수 있다.

이번에는 **Summary of Fit** 의 내용을 보자

1) **RSquare** 는 회귀식의 설명력을 나타내는 지표로, 총변동에서 회귀변동이 자치하는 비율로 계산된다. Sum of Squares(Model)에서 Sum of Square(Total)을 나누어서 구할 수 있다.

Rsquare = Sum of Square(Model) / Sum of Square(Total)

= 1295.8809 / 1638.8333 = 0.790734(79.0734%)

2) **Rsquare Adj** : 회귀 모델에 포함되는 변수의 개수 등을 고려한 조정 Rsquare 값이다.

3) **RMSE(Root Mean Square Error)** : 잔차에 대한 표준편차 추정값으로 MS(Error)의 제곱근이다.

RMSE(Root Mean Square Error) = √MSE = √85.74 = 9.2595

4) **Mean of Response** : Y 변수의 산술 평균값이다

5) **Observation** : 회귀 모델 추정에 사용된 관측값의 수이다.

다음으로 **Parameter Estimates(모수 추정치)**에 대해 살펴보자.

1) **Estimates** 는 회귀 계수 추정치를 말한다. Intercept(절편)의 추정치가 -51.44297 이고, X 인자인 수학의 회귀 계수(기울기)가 1.3593156 이므로 회귀 방정식은 '통계 = -51.44297 + 1.3593156*수학' 이다.

2) **Std Error** : 모수 추정값의 표준 오차 추정값이다.

3) **t Ratio** : 각 모수의 값이 0 이라는 귀무 가설에 대한 검정 통계량이다. 이 값은 모수 추정치(Estimates)를 표준 오차 추정값(Std Error)로 나눈 값이다.

4) **Prob > |t|** : 모수(parameter) 값의 절편(intercept, β_0)과 기울기(slope, β_1)가 '0' 인지를 검정하는 가설에 대한 PValue 이다.

5) 디폴트 환경에서는 표시되지 않지만 분석 결과에서 우측 마우스 클릭 / Columns 를 선택하여 모수 추정값에 대한 95% 신뢰 구간, 표준화 베타(모든 항에 대해 평균 0, 표준 편차 1 로 표준화한 경우의 모수 추정값 및 VIF(Variance Inflation Factor, 분산 팽창 지수) 등을 추가할 수 있다.

[그림 11.5]

Parameter Estimates								
Term	Estimate	Std Error	t Ratio	Prob>|t|	Lower 95%	Upper 95%	Std Beta	VIF
Intercept	-51.44297	29.3811	-1.75	0.1549	-133.018	30.132053	0	.
수학	1.3593156	0.349643	3.89	0.0177*	0.3885512	2.3300799	0.889232	1

간단한 회귀 분석은 **Graph Builder** 에서도 가능하다.

[그림 11.6]은 '성적-회귀.jmp' 데이터에서 수학 및 국어 점수를 X 축에 통계 점수를 Y 축에 드롭한 다음, 그래프 종류로 **Line of Fit** 을 선택하고 몇 가지 통계량을 추가한 결과이다. 수학 점수는 통계 점수를 잘 설명할 수 있는 유의한 변수이지만 국어 점수는 그렇지 않음을 보여준다.

[그림 11.6]

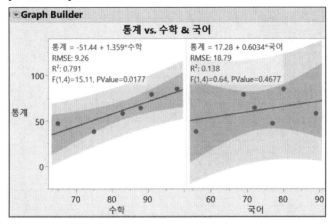

아래는 밀도 타원(Density Ellipse)으로 표시한 것이다.

[그림 11.7]

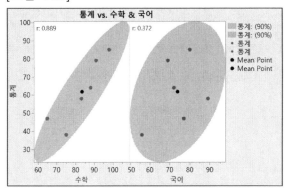

2. 단순 회귀 분석

1) 단순 회귀 분석

'big class.jmp' 데이터를 가지고 **height** 를 X 로 **weight** 를 Y 로 하여 **Analyze /
Fit Y by X** 를 실행해 보자.

☝ 실행 결과에서 **▼Bivariate ~ / Histogram Board** 를 선택하여 산점도 외에
히스토그램을 추가할 수 있다.

[그림 11.8]

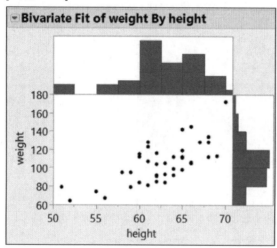

☝ 실행 결과에서 **▼Bivariate ~ / Fit Mean** 을 클릭하면 Y 변수 평균선이
포함되고 Y 변수 평균, 표준편차, 표준오차, SSE(Sum of Square Error) 등이
표시된다.

[그림 11.9]

Fit Mean	
Mean	105
Std Dev [RMSE]	22.20187
Std Error	3.510424
SSE	19224

⊕ 산점도를 보았을 때 두 변수 간에는 직선의 관련성이 있어 보이므로
▼Bivariate ~ / Fit Line 을 클릭하면 직선 회귀 분석 결과가 출력된다. 출력
결과에서 ▼Linear Fit / Confid Curves Fit, Confid Curves Indiv 를 클릭하여
평균값 및 개별 데이터의 신뢰 구간을 그래프에 추가할 수 있다.

[그림 11.10]

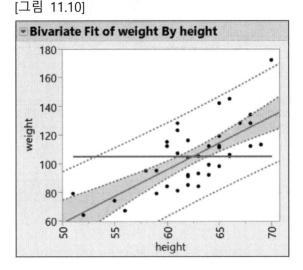

⊕ ▼Linear Fit / Profiler 를 클릭하여 X 변수의 값 변화에 따른 Y 값의 변화를
쉽게 예측할 수 있는 Prediction Profiler 기능을 활용할 수 있다. 아래
그래프는 ▼Profiler / Data Points 를 클릭하여 실제 데이터 값을 함께
표현하였다.

[그림 11.11]

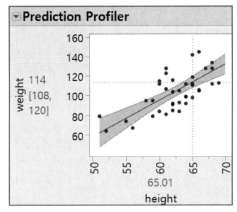

2) 잔차 분석

회귀 모델의 적합성을 검정하는 대표적인 방법 중의 하나로 잔차 분석을 할 수 있다. 잔차 분석을 하는 방법은 **Fit Line** 실행 후 **▼Linear Fit / Plot Residuals**을 클릭하면 다섯 가지의 그래프가 생성된다. 잔차(Residual, Error)는 회귀 모델과 실제 값과의 차이를 뜻하므로 그 값이 작아야 좋은 모델이라고 볼 수 있지만 그 외의 다른 분석적인 의미에 대해서도 살펴보자.

직선 회귀(Linear Regression)를 전제한다면 잔차는 아래와 같은 특성을 가진다.
1) 잔차의 평균은 0 이고, 정규 분포해야 한다.
2) 회귀선에 대해 회귀선 위쪽의 데이터와 아래쪽이 데이터가 같은 분산을 가져야 한다.
3) 잔차는 독립적이어야 한다. 다른 말로 하면 자기 상관(autocorrelation)이 없어야 한다.

☞ **Residual by Predicted Plot** : X 축에는 예측값, Y 축은 잔차 값이다. 이 그래프를 통해 잔차의 정규성과 등분산성을 추정할 수 있다. 가장 좋은 모습은 그래프에서 특이한 패턴이 없는 것이다. 이 그래프로 잔차의 등분산성은 만족된다고 볼 수 있으나 정규성은 추가적인 확인이 필요해 보인다. **▼Linear Fit / Save Residuals**을 클릭하여 잔차를 데이터 테이블에 저장한 다음 정규성 검정 등 추가적인 분석을 할 필요가 있다. 또한 값이 작은 쪽에 데이터의 수가 작은 부분도 추가 확인도 필요할 것이다.

[그림 11.12]

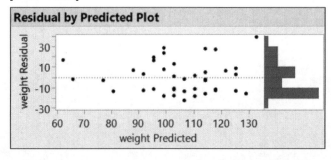

❧ **Actual by Predicted Plot** : 예측 값과 실제 값을 비교했을 때 특이한 패턴(특정 영역에서 기준선 상하로 뭉치는 현상 등)이 나타나지 않음을 알 수 있다.

[그림 11.13]

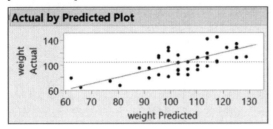

❧ **Residual by Row Plot** : X 축은 데이터 순서(Row Number), Y 축은 잔차이다. 데이터가 시간 또는 어떤 순서로 측정되어 있을 경우 이에 따른 독립성을 확인할 수 있다.

[그림 11.14]

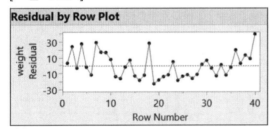

❧ **Residual by X Plot** : X 변수인 **height** 변수가 X 축에 위치한다. 특이한 패턴 여부를 통해 등분산성 등을 확인해 볼 수 있다. 지금은 잔차의 평균인 '0'을 중심으로 특이한 패턴이 보이지 않는다.

[그림 11.15]

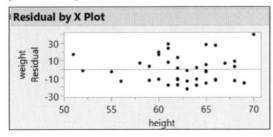

🖐 **Residual Normal Quantile Plot** : 잔차가 대략적으로 정규성을 띄고 있음을 알 수 있다. **Normal Quantile Plot(정규 분위수 그림)**은 **Q-Q(Quantile-Quantile) Plot** 이라고도 하는 데, 데이터가 정규 분포에 가까울수록 대각선 직선 형태를 띄게 된다. X 축은 개별 데이터의 누적 확률을 나타내며 붉은색 파선(dashed line)은 정규성 검정 방법의 하나로 활용되는 릴리포스(Lillifors) 신뢰 구간을 뜻한다.

[그림 11.16]

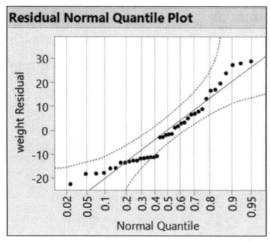

3. 다항 회귀 분석

1) 다항 모델 적합

앞에서는 두 변수 간에 직선의 관련성이 있다는 전제하에 직선 회귀 분석을 실시하였으나 경우에 따라서는 2 차 항 이상의 다항(Polynomial) 회귀(예를 들어 2 차 함수 또는 3 차 함수)로 분석하는 게 더 적절할 수도 있다. **Analyze / Fit Y by X** 실행 후 ▼**Fit Polynomial** 을 선택하여 다항 모델로 적합 (JMP 에서는 2 차에서 6 차 다항 모델까지 가능)시킬 수 있다.

◦ 'Polynomial.jmp' 데이터는 X 변수의 변화에 따른 Y 값의 변화 정도를 알아보기 위해 X 변수의 해당 값에서 각 2 회 반복 측정한 결과이다. **Analyze / Fit Y by X** 를 실행해 보자. 두 변수 간에 직선의 관련성이 있다고 보기는 힘들다.

[그림 11.17]

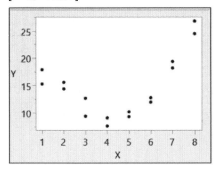

◦ ▼**Fit Line** 을 실행해 보면 RSquare 도 크지 않고 회귀 모델에 대한 ANOVA 검정에 대한 PValue 및 모수 추정치에서 X 인자의 기울기 또한 유의하지 않음을 알 수 있다.

[그림 11.18]

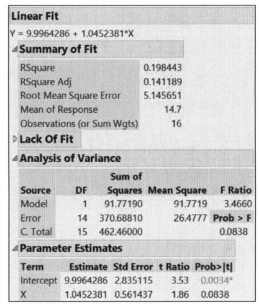

Linear Fit

Y = 9.9964286 + 1.0452381*X

Summary of Fit

RSquare	0.198443
RSquare Adj	0.141189
Root Mean Square Error	5.145651
Mean of Response	14.7
Observations (or Sum Wgts)	16

▷ **Lack Of Fit**

Analysis of Variance

Source	DF	Sum of Squares	Mean Square	F Ratio
Model	1	91.77190	91.7719	3.4660
Error	14	370.68810	26.4777	Prob > F
C. Total	15	462.46000		0.0838

Parameter Estimates

Term	Estimate	Std Error	t Ratio	Prob>|t|
Intercept	9.9964286	2.835115	3.53	0.0034*
X	1.0452381	0.561437	1.86	0.0838

🖰 분석 결과 중 **Lack of Fit(적합성 결여)**[20] 부분을 살펴보자.

Total Error 의 제곱합은 ANOVA Table 에서 확인할 수 있는 Error 의 제곱합을 말하고 **Pure Error(순수 오차)**의 제곱합은 X 인자의 개별 측정값과 해당 값에서의 반복 측정 결과의 평균값과의 차이의 제곱합이다.

Lack of Fit 의 제곱합은 Total Error 와 Pure Error 의 제곱합의 차이이다.

Pure Error 는 어떤 모델을 사용하더라도 설명이 되지 않는 오차의 비율이고 **Pure Error** 대비 **Lack of Fit** 의 제곱합이 크다면 모형이 적절하지 않다는 뜻이 된다.

F Ratio 는 **Lack of Fit** 에 의한 오차가 '0' 이라는 귀무가설에 대한 검정 통계량으로 지금은 PValue 가 매우 작음으로 대립가설이 채택되어 Lack of Fit 에 의한 오차가 유의하다는 뜻이 된다.

Max RSq 는 총변동에서 Pure Error 를 제외한 것으로 해당 회귀 모델에서 얻을 수 있는 최대 Rsquare 로 (1-(Pure Error 의 제곱합 / 전체 제곱합))으로 계산된다.

[그림 11.19]

Lack Of Fit

Source	DF	Sum of Squares	Mean Square	F Ratio
Lack Of Fit	6	355.92810	59.3213	32.1525
Pure Error	8	14.76000	1.8450	**Prob > F**
Total Error	14	370.68810		<.0001*
				Max RSq
				0.9681

🖰 **▼Fit Polynomial / 2,quadratic** 을 실행해 보면 회귀선이 직선 회귀의 경우보다 잘 적합됨을 알 수 있다.

---

[20] Lack of Fit 는 동일한 X 값에서 반복 측정 결과가 있어야 표시된다.

[그림 11.20]

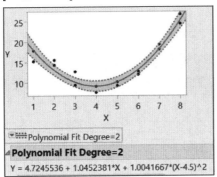

Polynomial Fit Degree=2

Polynomial Fit Degree=2

Y = 4.7245536 + 1.0452381*X + 1.0041667*(X-4.5)^2

✐ 분석 결과를 보면 Rsquare, ANOVA 및 모수 추정치 모두에서 회귀 모델이 잘 만들어졌다는 게 확인된다.

[그림 11.21]

Summary of Fit

RSquare	0.931059
RSquare Adj	0.920453
Root Mean Square Error	1.56604
Mean of Response	14.7
Observations (or Sum Wgts)	16

Lack Of Fit

Analysis of Variance

Source	DF	Sum of Squares	Mean Square	F Ratio
Model	2	430.57774	215.289	87.7841
Error	13	31.88226	2.452	Prob > F
C. Total	15	462.46000		<.0001*

Parameter Estimates

Term	Estimate	Std Error	t Ratio	Prob>|t|
Intercept	4.7245536	0.972463	4.86	0.0003*
X	1.0452381	0.170869	6.12	<.0001*
(X-4.5)^2	1.0041667	0.085434	11.75	<.0001*

✐ **Lack of Fit** 결과를 직선 모델의 결과([그림 11.19])과 비교해 보면 Total Error 도 줄어들었지만 Pure Error 의 제곱합 대비 Lack of Fit 의 제곱합의 상대적 비율이 매우 감소하였다. 그 결과 Lack of Fit 에 의한 오차가 '0'

이라는 귀무가설에 대한 검정 통계량인 F Ratio 가 32.1525 에서 1.8561 로 감소하였다.

[그림 11.22]

Lack Of Fit				
Source	DF	Sum of Squares	Mean Square	F Ratio
Lack Of Fit	5	17.122262	3.42445	1.8561
Pure Error	8	14.760000	1.84500	Prob > F
Total Error	13	31.882262		0.2082
				Max RSq
				0.9681

🖐 어떤 모델이 적합한지는 잔차 분석을 통해서도 확인이 가능하다. [그림 11.23]는 잔차 분석의 결과 중의 일부로 왼쪽은 직선 모델, 오른쪽은 2 차 다항 모델의 결과이다. 2 차 다항 모델에 비해 직선 모델이 잔차의 정규성 및 등분산성 등의 측면에서 훨씬 문제가 많아 보인다.

[그림 11.23]

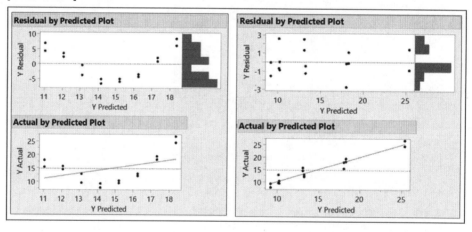

지금까지 다항 회귀에 대해 분석한 결과는 **Analyze / Fit Model** 의 **Construct Model Effects** 에서 **Macros(Response Surface)**를 선택하여 2 차 항으로 모델을 구성한 결과와 동일하다.

Graph Builder 에서도 간단히 회귀 분석 결과를 살펴볼 수 있는 데, 그래프의 종류로 **Line of Fit** 을 선택한 후 Line of Fit 옵션의 Fit 에서 Polynomial 을

선택하고 **Degree** 에서 **Linear, Quadratic** 및 **Cubic** 을 선택하면 된다.

[그림 11.24]의 왼쪽은 직선 회귀, 오른쪽은 2차 다항 회귀를 적합한 결과이다. 오른쪽 결과의 회귀식을 보면 [그림 11.20]에서의 회귀식과 다른 값을 보이는 데 이는 **중심화 다항식(Center Polynomials)** 때문이다. 중심화 다항식을 적용하지 않으면 다중 공선성의 문제가 있으므로 X 변수가 다항 회귀에서 X 변수의 평균값을 빼고 회귀식을 만드는 것을 말한다.

Analyze / Fit Y by X 및 **Fit Model** 에서는 중심화 다항식이 디폴트로 되어 있지만 Graph Builder 에서는 중심화 다항식이 적용되지 않아 회귀식의 차이가 발생한 것이다.

[그림 11.24]

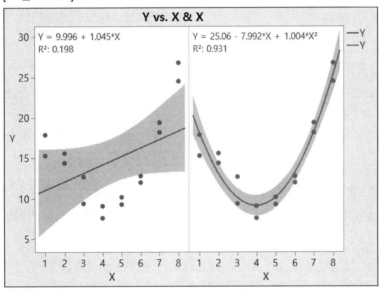

2) 회귀 분석과 그래프

다른 통계 분석 방법도 마찬가지이만 회귀 분석에서는 그래프와 함께 회귀 분석을 사용하는 것이 매우 중요한 데 몇 가지 사례를 가지고 살펴보자.

<사례 1>

🖰 샘플 데이터 'Anscombe.jmp'에서 Table 패널에 저장된 'The Quarter'를 실행하면 그래프를 제외한 회귀 분석 결과가 출력되는 데, 그 결과가 거의 동일하다. [그림 11.25]는 분석 결과 중 일부만을 비교한 것이다.

[그림 11.25]

Y1 = 3.0000909 + 0.5000909*X1		Y3 = 3.0024545 + 0.4997273*X3	
Summary of Fit		**Summary of Fit**	
RSquare	0.666542	RSquare	0.666324
RSquare Adj	0.629492	RSquare Adj	0.629249
Root Mean Square Error	1.236603	Root Mean Square Error	1.236311
Mean of Response	7.500909	Mean of Response	7.5
Observations (or Sum Wgts)	11	Observations (or Sum Wgts)	11
Y2 = 3.0009091 + 0.5*X2		Y4 = 3.0017273 + 0.4999091*X4	
Summary of Fit		**Summary of Fit**	
RSquare	0.666242	RSquare	0.666707
RSquare Adj	0.629158	RSquare Adj	0.629675
Root Mean Square Error	1.237214	Root Mean Square Error	1.235695
Mean of Response	7.500909	Mean of Response	7.500909
Observations (or Sum Wgts)	11	Observations (or Sum Wgts)	11

🖰 그래프로 확인해 보자. 네 가지 분석 결과에 동일한 작업을 실행하기 위해 Ctrl Key 를 누른 상태에서 네 분석 결과 중 어느 한 곳에서 ▼Bivariate ~ / Show Points 를 클릭한다. 적합된 회귀선은 거의 같지만 실제 데이터는 매우 다르다.

1) 'Y1 by X1'의 경우는 정상적으로 적합되었다고 할 수 있지만

2) 'Y2 by X2'는 제곱항을 포함한 이차 함수 형태 다항 모델이 보다 적절해 보인다.

3) 'Y3 by X3'의 경우는 하나의 이상치(Outlier)가 존재한다. 적절한 분석을 위해서는 이상치에 대한 확인, 조치가 필요할 것이다.

4) 'Y4 by X4' : Leverage 상황처럼 한 점에 의해서 회귀 선의 기울기가 결정된 것으로 회귀 분석을 하기에는 적절하지 않는 데이터이다.

[그림 11.26]

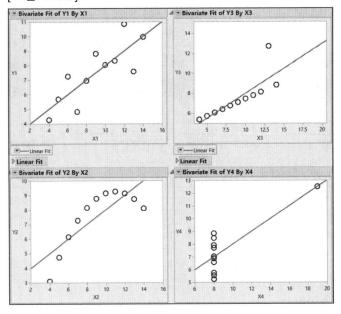

<사례 2>

회귀 분석을 하다 보면 회귀 모델을 잘 적합하기 위해 다항(Polynomial)
회귀를 통해 고차 항의 모델을 만드는 경우가 있을 수 있다.

☞ 'Polycity.jmp' 데이터에서 **POP** 를 X 인자로 **OZONE** 를 Y 인자로 하여
Analyze / Fit Y by X 를 실행하고 1 차 선형(Fit Line) 방정식과 6 차 방정식(**Fit
Polynomial / 6**)을 실행하면 결과는 아래와 같다.

[그림 11.27]

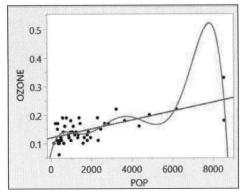

🖱 6 차 다항 모델로의 적합은 무리한 적합으로 보인다. 이런 경우를 과적합 (Overfitting)이라고 하며 과적합을 하게 되면 회귀 모델의 재현성이 낮아진다. 지금처럼 데이터의 분포가 균등하지 않고 특정 구간의 데이터가 너무 적을 때 많이 발생한다.

이럴 때는 해당 데이터를 제외하고 분석하거나 해당 구간에 대해 추가적인 데이터 수집을 한 후에 분석하는 것이 바람직할 것이다. 히스토그램 (▼Bivariate ~ / Histogram Borders), 밀도 타원(▼Bivariate ~ / Density Ellipse) 등을 통해 데이터의 밀집 정도, 치우친 정도 등에 대해 보다 시각적으로 확인해 볼 수 있다.

[그림 11.28]

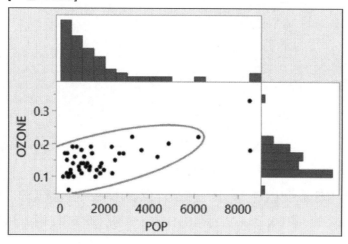

<사례 3>

사례 3은 사례 2와 비슷한 경우이나 평균 근처에 데이터가 몰려 있을 경우에 대한 사례이다.

🖱 'Slope.jmp' ' 데이터에서 **X** 를 X 인자로 **Y** 를 Y 인자로 하여 **Analyze / Fit Y by X** 를 실행하고 1 차 선형(Fit Line) 방정식을 실행하였다.

산점도만 보았을 때는 우상향하는 회귀선이 적합될 것 같지만, 실제로는 (-) 기울기를 약하게 가진 회귀선이 적합된다.

[그림 11.29]

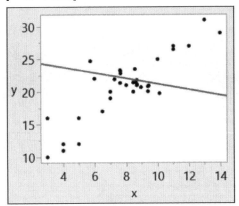

🖐 이처럼 산점도와 회귀선이 다른 양상을 보일 경우에는 사례 2에서 살펴본 것처럼 히스토그램이나 밀도 타원 등의 그래프로 확인하는 게 반드시 필요하다.

[그림 11.30]

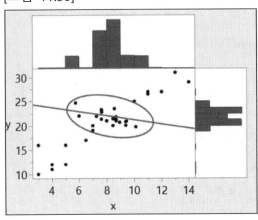

🖐 지금과 같은 경우는 그래프 외에도 변수별 평균, 표준 편차, 상관 계수 등의 통계량(▼Bivariate ~ / Summary Statistics)을 먼저 파악하는 것도 중요하다. [그림 11.29]에서 산점도를 보면 상관 계수가 거의 1에 가까울 것으로 짐작되지만 실제로는 -0.3 수준이다. 또한 두 변수의 데이터 범위(Range)에 비해 표준 편차가 상대적으로 매우 작으므로 이는 평균

근처에 많은 데이터가 모여 있다는 것을 암시한다.

[그림 11.31]

Summary Statistics				
	Value	Lower 95%	Upper 95%	Signif. Prob
Correlation	-0.30309	-0.37406	-0.22859	<.0001*
Covariance	-0.70452			
Count	600			
Variable	Mean	Std Dev		
x	8.247392	1.285898		
y	21.94869	1.807658		

<사례 4>

사례 4 는 이상치(outlier)에 대한 사례이다.

☝ 'Cassini.jmp'는 지구의 일식각(황도 경사각)에 대한 데이터인 데 **Date** 를 X 로 **Obliquity** 를 Y 로 하여 **Analyze / Fit Y by X** 를 실행한 결과는 다음과 같다.

[그림 11.32]

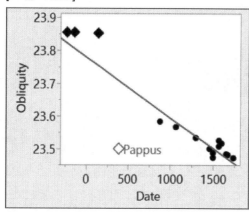

회귀 분석 자체에만 관심이 있을 경우 이 그래프에서 상대적으로 데이터의 개수가 적고 전체 데이터의 범위에서 벗어난 왼쪽 상단의 세 값 또는 하단의 Pappus 등을 이상치로 보고 이를 제거한 뒤 분석하기 십상인 데, 이상치는 함부로 제거해서는 안 된다. 예를 들어 Pappus 의 측정값에 어떤 문제가 있는 지 그 때 어떤 특별한 다른 일이 있었는 지 데이터만으로는

알 수 없다.

이상치가 많은 암시를 주는 경우가 종종 있으므로 이상치가 발생하면 면밀히 살펴보아야 한다. 역사적으로 볼 때도 라듐(Radium)의 발견이나 오존 홀(Ozone Hole)의 발견은 이상치 데이터의 탐색과 밀접한 관련이 있다고 알려져 있다. 이상치를 이상치(異常値, 이상한 값, 나올 수 없는 값)로 간주하지 말고 이상치(異常置, 다른 데이터와 위치가 다른 값)로 간주하여 그 원인을 면밀히 살펴보는 것이 필요하다.

4. 다중 회귀 분석

1) 다중 회귀 개요

앞에서 살펴본 것처럼 회귀 분석 중에서 하나의 X 인자와 하나의 Y 인자 간의 관련성을 파악하는 것을 단순 회귀 분석 또는 이변량(Bivariate) 회귀 분석이라 하고 X 인자가 두 개 이상인 회귀 분석을 다중(Multiple) 회귀 분석 또는 다변량(Multivariate) 회귀 분석이라 부른다.

단순 회귀를 다음과 같이 표현할 수 있음을 앞에서 학습하였다.
$$Y = b_0 + b_1 X + \varepsilon$$

다중 회귀는 X 인자의 수가 두 개 이상이라는 것만 다를 뿐 기본적으로 단순 회귀 모형과 동일하므로 다음과 같이 표현된다.
$$Y = b_0 + (b_1 X_1 + b_2 X_2 + \cdots + b_n X_n) + \varepsilon$$

샘플 데이터 '다중 회귀.jmp'는 X1, X2 두 인자가 Y 에 영향을 주는 지를 검정하기 위한 목적으로 수집된 총 31 개의 측정 데이터이다.

[그림 11.33]

	X1	X2	Y
1	8.63	170	60.055
2	9.22	178	49.874
3	10.07	185	45.313

🖱 **Analyze / Fit Model** 에서 **Y** 변수를 Y 로 선택하고, **X1** 및 **X2** 변수를 선택한 다음 'Construct **Model Effects**'에서 Add 를 클릭한다. **Personality** 에서 **Standard Least Square** 를 선택하고, **Emphasis** 에서 **Effect Leverage** 를 선택한 뒤, Run 을 클릭한다. [그림 11.34]는 실제 값과 회귀 모델에 의해 예측된 값을 표현한 산점도이다. 전체 변동에서 회귀 변동이 차지하는 비율을 나타내는 **Rsquare** 값이 0.76 이므로 상당히 설명력이 있는 회귀 모델이 도출되었다. 파란 선은 데이터의 평균이고 대각선 붉은 선(45 도 적합선)은 실제 값과 예측 값이 같은 경우를 나타낸다. 각 점에서 적합선까지의 수직 거리는 예측 값과 실제 값의 차이인 잔차이다. 이와 같은 방법으로 잔차를 비교하는 Plot 을 보통 **Leverage Plot** 이라 한다.

[그림 11.34]

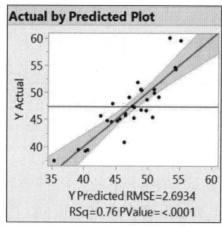

🖱 [그림 11.35]은 각 인자별 **Leverage Plo**t 이다. 각 인자의 회귀선의 신뢰 구간(붉은 음영 구간)이 Y 의 평균을 나타내는 수평선을 포함하고 있다면

242

평균으로부터 유의한 기울기를 가지지 못하는 것이고 수평선을 포함하고 있지 않다면 유의한 기울기는 가지고 있는 것이다. 즉 X1 인자는 Y에 대해 유의한 기울기는 가지지만 X2는 그렇지 못하다.

[그림 11.35]

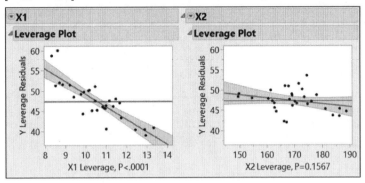

🖑 **ANOVA** 테이블을 보면 회귀 모델의 평균 제곱합(Mean Square)는 324이고, 잔차의 평균 제곱합은 7, 이 둘의 비율인 검정 통계량 F Ratio는 44.68이다. 지금은 회귀 모델에 대한 F 검정 통계량이 매우 커서 회귀 모델이 매우 유의하다고 할 수 있다.

Parameter Estimates(모수 추정치) 결과를 보면 각 회귀 모수의 값이 0 이라는 귀무 가설에 대한 검정 통계량인 t Ratio 및 실제 모수 값이 0 이라는 검정에 반대되는 양측 대립가설에 대한 PValue를 뜻하는 Prob > |t| 를 보았을 때 X1은 Y에 대해 유의한 인자이지만 X2는 유의하지 않다고 판단할 수 있다.

[그림 11.36]

Analysis of Variance

Source	DF	Sum of Squares	Mean Square	F Ratio
Model	2	648.26218	324.131	44.6815
Error	28	203.11936	7.254	Prob > F
C. Total	30	851.38154		<.0001*

Parameter Estimates

Term	Estimate	Std Error	t Ratio	Prob>|t|
Intercept	93.088766	8.248823	11.29	<.0001*
X1	-3.140188	0.373265	-8.41	<.0001*
X2	-0.073509	0.050514	-1.46	0.1567

☝ 회귀식은 **Parameter Estimates** 에서도 확인할 수 있지만 **▼Response Y /
Estimates / Show Prediction Expression** 에서도 확인할 수 있다.

[그림 11.37]

Prediction Expression

93.08876614 + -3.14018757 •X1 + -0.073509488 •X2

☝ 각 X 인자별 유의성을 판단한 후, 유의한 인자만을 가지고 회귀 모델을
만들기 위해서는 유의하지 않는 인자를 제거해야 한다. 제거하는 방법은
아래 **Effect Summary** 에서 유의하지 않는(PValue 가 큰) 순서대로 하나씩
제거해 나가면 된다. 유의하지 않는 인자를 선택 후 'Remove'를 클릭하면
Effect Summary 테이블에서 해당 인자가 제거되며 제거된 결과를
반영하여 분석 결과가 업데이트된다. **Effect Summary** 에 있는 푸른 선은
PValue 0.01(Log Worth 값으로는 2)를 나타낸다.

[그림 11.38]

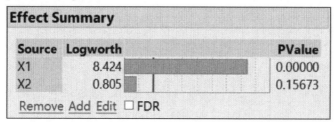

☝ 다중 회귀 분석에서는 X 인자 간의 강한 상관 관계(이를 다중 공선성-
Multicollinearity-라 한다)가 있으면 잘못된 분석 결과를 가져올 수 있는 데,
이를 위해서는 **VIF(Variance Inflation Factor, 분산 팽창 계수)** 값을
확인해야 하고, 이 값이 보통 5(또는 10)보다 크면 다중 공선성을 의심해
봐야 한다. 확인하는 방법은 분석 결과의 Parameter Estimates 에서 우측
마우스 클릭 Columns 에서 VIF 를 선택하면 된다. 지금의 경우는 변수가 두
개뿐이고 VIF 값도 1.1 정도여서 다중 공선성은 없다고 봐도 무방하겠다.
다중 공선성이 존재할 경우 X 인자에 대한 P 값이 과대추정되고 반응치 Y 에
대한 예측력이 떨어지므로 산점도, VIF 값 등을 통해 사전 확인을 해 보아야

한다. **Effect Test** 의   **η²(eta) Effect Size**, **ω²(omega) Effect Size** 는 JMP17 에 추가된 기능으로 **η² Effect Size** 는 개별 인자의 총변동을 전체 변동(제곱합)으로 나눈 값으로 개별 인자에 의해 설명되는 반응치 Y 변동의 비율을 뜻한다. **ω² Effect Size** 는 샘플 사이즈가 작을 때 η² Effect Size 값이 가질 수 있는 편향을 보정한 통계량이다.

[그림 11.39]

Parameter Estimates

Term	Estimate	Std Error	t Ratio	Prob>|t|
Intercept	93.088766	8.248823	11.29	<.0001*
X1	-3.140188	0.373265	-8.41	<.0001*
X2	-0.073509	0.050514	-1.46	0.1567

Effect Tests

Source	Nparm	DF	Sum of Squares	F Ratio	Prob > F	η² Effect Size	ω² Effect Size
X1	1	1	513.41745	70.7746	<.0001*	0.6030	0.5895
X2	1	1	15.36208	2.1177	0.1567	0.0180	0.0094

2) 다중 회귀 분석을 위한 JMP 의 옵션

다중 회귀 분석을 위한 **Analyze / Fit Model** 의 실행 윈도우에는 다양한 옵션이 있는 데 꼭 알아야 할 몇 가지를 살펴보자

⏷ Model Specification

이에 대한 옵션은 **Analyze / Fit Model** 에서 ▼Model Specification 아래에 있다.

1) **Center Polynomials(중심화 다항식)** : 중심화 다항식이란 다중 회귀에서 2 차 함수 이상의 곡률(Curvature) 효과를 추정할 경우 실제 값에서 평균값을 빼고 회귀식을 만드는 것을 말한다. 이렇게 하지 않으면 X 변수간의 관련성이 높을 때 추정치가 더 높은 분산을 갖게 하여 실제 효과가 누락될 가능성이 있기 때문이다. JMP 에서는 디폴트로 선택되어 있다.

2) **Informative Missing(결측치 정보화)** : 결측치를 결측으로 처리하지 않기 위한 옵션이다. 이를 선택하게 되면 범주형 변수의 경우 결측치를 별도의

범주로 인식하게 되고 연속형 변수의 경우 비결측값의 평균으로 대체된다.

3) **Set Alpha Level** : 유의 수준을 조정할 수 있는 옵션이다. 디폴트는 0.05(5%) 이다.

🖱 **Construct Model Effects** : 모델안에 어떤 효과(주효과, 교호 작용 등)를 포함할 것인지를 결정하는 옵션이다.

1) **Add**

좌측의 Select Columns 에 있는 효과를 추가(Add)하는 기능이다. 변수에 대해 사전에 변환 등을 하지 않았다면 Select Columns 에는 보통 원래의 변수만 있으므로 주효과만을 모델에 포함할 때 활용된다(데이터 테이블에서 변수에 대한 변환 등을 할 수도 있지만, Fit Model 의 실행 윈도우에서도 변수명에서 우측 마우스 클릭하여 변수 변환 등을 할 수 있고 사후적으로 그 변환 결과를 데이터 테이블에 반영할 수 있다).

2) **Cross**

특정한 교호작용을 모델에 반영할 때 활용된다. 예를 들어 Select Columns 에서 네 개의 변수를 선택하고 Cross 를 클릭하면 4 인자 교호작용이 모델에 반영된다

3) **Nest**

내포된(Nested) 효과를 반영할 때 활용된다. 만약 나이(age) 변수가 특정한 성별(sex)에서만 효과를 가진다면 나이 변수가 성별 변수에 내포되었다고 말할 수 있고 입력 방법은 두 변수를 모두 Construct Model Effects 에서 Add 한 다음 Construct Model Effects 에서 나이(age)을 선택하고, Select Columns 에서 성별(sex)을 선택한 뒤 Nest 를 클릭하면 된다. 이는 범주형 변수만이 고려될 수 있는 기능이다.

[그림 11.40]

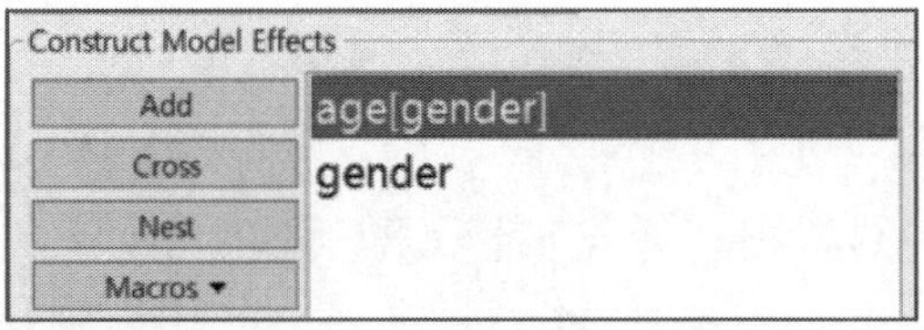

4) **Macros**

많이 사용되는 모델링 방법(효과 포함 방법)을 모아 놓은 것이다.

-**Full Factorial** : 주 효과와 모든 교호 작용을 모델에 포함한다.

-**Factorial to Degree** : 주 효과와 하단 Degree 의 숫자만큼의 교호 작용을 포함한다.

-**Factorial Sorted** : Full Factorial 과 동일하나 인자의 배열 순서가 다르다. 모든 주 효과가 먼저 배열되고, 그 다음 2 차의 교호 작용, 3 차의 교호 작용 순으로 배열된다.

-**Response Surface** : 주 효과, 2 차 교호 작용 및 2 차(quadratic) 곡률 효과를 포함한다

-**Mixture Response Surface** : 혼합물에 대한 Response Surface 모형이다.

-**Polynomial to Degree** : Degree 숫자만큼 고차의 효과를 모델에 반영한다. 예를 들어 네 개의 인자를 선택하고 Degree 의 숫자가 3 이라면 네 개의 인자에 대해 3 차 함수까지의 모형을 추정한다는 뜻이 된다

-그 외에도 **Scheffe Cubic, Partial Cubic** 및 **Grouped Regressor** 등의 옵션이 있다[21].

5) **Attributes** : 랜덤 효과(Random Effect) 등의 속성을 반영하는 옵션이다.

6) **Transform** : 선택된 Y 또는 Construct Model Effects 에 반영된 인자에 대해 변환을 할 수 있는 옵션이다.

⌐ **Fitting Personality** : 적절한 모델링 방법을 선택하는 옵션이다. 이 책에서는 최소 제곱법(Least Squares)과 단계별(Stepwise) 회귀에 대해서만 학습한다. **Analyze / Fit Model** 에서의 Personality 옵션은 [그림 11.41]과 같다[22].

---

[21] 이 중 Grouped Regressor 는 JMP Pro 에서만 가능한 기능으로 여러 개의 연속형 변수에 대해 단일 효과로 간주하여 분석하는 옵션이다.

[22] Generalized Regression, Mixed Model, Generalized Linear Mixed Model 및 Partial Least Squares 방법은 JMP Pro 에서만 활용 가능하다

[그림 11.41]

Personality Option	설명
Standard Least Square	최소 제곱법에 의한 모델 추정
Stepwise	단계적 회귀 분석을 통한 변수 선별
MANOVA	다변량 분산 분석
Loglinear Variance	평균과 분산을 반응 변수로 하여 모델 추정
Nominal Logistic	명목형 반응 변수에 대한 로지스틱 회귀 분석
Ordinal Logistic	서열형 반응 변수에 대한 로지스틱 회귀 분석
Proportional Hazard	신뢰성, 생존 분석을 위한 모델
Parametric Survival	신뢰성, 생존 분석에서의 모수적 수명 추정 방법
Generalized Linear Model	반응 변수가 정규성, 잔차의 등분산성 등을 만족하지 않을 때
Response Screening	반응 변수가 여러 개인 경우의 회귀 분석
Generalized Regression	Ridge, Lasso, Elastic Net 등의 Penalized Modeling
Mixed Model	복잡한 공분산을 가진 반응 변수에 대한 모델링
Generalized Linear Mixed Model	랜덤 효과가 있는 비가우시안 변수에 대한 모델링
Partial Least Squares	부분 최소 제곱법

3) 다중 회귀 사례

3-1) 기본적인 분석

'Custom RSM.jmp'를 가지고 최소 제곱법(Least Squares)을 활용하여 다중 회귀 분석을 해 보자. 여기서는 세 개의 X 인자가 반응치 Y 에 대한 2 차 함수형태의 곡률(Curvature) 효과를 포함하여 추정해 보고자 한다. 즉, 이 데이터를 가지고 Y 값에 영향을 주는 3 개 인자에 대하여 대해 **Personality** 는 **Standard Least Squares** 로 **Model Effects** 는 **Response Surface** 로 하여 3 개 인자들의 Y 에 대한 영향도를 파악하고 Y 를 최적화하는 X 인자들의 세부 조건을 확인하고자 한다[23].

---

[23] 이 예제는 Custom Design 기능을 이용하여 미리 실험 설계한 것으로 Model Specification 에 인자 및 Model Effect 등이 이미 선택되어 있으나, 선택되어 있지 않은 것으로 가정한다

∿ **Analyze / Fit Model** 에서 Y 변수를 Y 로 선택하고, 3 개 X 인자를 선택, **Construct Model Effects** 의 **Macros** 를 클릭 후 **Response Surface** 를 선택한다. 그런 다음 **Personality** 는 **Standard Least Square** 로 **Emphasis** 에서는 **Effect Screening** 을 선택한 후 Run 을 클릭한다.

∿ **Actual by Predicted Plot** 을 보았을 때 이 모델이 통계적으로 유의함을 알 수 있다. 이 그래프는 예측 값과 실제 값을 산점도를 이용하여 나타낸 그래프로 상세한 설명은 [그림 11.34] 부분을 참조하길 바란다.

[그림 11.42]

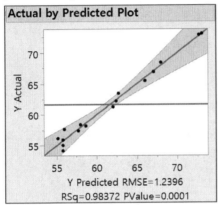

∿ **Effect Summary** 를 보면 유의하지 않는 변수들이 있으므로 이를 제거하여야 한다. 모델에서 제거하고자 할 경우에는 반드시 가장 유의하지 않는 효과부터 하나씩 제거해야 한다. [그림 11.43]은 유의하지 않는 인자를 제거한 후의 결과이다. X3 인자는 유의하지 않는 것으로 판정되었고 X1 및 X2 의 주효과(직선 효과)와 곡률 효과가 유의한 것으로 나타났다.

[그림 11.43]

Effect Summary

Source	LogWorth		PValue
X2	8.063		0.00000
X2*X2	5.419		0.00000
X1*X1	4.864		0.00001
X1	4.773		0.00002 ^

🖰 각 인자별 유의성 등에 대한 정보는 **Parameter Estimates** 및 **Effect Tests** 에서 보다 명확하게 확인할 수 있다.

[그림 11.44]

Parameter Estimates

Term	Estimate	Std Error	t Ratio	Prob>|t|	VIF
Intercept	55.721136	0.464696	119.91	<.0001*	.
X1	2.349	0.324918	7.23	<.0001*	1
X2	5.003	0.324918	15.40	<.0001*	1
X1*X1	4.4365909	0.59992	7.40	<.0001*	1.2784091
X2*X2	5.0765909	0.59992	8.46	<.0001*	1.2784091

Effect Tests

Source	Nparm	DF	Sum of Squares	F Ratio	Prob > F
X1	1	1	55.17801	52.2658	<.0001*
X2	1	1	250.30009	237.0895	<.0001*
X1*X1	1	1	57.73779	54.6905	<.0001*
X2*X2	1	1	75.59721	71.6073	<.0001*

🖰 ▼**Response Y / Save Columns / Prediction Formula** 를 클릭하면 예측 값이 데이터 테이블에 저장된다. Formula 가 저장되어 있으므로 모델에 포함된 X 인자에 대해 새로운 값을 입력하면 예측 값이 자동으로 계산되어 표시된다. 여기서는 유의하지 않는 X3 인자를 제거하였으므로 X1, X2 인자의 값만 입력하면 Y 에 대한 예측 값이 나타난다. 또한, 좌측 Column 패널에서 **Pred Formula Y** 우측의 아이콘을 클릭해서 Formula 를 확인 가능하다.

[그림 11.45]

15	0	0	0	54.17	55.721136364
16	0	1	0	65.46	65.800727273
17	1	0.7	•	•	68.496356818

🖰 Y 와 Pred Formula Y 변수를 가지고 산점도를 그린 것이 [그림 11.42]의 **Actual by Predicted Plot** 이다.

3-2) Profiler 를 이용한 최적화

☞ 현재의 조건에서 최적화를 확인하고자 한다면 **▼Prediction Profiler / Desirability Function** 및 **Maximize Desirability** 를 클릭하면 된다.

[그림 11.46]

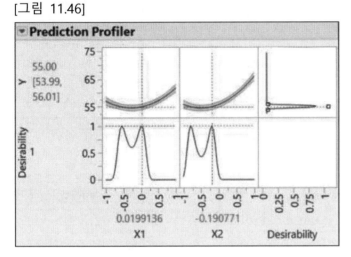

☞ 본 예제에서 Y 변수는 그 특성이 **Match Target** 으로 설정되어 있는 데, 만약 **Minimize** 로 변경하고자 하다면 Profiler 그래프의 맨 오른쪽 위에서 더블 클릭하거나 Ctrl 키를 누른 상태에서 클릭하면 아래와 같은 화면이 표시된다.

[그림 11.47]

Response Goal		✕
Minimize ˅		
Y	Values	Desirability
High:	56	0.066
Middle:	55	0.5
Low:	54	0.9819
Importance:	1	

⚘ **Minimize** 로 변경한 다음 앞의 과정을 다시 실행하면 된다.

[그림 11.48]

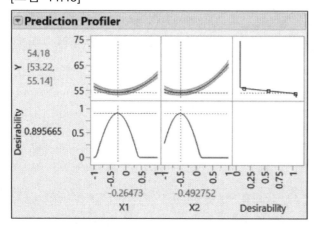

⚘ **Contour Profiler** 를 활용할 수도 있는 데 이를 위해서는 ▼**Response Y /**
Factor Profiling / Contour Profiler 를 선택한 다음 등고선의 간격을
조정하기 위해서 ▼**Contour Profiler / Contour Grid** 에서 **Increment** 를
조정하면(여기서는 2) 다음과 같은 **Contour Profiler** 가 생성된다.

[그림 11.49]

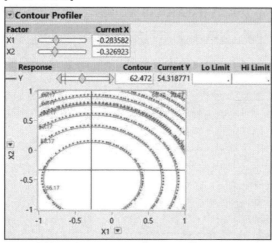

⚘ Profiler 기능을 활용하여 최적화를 할 때 하나의 최적점(Optimization
Point)이 있다고 생각하기 쉬우나 실제로는 최적점이 아니라 최적 구간

또는 최적 영역이다. **Contour Profiler** 를 활용하면 이러한 최적 구간, 최적 영역을 명확하게 파악할 수 있다. [그림 11.50]은 Y 값 54.9 ~ 55.1(흰 색 부분)을 **Contour Profiler** 로 표현한 것인 데 Y 값을 최적화하는 X 인자들의 값이 하나의 특정한 값이 아니라 구간, 영역임을 확인할 수 있다.

[그림 11.50]

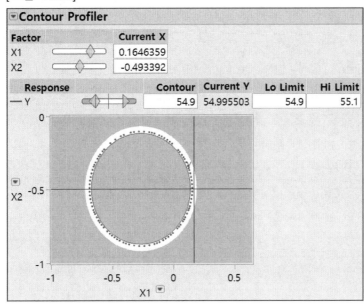

🖰 **Contour Profiler** 의 옵션 기능을 이용하여 X 인자 값의 변화에 따른 Y 값을 추정하기도 하지만 **Prediction Profiler** 와 링크(Link)하여 분석하기도 한다. 이를 위해서는 **Prediction Profiler** 또는 **Contour Profiler** 의 ▼ 하단에서 **Factor Settings / Link Profilers** 를 선택하면 된다. 그런 후 **Prediction Profiler** 의 붉은 점선 또는 **Contour   Profiler** 의 검은 선을 움직여 가면서 X 값의 변화에 따른   Y 값의 변화를 확인해 볼 수 있다. 또는 **Factor Settings / Animation** 기능을 활용하여 보다 동적으로 살펴볼 수도 있다.

3-3) 몬테 카를로 시뮬레이션

JMP 의 Profiler 기능에는 **몬테 카를로 시뮬레이션(Monte Carlo Simulation)** 기능이 내장되어 있는 데 이 기능을 활용하면 모델에 포함된 인자의 산포를 감안하여 결과를 추정할 수 있다. 만약 [그림 11.46]의 결과에서 Y 의 Spec 이 54 ~ 56 이고, X1 과 X2 가 설정된 최적 조건에서 각각 표준편차 0.1 과 0.2 만큼의 산포를 가지는 상황에서 Y 값을 추정해 보고자 한다면 **▼Prediction Profiler / Simulator** 클릭, 변수 명의 하단에서 Random 선택 후 X1 및 X2 인자에 대해 표준편차에 0.1 및 0.2 입력한 뒤 하단 **▼Simulator / Spec Limit** 에서 Spec 입력 후 Save 를 클릭한다. 그런 다음 Profiler Graph 오른쪽 하단에서 Simulate 버튼을 클릭하면 아래와 같이 Y 값에 대해 그 결과를 추정할 수 있다. 아래는 Simulate 버튼 하단의 Defect 가 있는 부분 위에서 우측 마우스 클릭, **Columns / PPM** 을 선택하여 PPM 을 추가한 결과이다. X 인자들의 평균 및 표준편차를 변경해 가면서 Y 값을 추정해 볼 수 있다.
[그림 11.51]

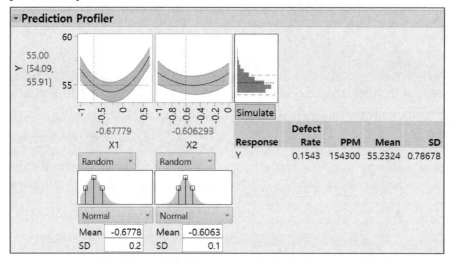

 ▼Simulator 아래의 **Simulate to Table** 의 **Make Table** 을 이용하여 시뮬레이션 데이터를 생성하여 추가적인 분석을 할 수도 있다.

[그림 11.52]

▼Untitled 8		X1	X2	Y	Obj	Y In Spec
▶ Distribution	1	0.2032922...	-0.512262...	55.151337...	0.91245902...	1
▶ Scatterplot Matrix X	2	0.5544286...	-0.455974...	57.161505...	7.6510506e...	0
▶ Plot X Filter Y	3	-0.018976...	-0.528583...	54.452057...	0.30090390...	1
	4	0.1964764...	-0.516761...	55.124232...	0.94013197...	1
▼Columns (5/0)	5	0.0853589...	-0.524571...	54.726491...	0.74139022...	1

3-4) Design Space Profiler

Design Space Profiler 기능은 JMP17 버전부터 새롭게 추가된 기능으로 반응치에 대한 Spec 을 설정하는 데 활용되는 기능으로 반응치의 In-spec Rate 에 대한 X 인자들의 Limit 를 탐색할 수 있다. 이를 위해 X 인자의 값 범위(factor space) 내에서 데이터를 시뮬레이션한다.

☞ ▼Prediction Profiler / Design Space Profiler 를 클릭한다. 그래프에서 파란 선은 X 인자의 Lower limit 가 변할 때의 반응치 Y 의 **inSpec Portion** 이고 붉은 선은 X 인자의 Upper limit 가 변할 때 반응치 Y 의 **inSpec Portion** 을 나타낸다. Profiler 화면의 붉은 또는 푸른 점선을 옮기거나 하단의 값을 변경하거나 또는 오른쪽 Factor 화면에서 limit 값을 조정하여 시뮬레이션할 수 있다. 또한 하단의 Move inward(tighten), Move outward(loosen)을 클릭하여도 된다.

[그림 11.53]

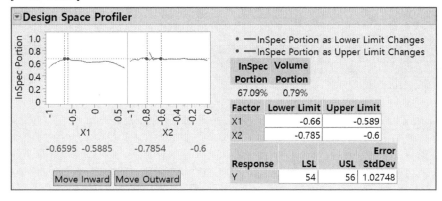

🖰 ▼Design Space Profiler / Send Midpoints to Profiler 는 Design space profiler 에서 설정한 space 의 중간 값을 Prediction profiler 에 반영하는 기능이고 ▼Design Space Profiler / Send Limits to Simulator 는 연속 요인 및 지정된 분포에 대한 현재 Limit 를 Simulator 로 보내는 기능이다. 2 Sigma, 3 Sigma 에 Limit 가 있는 정규 분포, 정규 가중(Normal weighted) 또는 Uniform 분포를 선택할 수 있다. 만약 'Normal with Limits at 3 Sigma'를 선택하였다면 Design Space Profiler 에서 설정한 인자의 범위를 6 으로 나눈 값(+/-3 Sigma)이 Prediction Profiler 의 SD 값으로 반영된다.

🖰 Prediction Profiler 의 Simulator 부분을 보면 Design Space Profiler 에서의 Error StdDev 값이 Simulator 의 Random Noise 값으로 보내졌음을 알 수 있다. 이 값은 해당 반응치에 대해 Random Noise 를 표현하는 표준 편차로 활용된다.

[그림 11.54]

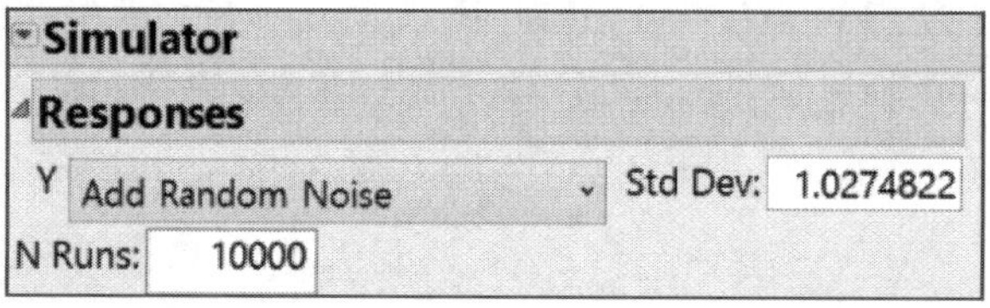

🖰 ▼Design Space Profiler / Make and Connect Random Table 에서 시뮬레이션 회수, Random Noise 포함여부 등을 결정하면

[그림 11.55]

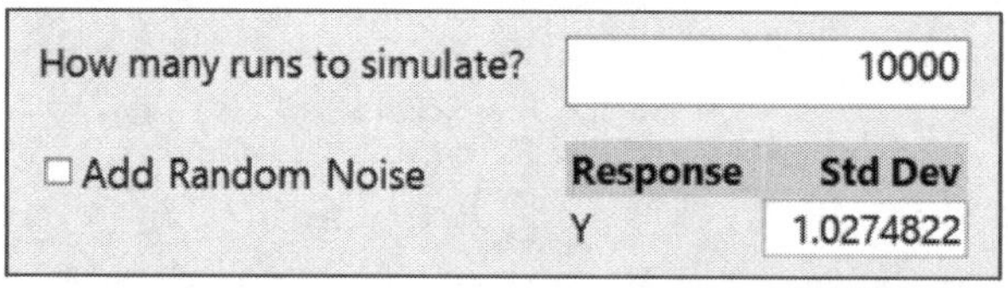

🖰 몇 가지 디폴트된 변수와 분석결과가 포함된 시뮬레이션 테이블을 생성할 수 있다.

[그림 11.56]

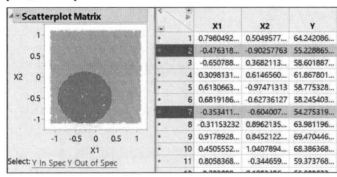

Untitled 9		X1	X2	Y	Desirability	Dominant	Y In Spec
▸ Scatterplot Matrix X				74.7	1	1	
▸ Plot X Filter Y							
	1	0.7980492...	0.5049577...	64.242086...	4.13931e-1...	0	0
Columns (6/0)	2	-0.476318...	-0.90257763	55.228865...	0.8109756...	0	1
	3	-0.650788...	0.3682113...	58.601887...	2.901099e-...	0	0
	4	0.3098131...	0.6146560...	61.867801...	1.156285e-...	0	0

☞ **Scatterplot Matrix Y** 는 반응치의 Spec in-out 여부에 따라 구분하여 볼 수 있는 X 인자들의 산점도이다.

[그림 11.57]

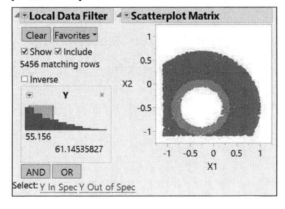

☞ **Plot X Filter Y** 는 Y값에 대해 Local Data Filter 을 적용한 X 인자들에 대한 산점도이다.

[그림 11.58]

5. 단계별 회귀(Stepwise Regression)

1) 단계별 회귀 개념

예측 변수(X 인자)의 수가 너무 많지 않을 때[24] 변수 선별을 위하여 자주 사용되는 기능 중의 하나가 단계별 회귀(Stepwise Regression)이다.

단계별 회귀(Stepwise Regression)는 회귀 모델을 구축하기 위해서 한꺼번에 모든 인자를 선택하는 것이 아니라 단계적으로 접근하기 때문에 붙여진 이름이다.

(JMP 옵션 기준으로) 단계별 회귀(Stepwise Regression)는 Stopping Rule, Direction 기준, Validation 방법 등에 따라 매우 다양한 모델을 구성할 수 있는 데 예제를 통해 살펴보도록 하자.

2) 단계별 회귀 예제

'stepwise2.jmp' 데이터는 연속형 반응치 Y 와 모두 연속형인 9 개의 예측 변수가 있다.

[그림 11.59]

	Y	Age	BMI	BP	Total Cholesterol	LDL	HDL	TCH	LTG	Glucose
1	151	59	32.1	101	157	93.2	38	4	4.85...	87
2	75	48	21.6	87	183	103.2	70	3	3.89...	69
3	141	72	30.5	93	156	93.6	41	4	4.67...	85

🖱 Stepwise Regression 을 실행하기 위해서는 **Analyze / Fit Model** 에 들어가서 아래와 같이 Y 선택, 예측 변수 선택 후 **Construct Model Effects** 에서 추정하고자 하는 효과 선택 및 **Personality** 에 **Stepwise** 를 선택해야 한다. 지금의 경우는 반응치 Y 에 대한 각 예측 변수들의 2 차항의 곡률(Curvature) 효과를 추정하기 위하여 **Construct Model Effects** 에서 **Macros** 선택, **Response Surface** 를 선택하였다.

---

[24] 변수의 개수가 5~20 개 정도일 때 많이 활용된다.

[그림 11.60]

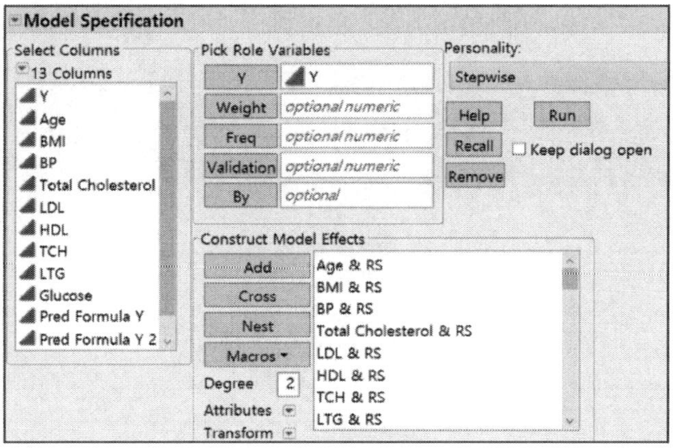

⏰ **Run** 을 클릭하면 다음과 같은 윈도우가 디스플레이된다.

[그림 11.61]

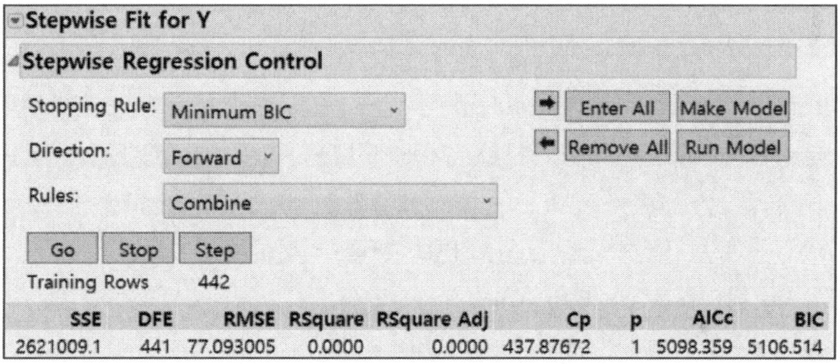

1) **Stopping Rule** : 주요 변수를 추가 또는 제거하기 위한 기준이다.

일반적으로 아래 세 가지 방법(P-value, Minimum AICc, BIC)[25]을 사용한다.

[그림 11.62]

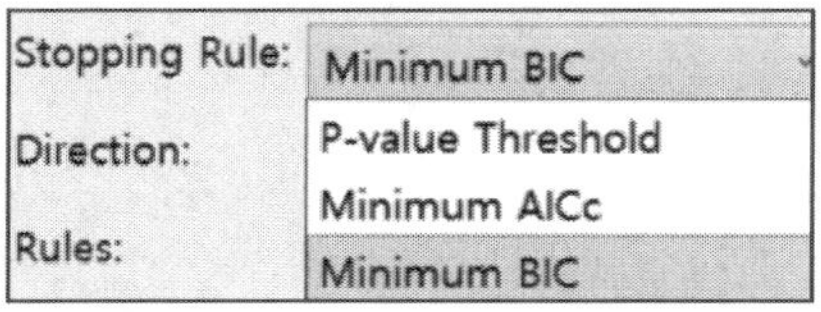

---

[25] JMP Pro 사용자라면 k-Fold Rsquare 등 추가적인 기능을 활용할 수 있다

-**P-value Threshold** : P value 와 유의수준(α)를 활용하여 변수를 추가/제거하는 방법이다. 만약 아래와 같이 입력했다면 P Value 값 최대 0.25 기준(선택하는 유의 확률)으로 Forward 방법(전진 선택법)에서 모델에 포함시키고, P Value 값 최소 0.1 기준(제거하는 유의 확률)으로 Backward 방법(후진 제거법)에서 모델에서 제거하겠다는 뜻이 된다.

[그림 11-63]

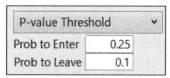

-**Minimum AICc** : AICc 값이 가장 작아질 때까지 변수를 추가 또는 제거한다.

-**Minimum BIC** : BIC 값이 가장 작아질 때까지 변수를 추가 또는 제거하는 옵션이다.

2) **Direction** : Stepwise Regression 에서 변수를 추가, 제거하는 방법이다. Stepwise 는 앞에서 설명한 것처럼 회귀 모델을 구축하기 위해서 한꺼번에 모든 인자를 선택하는 것이 아니라 단계적으로 접근하기 때문에 붙여진 이름이다. 세부적으로 **Forward(전진 선택)**, **Backward(후방 제거)** 및 **Mixed(혼합법)**의 세 가지 방법이 있다.

예를 들어 A, B, C, D 네 개의 인자가 있다고 가정하면

-**Forward** 는 A → A+B → A+B+C 의 순서처럼 영향이 큰 인자 순으로 하나씩 추가하는 방법이고,

-**Backward** 는 A+B+C+D → A+B+C → A+B 의 순서처럼 처음에 모든 인자를 선택한 다음 영향이 작은 인자부터 하나씩 제거하는 방법이다.

-반면에 **Mixed** 방법은 A → A+B → A+B+C → B+C 처럼 Forward 와 Backward 가 혼합된 방법이다. **Prob to Enter** 를 충족하는 가장 유의한 항을 포함하고 **Prob to Leave** 을 충족하는 가장 유의하지 않는 항을 제거하는 방법이다.

-**Direction** 이 **Mixed** 일 경우에는 **Stopping Rule** 로 **P-Value Threshold** 만

가능한 반면 **Forward** 또는 **Backward** 일 경우는 3 가지 모두 가능하다.-

3) **Rule** : 범주형 변수 또는 Related Terms(교호 작용 등), 즉 변수들 간에 Hierarchy(예 : A, B 는 A*B 의 상위 항)가 있을 경우 이들 변수를 모델에 반영하는 규칙이다.

4) **(Mallows) Cp**
Stepwise 방법을 사용하면 최소 제곱법(Standard Least Squares)과 달리 Cp 라는 통계량이 추가적으로 표시되는 데 계산 공식은 아래와 같다. 여기서 p 는 intercept(절편)를 포함한 매개 변수의 개수를 말하는 데 모델링 후 Mallows Cp 값이 p 값보다 작거나 p 값과 거의 유사할 때가 좋은 모델이라 판단한다.

$$C_p = SSE_p / MSE_{full} - (n-2p)$$

5) [그림 11.61]의 Go 버튼은 선택한 Stopping Rule 기준으로 최적 단계까지 바로 진행하는 기능이고 Step 버튼은 변수 추가 또는 제거를 한 단계씩, Stop 은 그 단계를 중단하는 버튼이다

☞ 예시적으로 Stopping Rule 은 Minimum BIC, Direction 은 Forward, Rule 은 Combine 으로 선택하고 Go 버튼을 클릭해 보자.
[그림 11.64]

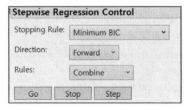

☞ 하단의 **Step history** 에서 Cp, AICc, BIC 등의 통계량을 종합적으로 고려했을 때 Step 6 까지 모델에 포함하는 게 적절해 보인다. Step History 제일 하단에 Best 한 결과로 표시되어 있다.

[그림 11.65]

Step History

Step	Parameter	Action	"Sig Prob"	Seq SS	RSquare	Cp	p	AICc	BIC	
1	BMI	Entered	0.0000	901427.3	0.3439	137.95	2	4914.09	4926.31	○
2	LTG	Entered	0.0000	302887.8	0.4595	38.505	3	4830.49	4846.76	○
3	BP	Entered	0.0000	53985.32	0.4801	22.424	4	4815.36	4835.68	○
4	Total Cholesterol	Entered	0.0015	31277.29	0.4920	13.948	5	4807.16	4831.51	○
5	(BMI-26.3758)*(BP-94.647)	Entered	0.0074	21756.48	0.5003	8.6605	6	4801.94	4830.32	○
6	LDL	Entered	0.0049	23599.46	0.5093	2.7561	7	4795.98	4828.37	○
7	(Glucose-91.2602)*(Glucose-91.2602)	Entered	0.0315	20381.07	0.5171	-0.07	9	4793.09	4833.5	○
8	(Age-48.5181)*(BP-94.647)	Entered	0.0649	15960.36	0.5232	-1.416	11	4791.7	4840.07	○
9	(Age-48.5181)*(Age-48.5181)	Entered	0.1483	6066.514	0.5255	-1.448	12	4791.67	4844.01	○
10	(BP-94.647)*(Glucose-91.2602)	Entered	0.1881	5018.144	0.5274	-1.129	13	4792.02	4848.31	○
11	(Age-48.5181)*(LTG-4.64141)	Entered	0.3192	2871.198	0.5285	-0.09	14	4793.14	4853.38	○
12	(Age-48.5181)*(LDL-115.439)	Entered	0.1970	4813.663	0.5303	0.2973	15	4793.57	4857.75	○
13	HDL	Entered	0.2927	3199.22	0.5316	1.2258	16	4794.58	4862.69	○
14	(LTG-4.64141)*(LTG-4.64141)	Entered	0.0265	14162.14	0.5370	-1.518	17	4791.62	4863.65	○
15	(BMI-26.3758)*(BMI-26.3758)	Entered	0.3103	2946.274	0.5381	-0.504	18	4792.73	4868.67	○
16	(BMI-26.3758)*(LTG-4.64141)	Entered	0.3346	2665.146	0.5391	0.6029	19	4793.95	4873.78	○
17	Best	Specific			0.5093	2.7561	7	4795.98	4828.37	◉

✎ **Current Estimates** 에서 선택된(Entered) 모수들을 확인해 보면 (선택되지 않는 모수들보다) SS(Sum of Square), F Ratio 값이 크고 P Value 가 작다.

[그림 11.66]

Current Estimates

Lock	Entered	Parameter	Estimate	nDF	SS	"F Ratio"	"Prob>F"
☑	☑	Intercept	-325.33695	1	0	0.000	1
☐	☐	Age	0	1	36.61499	0.012	0.91154
☐	☑	BMI	5.91514218	2	245917.6	41.589	3e-17
☐	☑	BP	0.86395952	2	86087.84	14.559	7.58e-7
☐	☑	Total Cholesterol	-0.7780344	1	41275.69	13.961	0.00021
☐	☑	LDL	0.61474606	1	23599.46	7.982	0.00494
☐	☐	HDL	0	1	139.559	0.047	0.82829
☐	☐	TCH	0	1	551.1631	0.186	0.66642
☐	☑	LTG	67.4067793	1	264000.6	89.295	2.1e-19
☐	☐	Glucose	0	1	1953.426	0.660	0.41693
☐	☐	(Age-48.5181)*(Age-48.5181)	0	2	13007.52	2.212	0.11071
☐	☐	(Age-48.5181)*(BMI-26.3758)	0	2	1769.123	0.298	0.74229
☐	☐	(BMI-26.3758)*(BMI-26.3758)	0	1	4226.243	1.431	0.23227
☐	☐	(Age-48.5181)*(BP-94.647)	0	2	18254.29	3.117	0.04528
☐	☑	(BMI-26.3758)*(BP-94.647)	0.12493685	1	27275.01	9.225	0.00253

✎ ▼**Stepwise Fit ~ / Plot Criterion History** 를 클릭하면 시각적으로 보다 명확하게 확인할 수 있다.

[그림 11.67]

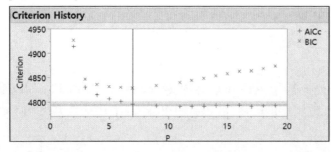

☝ 상단 오른쪽의 **Make Model** 클릭 후 Run 을 실행한다(또는 **Run Model** 을 바로 클릭해도 같은 결과이다)

[그림 11.68]

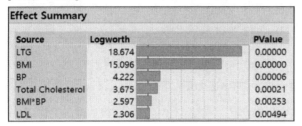

☝ [그림 11.69]는 ▼**Response Y / Factor Profiling / Profiler** 를 이용하여 모델링 결과를 살펴보는 내용이다.

[그림 11.69]

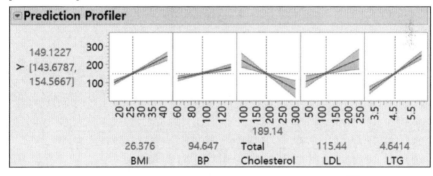

3) 단계별 회귀 결과의 비교

Stepwise 방법은 매우 다양하게 Option 을 변경해 가면서 분석할 수 있다. 예를 들어 위의 앞의 예시 외 Sopping Rule 과 Direction 을 변경해 가면서 그 결과를 비교해 보는 것이 좋다.

☝ 예시적으로 아래 두 가지 경우를 더 실행해 보자.

-**Minimum AICc, Backward** 방법의 경우

[그림 11.70]

SSE	DFE	RMSE	RSquare	RSquare Adj	Cp	p	AICc	BIC
1213603.2	425	53.437223	0.5370	0.5195	-1.517646	17	4791.624	4863.65

-P Value Threshold, Mixed 방법의 경우

[그림 11.71]

SSE	DFE	RMSE	RSquare	RSquare Adj	Cp	p	AICc	BIC
1238649.4	429	53.733552	0.5274	0.5142	-1.128703	13	4792.02	4848.314

☞ [그림 11.61] 및 위의 두 가지 방법을 모두 실행하였다면 그 결과에서
▼Response Y / Save Columns / Prediction Formula 기능을 통하여 예측
Formula 를 데이터 테이블에 저장한 다음, **Graph / Profiler** 기능을 통해
예측 값을 비교해 볼 수 있다.

[그림 11.72]

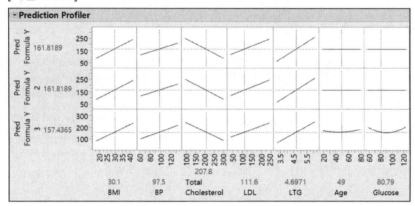

☞ JMP Pro 사용자라면 **Model Comparison** 기능을 통하여 각 모델의 예측
신뢰도를 비교, 평가해 볼 수도 있다.

만약, 그 결과가 아래와 같다면 RSquare 값이 가장 크고 RASE 값이 가장
작은 맨 마지막 방법이 가장 좋은 방법이라 할 수 있겠다.

[그림 11.73]

Measures of Fit for Y

Predictor	Creator	.2 .6	RSquare	RASE	AAE	Freq
Pred Formula Y	Fit Least Squares		0.5093	53.941	43.998	442
Pred Formula Y 2	Fit Least Squares		0.5093	53.941	43.998	442
Pred Formula Y 3	Fit Least Squares		0.5274	52.937	43.106	442

12 장. 범주형 반응치에 대한 유의차 검정

개요
12 장에서는 반응치가 범주형(명목형 또는 서열형)인 경우에 대한 두 가지 유의차 검정에 대해 살펴본다.
1) 두 범주형 변수간의 관계를 분석하는 분할 분석
2) X 인자가 연속형, 반응치 Y 가 범주형일 때 활용되는 로지스틱 회귀 분석

1. 분할 분석

분할 분석(Contingency Analysis)는 빈도(frequency) 데이터를 가지고 두 범주형 변수 사이의 관계를 검정하는 방법이다.
분할 분석의 대표적인 방법은 카이 스퀘어(Chi-Square) 검정인 데 이 방법은 X, Y 변수가 모두 범주형인 경우에 분할표(Contingency Table)을 만들어 두 변수의 독립성(Independence) 및 동질성(Homogeneity)을 검정하는 방법이다. 카이 스퀘어 검정의 기본적인 개념에 대해 먼저 살펴보자.

1) 피어슨 카이 스퀘어(Chi-Square) 검정

가장 많이 활용되는 피어슨 카이 스퀘어 검정은 특정한 범주에서 관측한 도수(빈도)들이 그 범주에서 우연히 발생할 수 있는 도수와 비교한다는 것으로 관측값과 기대값의 차이를 계산하여 그 차이값의 크기로 유의성을 판별한다. 피어슨 카이 스퀘어는 다음과 같이 계산한다.

$$\chi^2 = \Sigma \frac{\left(\text{관측값} - \text{기대값}\right)^2}{\text{기대값}}$$

수학에 대한 선호도가 대학 진학의 문/이과 선택에 영향을 주는 지를 검정하기 위해 아래와 같은 데이터가 수집되었다고 가정하자.

[그림 12.1]

수학	대학교		
	문과(A)	이과(T)	합계
좋아함(G)	30	50	80
싫어함(N)	77	43	120
합계	107	93	200

먼저 각 범주의 기대값을 구해보자.

기대값은 (행의 합계 * 열의 합계) / 총데이터 수로 구한다.

-기대값(G, A) = (80 * 107) / 200 = 42.8

-기대값(N, A) = (120 * 107) / 200 = 62.2

-기대값(G, T) = (80 * 93) / 200 = 37.2

-기대값(N, T) = (120 * 93) / 200 = 55.8

그 다음에는 각 범주의 카이 스퀘어 값을 구한다.

예를 들어 'G,A' 범주의 카이 스퀘어 값은 $(30 - 42.8)^2$ / 42.8 = 3.828 이고, 나머지 세 범주의 카이 스퀘어 값은 각각 2.552, 4.404, 2.936 으로 모두 합한 피어슨 카이 스퀘어 값은 13.721 이다.

자유도는 각 변수의 범주 수에서 1 을 뺀 값을 곱한 것으로 여기서는 두 변수 모두 두 개의 범주를 가지고 있으므로 자유도는 (2-1)*(2-1) = 1 이다.

이렇게 구한 카이 스퀘어 값과 임계치를 비교하기 위하여 JMP 의 **Distribution Calculator** 기능(**Help / Sample Index**)을 활용하여 계산해 보면 카이 스퀘어 값 13.721 의 PValue 가 0.0002 이므로 수학 선호도가 대학 진학의 문/이과 선택에 영향을 준다고 판정할 수 있다.

[그림 12.2]

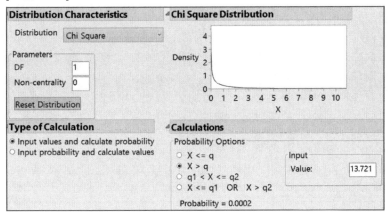

2) 피셔의 정확도 검정

카이 스퀘어 검정은 데이터의 개수가 작을 때는 유의성 판정의 결과가 부정확하다는 단점이 있다. 보통 각 Cell(범주)의 값이 5 이하일 때(더 정확히 말하면 전체 Cell 개수의 20% 이상이 5 이하의 기대 값을 가질 경우) 검정 결과가 타당하지 않을 수 있기 때문에, 이럴 때는 피셔의 정확도 검정(Fisher's Exact Test)이 권고된다. 그래서 흔히 실무에서는 데이터 크기가 작을 경우에는 카이 스퀘어 검정을 사용하지 말고 피셔의 정확도 검정을 사용해야 한다고 말하기도 하는 데 보다 정확히 말하면 아래와 같다.

-최소 하나 이상의 Cell 의 값이 5 보다 작으면, PValue 를 계산하는 데이터의 개수가 작기 때문에 피셔의 정확도 검정을 사용하는 게 바람직하다

-모든 Cell 의 값이 5 이상이나, 적어도 하나 이상의 Cell 의 값이 30 보다 작은 경우에도 피셔의 정확도 검정이 선호된다.

3) 가능도비
위의 두 가지 방법 외에도 분할 분석에는 가능도비(Likelihood Ratio)를 활용할 수 있다.

가능도비 또한 관측값과 비교값을 비교하여 계산하는 데, 계산 공식은 다음과 같다. ln 은 자연 로그이다.

$$L\chi^2 = 2\Sigma \, ln(\frac{관측값}{기대값})$$

자유도 계산 및 카이 스퀘어 분포를 이용한 검정 등은 피어슨 카이 스퀘어와 동일하다.

분할 분석의 세 가지 방법을 비교해 보면

1) 모든 Cell 의 값이 30 이상이면, 방법 간의 차이는 거의 없고, 어떤 방법을 사용해도 큰 상관은 없으나

2) 가능도비 방법이 피어슨 카이 스퀘어 방법보다 신뢰성이 높고, 피셔의 정확도 검정이 가능도비 방법보다 선호된다.

3) 다만 피셔의 정확도 검정은 계산 과정이 복잡하고 계산 시간이 많이 걸려서 2*2 또는 3*3 테이블 등 범주의 조합이 작은 경우에 주로 활용된다.

JMP 활용을 위해서는 데이터가 아래와 같은 형태로 정리되어 있어야 한다.

[그림 12.3]

	수학	대학	빈도
1	좋아함(G)	문과(A)	30
2	좋아함(G)	이과(T)	50
3	싫어함(N)	문과(A)	77
4	싫어함(N)	이과(T)	43

🖰 **Analyze / Fit Y by X** 에서 **대학**을 Y 로, **수학**을 X, **빈도**를 **Freq** 로 선택한다. 상단에 **Mosaic Plot** 이 표시되고,

[그림 12.4]

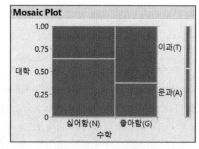

🖐 하단에는 앞에서 살펴본 분할 분석에 대한 세 가지 검정 방법의 결과가 출력된다.

[그림 12.5]

Tests

N	DF	-LogLike	RSquare (U)
200	1	6.9195894	0.0501

Test	ChiSquare	Prob>ChiSq
Likelihood Ratio	13.839	0.0002*
Pearson	13.721	0.0002*

Fisher's

Exact Test	Prob	Alternative Hypothesis
Left	0.9999	Prob(대학=이과(T)) is greater for 수학=싫어함(N) than 좋아함(G)
Right	0.0002*	Prob(대학=이과(T)) is greater for 수학=좋아함(G) than 싫어함(N)
2-Tail	0.0003*	Prob(대학=이과(T)) is different across 수학

🖐 중간 부분에는 분할표(Contingency Table)이 있다. 아래는 ▼ **Contingency Table / Cell Chi Square** 를 추가한 결과이다.

[그림 12.6]

▼Contingency Table

		대학		
	Count Total % Col % Row % Cell Chi^2	문과(A)	이과(T)	Total
수학		38.50 71.96 64.17 2.5520	21.50 46.24 35.83 2.9362	60.00
	좋아함(G)	30 15.00 28.04 37.50 3.8280	50 25.00 53.76 62.50 4.4043	80 40.00
	Total	107 53.50	93 46.50	200

4) 분할 분석 사례

⍅ 'Car Poll.jmp'를 가지고 국가(country)와 차량 유형(type)과의 관련성을
파악하고자 한다면 **Analyze / Fit Y by X** 에서 **type** 을 Y 로, **country** 를 X 로
선택한다. Mosaic Plot 을 보면 국가별로 선호하는 차량 유형이 차이가 많이
남을 알 수 있으며 특히 Sporty Type 의 차량은 다른 두 Type 의 차량보다
European 들에게 인기가 더 많음을 알 수 있다.

[그림 12.7]

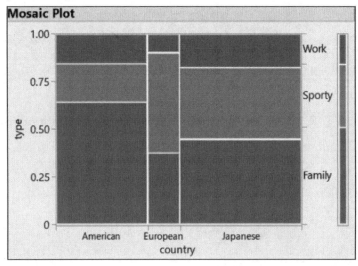

⍅ Tests 결과를 보면 두 가지 Chi-square test 값이 디폴트로 표시되어 있다.
P-values 가 0.05 보다 작으므로 국가에 따라 구입하는 차량의 종류에 유의한
차이가 있다고 결론을 내릴 수 있다.

[그림 12.8]

Tests

N	DF	-LogLike	RSquare (U)
303	4	9.7778852	0.0322

Test	ChiSquare	Prob>ChiSq
Likelihood Ratio	19.556	0.0006*
Pearson	19.305	0.0007*

⊕ 만약 여기서 검정하고자 하는 두 변수가 결과(response, Y) 변수라면 이 Chi-Square Test 는 독립성에 대한 검정이 되고, 하나의 변수가 Y 변수이고 다른 변수가 X 변수라면 동질성에 대한 검정으로 해석해야 한다.

⊕ **Contingency Table** 을 살펴보면 요약된 결과가 표현되는 데, Contingency Table 의 ▼를 클릭하여 표시되는 통계량을 추가 또는 변경할 수 있다.

[그림 12.9]

		type			
	Count Total % Col % Row %	Family	Sporty	Work	Total
country	American	74 24.42 47.74 64.35	23 7.59 23.00 20.00	18 5.94 37.50 15.65	115 37.95
	European	15 4.95 9.68 37.50	21 6.93 21.00 52.50	4 1.32 8.33 10.00	40 13.20
	Japanese	66 21.78 42.58 44.59	56 18.48 56.00 37.84	26 8.58 54.17 17.57	148 48.84
	Total	155 51.16	100 33.00	48 15.84	303

Contingency Table

✔	Count
✔	Total %
✔	Col %
✔	Row %
	Expected
	Deviation
	Cell Chi Square
	Col Cum
	Col Cum %
	Row Cum
	Row Cum %

⊕ 피셔의 정확도 검정을 살펴보고자 한다면 ▼**Contingency Analysis ~ / Exact Test / Fisher's Exact Test** 를 선택하면 된다.

[그림 12.10]

Fisher's Exact Test	Table Probability (P)	Two-Sided Prob ≤ P
	2.931e-8	0.0006*

2. 로지스틱 회귀 분석

로지스틱 회귀 분석은 X 인자가 연속형이고 반응치 Y 가 범주형 범일 때 Event(사건) 발생 확률을 예측하는 데 활용되는 방법이다. 예를 들어 X 인자가 온도와 같은 연속형 변수이고 반응치 Y 가 불량 여부일 경우 온도 변화에 따라 불량률이 달라지는 지를 분석하는 경우가 전형적인 로지스틱 회귀 분석 사례이다. 로지스틱 회귀 분석은 반응치 Y 가 '0' 또는 '1'이 될 확률을 설명할 수 있는 수학적 모델을 도출할 수 있으며 Odds Ratio(승산비)라는 통계적 개념을 활용할 수 있다.

1) 단순 로지스틱 회귀

🖑 'Binary_Logistic.jmp' 데이터는 X(Temp) 값의 변화에 따라 Y 값이 양품 및 불량으로 판정되는 데이터이다. 그래프를 그려보면 X(Temp)가 증가함에 따라 불량이 증가하는 듯 보이지만 명확하게 판정되지는 않는다

[그림 12.11]

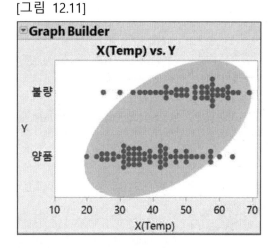

🖑 이럴 경우 연속형 변수인 X(Temp)를 **Custom Binning** 기능을 통해 범주화한 새로운 변수를 만들고 그 변수를 가지고 **Mosaic Plot** 등의 그래프를 그려보면 변수 간의 관계를 보다 명확하게 알 수 있다.

X(Temp)에서 우측 마우스 클릭, **New Formula Column / Distributional / Custom Binning** 에서 다양한 방법으로 X(Temp)를 범주화할 수 있다. Y 축은 각각 양품과 불량의 비율이므로 X(Temp) 값이 커질수록 불량이 증가하는 경향을 있음을 알 수 있다.

[그림 12.12]

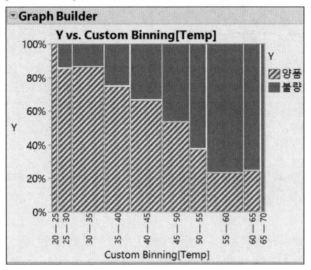

🖑 로지스틱 회귀(Logistic Regression)는 X 인자가 하나일 **경우에는 Analyze / Fit Y by X**(단순 로지스틱 회귀), 여러 개일 경우에는 **Analyze / Fit Model**(다중 로지스틱 회귀)을 활용하면 된다. 여기서는 X 인자가 하나이므로 **Analyze / Fit Y by X** 에서 X(Temp)를 X 로, Y 를 Y 로 선택한다. **Target Level** 은 어느 것을 선택하더라도 결과 해석하는 데는 크게 지장이 없지만 중요하게 활용되는 개념인 **Odds Ratio(승산비)**가 상대적 가능성(실패 확률 대비 성공 확률의 상대적 비율)을 나타내므로 분모에 들어가는 '불량'을 선택하는 것이 분석 결과를 이해하는 데 좀 더 편리하다. [그림 12.13]의 그래프를 보면 [그림 12.12] **Mosaic Plot** 에서 확인한 것처럼 X(Temp) 값이 커질수록 불량이 증가하는 경향이 있음을 알 수 있다. 도구 모음의 Crosshair 기능을 이용하여 보면 X(Temp)이 값이 최소값일 때는 불량일 확률이 3%~4% 수준이지만 최대값일 때는 92%가 넘는다는 것을

확인할 수 있다. 이 그래프의 점의 가로 위치는 연속형 변수인 X 인자의
값에 의해 결정되지만, 세로 위치는 범주형 반응치의 값에 해당하는 곡선
사이에 오도록 무작위로 타점된다.

{그림 12.13}

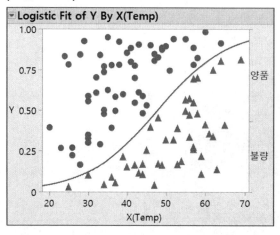

⚓ [그림 12.14]는 Whole Model Test 의 결과이다.

1) **-loglikelihood** : 관측된 확률의 음의 자연 로그 합, -로그 가능도, 표본
내의 변동을 의미(불확도)한다.

2) **Full** : 절편 및 모든 효과 포함된 값으로 모형 적합 후에 계산된 음의
로그 가능도, 적합 프로세스에서는 선형 모형과 로지스틱 반응 함수로 반응
비율을 예측하며 이 값은 적합 프로세스에 의해 최소화된다.

3) **Reduced** : 절편만 포함된 값으로 고정된 기준 비율에 의해 확률이
추정될 경우에 대한 음의 로그 가능도이며 이는 모형에 효과가 없는
경우의 기준 불확도를 나타낸다.

4) **ChiSquare** = 'Difference(Reduced-Full) * 2' 로 계산된다.

5) **PValue(Prob > ChiSq)** : 카이 스퀘어 검정에서의 유의 확률이다.

6) **Rsquare(U)** : 높을 수록 모형 적합의 적절성을 나타내며 'Difference 의
로그 가능도 / Reduced 의 로그 가능도'로 계산된다.

여기서는 PValue(Prob > ChiSq)가 매우 작으므로 X(Temp)가 Y 에 유의한
변수라고 할 수 있다.

[그림 12.14]

Whole Model Test

Model	-LogLikelihood	DF	ChiSquare	Prob>ChiSq
Difference	14.654945	1	29.30989	<.0001*
Full	53.676546			
Reduced	68.331491			
RSquare (U)	0.2145			
AICc	111.477			
BIC	116.563			
Observations (or Sum Wgts)	100			

승산비(Odds Ratio)의 개념은 상대적 가능성(실패 확률 대비 성공 확률의 상대적 비율)입니다. 좀 더 정확히 말하면 해당 사건이 발생할 확률을 그 사건이 발생하지 않을 확률로 나눈 값이다.

이 개념은 스포츠 경기에서 많이 활용되는 데 예를 들어 월드컵 경기에서 브라질의 우승 확률이 50%, 우리 나라의 우승 확률이 10% 라면 브라질의 승산비가 우리 나라보다 9 배 정도 더 큰 것으로 계산된다.

1) 브라질 승산비 = 우승 확률/우승 못할 확률 = 0.5 / (1-0.5) = 1

2) 우리 나라 승산비 = 우승 확률/우승 못할 확률 = 0.1 / (1-0.1) = 0.11

☞ 여기서 승산비를 구하기 위해서는 **▼Logistic Fit ~ / Odds Ratios** 를 클릭하면 회귀 계수의 유의성을 나타내는 **Parameter Estimates** 에 그 결과가 추가된다.

[그림 12.15]

Parameter Estimates

Term	Estimate	Std Error	ChiSquare	Prob>ChiSq	Unit Odds Ratio	Odds Ratio
Intercept	-5.309453	1.1336546	21.94	<.0001*	.	.
X(Temp)	0.11092114	0.0240598	21.25	<.0001*	1.11730679	229.323948

For log odds of 불량/양품

[그림 12.15]에서의 내용을 설명하면 다음과 같다.

1) **Estimate(coefficient)** : X 변수 단위 증가에 대한 Log(odds)의 변화량이다.

Temp(0.1109)의 의미는 Temp 가 1 증가할 때 비율(불량/양품)의 Logit 값이 0.1109 만큼 증가함을 의미한다.

2) **Std Error** : 구간 추정을 위한 신뢰 구간을 의미한다.

3) **ChiSquare** : 각 모수가 0 이라는 귀무 가설에 대한 Wald 검정값이다. Wald ChiSquare 은 (Estimate / Std Error)^2 로 계산된다.

4) **Prob > ChiSq(PValue)** : ChiSquare 에 대한 유의성 검정 결과이다.

5) **Odds Ratio** : 나머지 변수를 그대로 둔 채(X 인자가 여러 개일 경우) 해당 X 변수를 한 단위 증가시켰을 때 변화하는 Odds 의 비율이다.

-**Unit Odds Ratio(1.117)** : X 인자가 1 증가할 때 (불량/양품)의 Odds Ratio 가 1.1173 배 증가한다는 뜻이다.

-**Odds Ratio(229.3)** : X 인자 값의 범위내(최소값~최대값)에서 Odds Ratio 가 약 229 배 증가한다는 뜻이다. 지금은 X 인자의 범위(20-69)가 49 이므로 이 값은 (1.1174)^{49} 으로 계산된 값이다. 분석 결과에서 우측 마우스 클릭, **Columns / Range** 를 선택하면 X 인자의 범위가 표시된다.

🖰 ▼**Logistic Fit ~ / Inverse Prediction** 에서 확인하고 싶은 확률 값을 입력하면 그 값이 나올 수 있는 X 인자의 값을 추정해 볼 수 있다[26].

[그림 12.16]

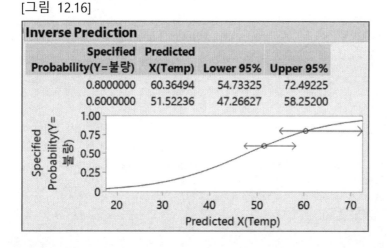

---

[26] 이 기능은 반응치가 명목형 2 수준일 때만 가능하다.

276

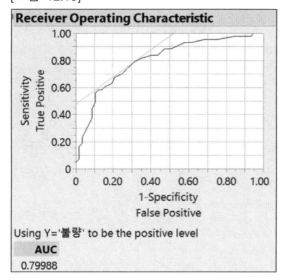

🖰 ▼**Logistic Fit ~ / Save Probability Formula** 를 클릭하면 요인 변수의 선형 결합인 Logit 값, Y 변수의 반응 수준 확률에 대한 예측 계산식 및 분류 반응에 대한 예측 계산식이 데이터 테이블에 저장된다.

[그림 12.17]

	X(Temp)	Y	Lin[불량]	Prob[불량]	Prob[양품]	Most Likely Y
	69	양품/불량	2.34	0.91	0.96	양품/불량
	20		-3.09	0.043	0.088	
1	20	양품	-3.09103032	0.0434787655	0.9565212345	양품
2	23	양품	-2.758266914	0.0596214603	0.9403785397	양품
3	24	양품	-2.647345779	0.0661527896	0.9338472104	양품

🖰 ▼**Logistic Fit ~ / ROC Curve** 를 클릭하여 ROC Curve 를 확인할 수 있다. ROC 곡선은 예측확률을 기준으로 데이터를 내림차순으로 정렬한 후 민감도와 특이도를 계산하여 도식화한 것이다. ROC 곡선의 아래 부분의 면적인 **AUC(Area Under the Curve)** 값이 1 에 가까울수록 예측 성능이 좋다고 말할 수 있다. [그림 12.18]은 ROC Curve 이고 [그림 12.19]는 이러한 Curve 가 나온 계산 결과를 정리한 ROC Table 이다.

[그림 12.18]

[그림 12.19]

ROC Table								
X	Prob	1-Specificity	Sensitivity	Sens-(1-Spec)	True Pos	True Neg	False Pos	False Neg
.	.	0.0000	0.0000	0.0000	0	57	0	43
69.00000	0.9125	0.0000	0.0233	0.0233	1	57	0	42
65.00000	0.8699	0.0000	0.0465	0.0465	2	57	0	41
64.00000	0.8569	0.0175	0.0698	0.0522	3	56	1	40
63.00000	0.8427	0.0175	0.0930	0.0755	4	56	1	39

🖱 ▼**Logistic Fit ~ / Lift Curve** 를 클릭하여 Lift Curve 를 확인할 수 있다. Lift 값은 예측 확률을 기준으로 내림차순 정렬을 한 후 K 개의 각 구간 내에서 예측 값을 활용하여 전체 빈도 대비 목적 범주의 빈도 비율(A)를 모두 계산한다. 그리고 모든 구간 전체의 예측 값에서 목적 범주의 비율 (B)를 계산한다. 이 때 각 구간에서 Lift(향상도)는 A/B 이다[27].

[그림 12.20]

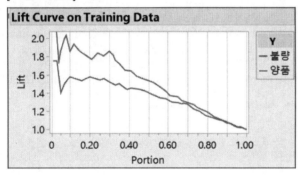

지금까지 살펴본 내용을 재정리해보자. 로지스틱 회귀 분석은 (지금의 예시처럼 Binary Response 라면) 동전 던지기와 같은 베르누이 실험의 경우처럼 발생 확률 간의 비율을 로그 변환한 것이다. 위의 예시 기준으로는 π 는 양품이 발행할 확률이고 (1 - π)는 불량이 발생할 확률이다.

$$\text{logit}(\pi(x)) = \log\left(\frac{\pi(x)}{1 - \pi(x)}\right) = \beta_0 + \beta_1 x$$

---

[27] ROC Curve 와 Lift Curve 에 대한 보다 상세한 사항은 '15 장, 예측 모델링(머신 러닝)' 부분을 참조하기 바란다.

$$\pi(x) = \frac{e^{\beta_0 + \beta_1 x}}{1 + e^{\beta_0 + \beta_1 x}} = \frac{1}{1 + e^{-(\beta_0 + \beta_1 x)}}$$

여기서 비율을 확률적으로 모형화하면 아래와 같다. 이론적으로 X 인자는 -무한대에서 +무한대까지의 값을 가지며 Y 는 비율이므로 0 부터 1 까지의 값을 가질 수 있다. 이 함수는 위의 JMP 결과에서 보듯 S Curve 형태이므로 Sigmoid 함수 또는 로지스틱 함수라고 부른다.

$$Y(\pi) = \frac{e^{-(\beta^{0} + \beta^{1*X})}}{1 + e^{-(\beta^{0} + \beta^{1*X})}}$$

이를 (1 - π) 로 변환하면 아래와 같은 데, 여기서 X 인자의 유의성을 나타내는 β1 을 해석하기가 쉽지 않아서 승산(Odds) 개념이 도입되었다.

$$\frac{\pi}{1 - \pi} = e^{-(\beta^{0} + \beta^{1*X})}$$

승산비의 개념은 상대적 가능성이므로 다음과 같이 표시됩니다.

$$\frac{\pi}{1 - \pi} = e^{-(\beta^{0} + \beta^{1*X})}$$

승산비를 로그 변환하면 아래와 같다. 이렇게 되면 결과가 (-) 무한대에서 (+) 무한대의 값을 가지므로 선형회귀처럼 분석 가능하게 된다. 즉, 로지스틱 회귀분석은 Logit 형태로 변환된 Y 값과 선형 회귀식의 관계를 최대우도법 (Maximum Likelihood Estimate)으로 추정한 것이라 볼 수 있다.

$$\log(odds) = \beta0 + \beta1 * X$$

2) 다중 로지스틱 회귀

X 인자가 여러 개인 다중 로지스틱 회귀는 **Analyze / Fit Model** 에서 실행할 수 있다. 'ingots.jmp' 데이터에서 두 개의 범주를 가진 **ready** 변수를 Y 로, **heat** 및 **soak** 변수를 X 인자로 하여 분석해 보자.

🖰 **ready** 변수를 Y로(**ready**를 **Target Level**로 설정), **count**를 **Freq**에, **heat** 및 **soak** 변수 선택 후 Add 버턴을 클릭하여 X 인자로 추가한다. **Personality**는 **Nominal Logistic**이 자동으로 선택된다. **Effect Summary**와 **Whole Model Test** 결과를 보면 전체 모델은 유의하지만 soak 변수는 유의하지 않음을 알 수 있다.

[그림 12.21]

Effect Summary

Source	Logworth		PValue
heat	3.052		0.00089
soak	0.063		0.86491

Remove Add Edit ☐FDR

Whole Model Test

Model	-LogLikelihood	DF	ChiSquare	Prob>ChiSq
Difference	5.821410	2	11.64282	0.0030*
Full	47.672807			
Reduced	53.494217			

RSquare (U)	0.1088
AICc	101.408
BIC	113.221
Observations (or Sum Wgts)	387

🖰 [그림 12.22]은 ▼**Nominal Logistic~ / Odds Ratio**를 클릭한 결과이다. 단위 승산 비율(Unit Odds Ratios)과 X 인자의 전체 범위와 관련된 범위 승산 비율(Range Odds Ratios)이 표시된다.

[그림 12.22]

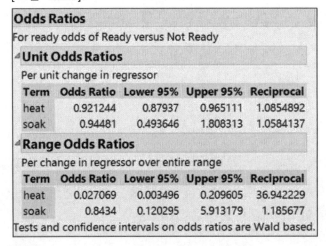

Odds Ratios

For ready odds of Ready versus Not Ready

Unit Odds Ratios

Per unit change in regressor

Term	Odds Ratio	Lower 95%	Upper 95%	Reciprocal
heat	0.921244	0.87937	0.965111	1.0854892
soak	0.94481	0.493646	1.808313	1.0584137

Range Odds Ratios

Per change in regressor over entire range

Term	Odds Ratio	Lower 95%	Upper 95%	Reciprocal
heat	0.027069	0.003496	0.209605	36.942229
soak	0.8434	0.120295	5.913179	1.185677

Tests and confidence intervals on odds ratios are Wald based.

🖑 **Fit Details** 를 열어서 오분류율(Misclassification) 등을 확인할 수 있으며,.

[그림 12.23]

Fit Details		
Measure	**Training Definition**	
Entropy RSquare	0.1088	1-Loglike(model)/Loglike(0)
Generalized RSquare	0.1227	$(1-(L(0)/L(model))^{\wedge}(2/n))/(1-L(0)^{\wedge}(2/n))$
Mean -Log p	0.1232	$\sum$ -Log(ρ[j])/n
RASE	0.1697	$\sqrt{\ } \sum(y[j]-\rho[j])^2/n$
Mean Abs Dev	0.0572	$\sum$ |y[j]-ρ[j]|/n
Misclassification Rate	0.0310	$\sum$ (ρ[j]≠ρMax)/n
N	387	n

🖑 **▼Nominal Logistic~ / Profiler** 를 선택하여 Profiler 기능을 활용하여 **heat** 및 **soak** 변수 값의 변화에 따른 **ready** 변수의 두 범주에 대한 예측 확률을 확인할 수 있다.

[그림 12.24]

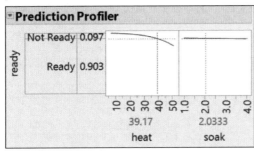

13 장. 비모수적 방법

개요

우리가 일반적으로 사용하는 유의차 검정을 비롯한 대부분의 통계적 분석 방법을 모수적(Parametric) 방법이라 한다. 여기서 모수적 방법이란 특정한 분포의 모수(Parameter)를 전제한 방법이라는 뜻이다. 예를 들어 특정한 데이터가 정규 분포를 따르고 평균이 10, 표준편차가 1 이라는 전제하에 분석을 할 경우를 모수적 방법이라 한다.

반면, 특정한 분포를 가정하지 못하거나 어떠한 분포인지를 사전에 알고 있지 못할 경우에는 비모수적(Nonparametric) 방법으로 분석하여야 한다.

이번 장에서는
1) 모수적 가정에 대한 확인 및 처리 방법
2) 모수적 가정이 충족되지 않을 경우의 이상치 처리와 데이터 변환 방법
3) 비모수적 검정(Nonparametric Test) 및
4) 로버스트 검정(Robust Test) 방법에 대해 살펴보기로 한다.

1. 모수적 가정에 대한 확인 및 처리 방법

데이터 분석에 있어서 전제되는 모수적 가정은 보통 다음의 세 가지이다.

1) 분포의 정규성

다른 특정한 분포를 전제하지 않을 경우 모수적 방법에는 정규 분포를 전제한다. 분포의 정규성을 확인하는 대표적인 방법은 다음의 세 가지이다.
-Histogram, Q-Q Plot(Normal Quantile Plot) 등의 그래프로 확인하는 방법
-왜도(Skewness), Kurtosis(첨도) 등의 통계량으로 확인하는 방법

-Shapiro-Wilk Test, A-D(Anderson Darling) Test 등 정규성 검정(Normality Test)을 통해 확인하는 방법

[그림 13.1]은 **Analyze / Distribution** 기능을 활용하여 Histogram 과 Q-Q Plot (Normal Quantile Plot)을 표현한 것이다. 분포의 정규성을 확인하는 세부적인 내용에 대해서는 '6 장. 유의차 검정(가설 검정)' 부분을 참고하길 바란다.

[그림 13.1]

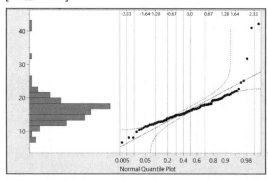

2) 분산의 동질성

분산의 동질성(Homogeneity)이란 비교 대상이 되는 데이터 간의 분산(산포)의 동질성 여부를 가정할 수 있느냐 하는 것이다. 분산의 동질성 여부를 확인하는 방법은 보통 다음의 두 가지이다.

-Boxplot 등의 그래프를 이용하여 시각적으로 확인하는 방법

-Levene's Test, Bartlett Test 등의 분산의 동절성에 대한 검정, 이 부분에 대한 상세한 내용은 '8 장. 두 모집단에 대한 비교'를 참조하길 바란다.

[그림 13.2]

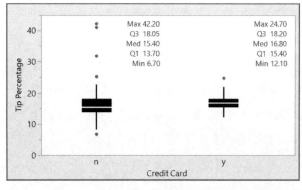

3) 변수간 독립성

변수간 독립성이란 분석 대상이 되는 변수들 간에 상호 의존성이 있는 가 하는 것이다. 분석 상황에 따라 데이터의 독립성이 전제되어야 할 경우도 있고 때로는 독립성의 정도를 파악하기도 한다. 변수간 독립성을 파악하고자 할 때에는 아래와 같은 방법들이 많이 활용된다.

-산점도(Scatter Plot) 등의 그래프로 확인하는 방법

-상관 계수를 활용한 상관 분석

-분산 팽창 요인(VIF : Variance Inflation Factor) 확인

[그림 13.3 : 산점도(Scatter Plot)]

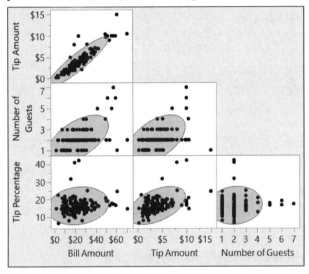

보다 상세한 것은 '10 장. 상관 분석' 및 '11 장. 회귀 분석' 편을 참조하길 바란다.

2. 이상치(Outlier) 처리와 데이터 변환(Transformation)

모수적 가정이 충족되지 않는 흔한 상황 중의 하나는 이상치가 존재하는 경우이다. 이상치는 데이터 수집 및 입력 과정의 에러, 측정 시스템의 정밀도 문제, 과다한 산포 및 이상 원인의 영향 등 매우 다양한 사유로 발생할 수

있다. 이상치가 있을 경우에는 산포의 과대 추정, 인자별 유의성에 대한 잘못된 판단 등의 오류가 발행할 가능성이 매우 높다. 이상치에 대한 확인 및 처리 방법과 데이터 변환 방법에 대해 살펴보기로 하자.

1) 이상치에 대한 확인

이상치에 대한 확인 방법을 'Probe.jmp' 데이터를 활용하여 살펴보자. 그래프를 통해 이상치의 존재 여부에 대한 시각적인 인식을 먼저 하게 되는데 이 때 많이 활용하는 JMP 기능은 아래 네 가지이다.

● **Analyze / Distribution**
● **Graph / Graph Builder**에서 **Boxplot**
● **Analyze / Multivariate Methods > Multivariate** 또는
  Graph / Scatterplot Matrix
● **Cook's Distance(쿡스의 거리)**

☝ **Analyze / Distribution**의 결과에서 Histogram의 모습 및 Histogram 상단의 Box Plot을 통해 이상치 존재 여부를 인식할 수 있다.

[그림 13.4]

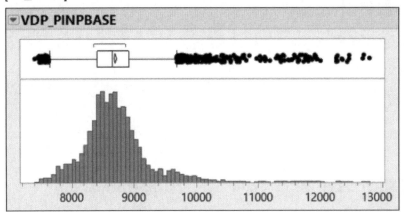

☝ **Graph / Graph Builder**에서도 Boxplot을 통해 이상치 데이터를 인식할 수 있다.

[그림 13.5]

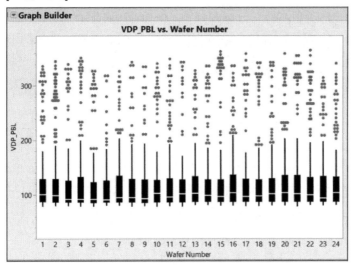

⌃ **Analyze / Multivariate Methods / Multivariate** 또는 **Graph / Scatterplot Matrix**를 활용하면 [그림 13.6]에서 마름모로 표시된 데이터처럼 변수 간의 관련성을 고려하여 이상치를 파악할 수 있다.

[그림 13.6]

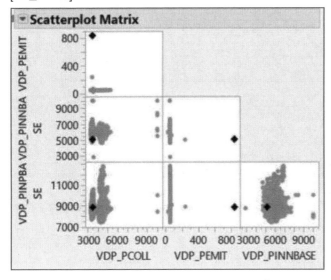

이번에는 다른 데이터('Cook's Distance.jmp')를 활용하여 **Cook's Distance (쿡스의 거리)**에 대해 알아보자.

Cook's D는 회귀 분석에서 개별 데이터의 영향도를 확인하는 방법중의 하나로 데이터를 하나씩 제외하면서 회귀 분석 결과가 얼마나 달라지는지를 확인하는 방법이다. 큰 데이터일 때 이 방법을 많이 사용하며 보통 이 값이 (4 / Data 개수) 보다 크면 이상치로 취급한다.

🖱 JMP에서 **Cook's D**를 구하기 위해서는 다중 회귀 분석을 위한 **Analyze / Fit Model**을 실행한 다음 ▼ **Response Y / Save Columns / Cook's D Influence**를 클릭하면 **Cook's D** 값이 Data Table에 저장된다.

지금의 경우 반응치 Y 및 A, B, C 세 인자에 대해 위한 Analyze / Fit Model을 실행한 후 아래 그래프를 보면 신뢰 구간(주황색 부분)을 벗어나는 데이터가 일부 있으므로 이상치가 존재할 가능성이 있어 보인다.

[그림 13.7]

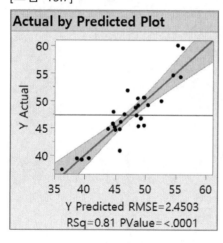

🖱 **Cook's Distance**를 데이터 테이블에 저장한 다음 데이터를 확인해 보자. 이 데이터의 개수는 31 개이므로 (4 / 31) = 0.129 보다 크면 이상치로 볼 수 있을 것이다.

이상치로 추정되는 데이터는 **Analyze / Distribution**([그림 13.8]) 또는 **Graph Builder** 기능([그림 13.9])을 활용하면 보다 명확하게 확인할 수 있다.

[그림 13.8]

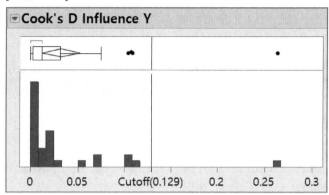

[그림 13.9]

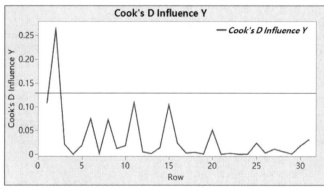

참고로 Cook's Distance는 아래와 같이 계산된다.

$$D_i = \frac{\sum_{j=1}^{n}\left(\hat{Y}_j - \hat{Y}_i\right)^2}{p \times MSE}$$

-D_i : i 번째 관찰값에 대한 Cook's Distance

-$\hat{Y}_j$: 모든 data를 가지고 fitting했을 때 j 번째 관찰값의 예측값

-$\hat{Y}_i$: Fitting에서 i 번째 관찰값을 제외했을 때의 j 번째 예측값

-p : 모델의 효과(terms) 수, intercept 포함

-MSE : ANOVA에서 구해진 Mean Squared Error

2) 이상치에 대한 처리

이번에는 이상치가 있을 경우 처리하는 방법에 대해 알아보자.

☞ **Analyze / Screening / Explore Outliers**에 들어가서 VDP_PBL부터 VDP_PINPBASE까지 다섯 개 변수를 Y로 선택 후 OK를 클릭하면 Outlier 파악, 처리를 위한 네 가지 방법이 표시된다.

이 중 개별 변수 각각에 대해 이상치 파악(단변량 이상치 분석)을 할 경우에는 **Quantile Range Outliers** 방법이 가장 많이 활용된다. **Quantile Range Outliers** 방법은 분포에 대한 특별한 가정을 필요로 하지 않으나 **Robust Fit Outlier** 방법은 정규 분포 가정을 필요로 한다.

Robust PCA Outliers와 **K Nearest Neighbor Outliers** 방법은 변수 간의 관련성을 고려하는 다변량 이상치 분석 방법이다.

여기에서는 **Quantile Range Outliers**를 활용한 방법에 대해서만 살펴보기로 한다.

[그림 13.10]

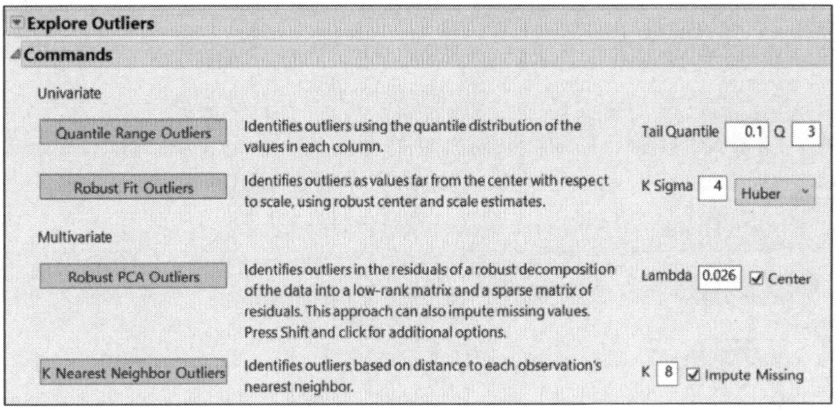

☞ **Tail Quantile** 0.1 및 **Q** 3을 그대로 둔 상태에서 **Quantile Range Outliers**를 클릭하면 [그림 13.11]과 같은 결과가 나타난다.

[그림 13.11]은 Outliers by Column 탭의 결과이다. Outliers by Cell 탭은 Outlier가 발생한 Cell을, Outliers by Row 탭은 Outlier가 발생한 Row를 나타내고 있고 Nines 탭은 9999 숫자로 표현된 Outlier를 나타내고 있다.

[그림 13.11]의 내용을 보면 각 변수별로 10% 및 90% Quantile 값과 Low 및 High Threshold 값, Threshold를 벗어난 Outlier의 개수가 표시되어 있다.

[그림 13.11]

Outliers by Column | Outliers by Cell | Outliers by Row | Nines

☑ Show only columns with outliers

Select columns and choose an action.

Identify Outliers in Table

Select Rows | Color Cells
Exclude Rows | Color Rows

Clear Outliers in Table

Add to Missing Value Codes | Formula Columns
Change to Missing | Formula Script

Column	10% Quantile	90% Quantile	Low Threshold	High Threshold	Number of Outliers	Outliers (Count)
VDP_PCOLL	3417.13	4554.66	4.53906	7967.25	10	9999(10)
VDP_PEMIT	50.0061	51.6467	45.0843	56.5685	4	25.0529 68.931702 236.172 832.25598
VDP_PINNBASE	5309.99	6449.04	1892.84	9866.19	15	9999(15)

☞ 5개의 변수 중 3개 변수에 이상치가 있음을 알 수 있다. 분석 결과에서 이상치 처리를 할 변수를 선택한 다음 **Select columns and choose an action**에서 **Exclude Rows**를 선택하면 해당 Row가 제거되고 **Color Cells**, **Color Rows**를 선택하면 이상치가 테이블에서 색깔로 구분되어진다. **Change to Missing**은 이상치를 결측치로 바꾸는 기능이다.

[그림 13.12]

	VDP_PBL	VDP_PCOLL	VDP_PEMIT	VDP_PINNBASE	VDP_PINPBASE
2907	114.405998	3500.96997	832.255981	5115.10986	8861.19043
2908	123.524002	3589.34009	68.9317017	5615.1499	9074.2002
2909	122.455002	3521.36011	52.3174019	5228.41016	8720.7002
2910	124.502998	3462.44995	51.6104012	5831.18994	9137.65039
2911	99.2145004	3448.8501	50.6859016	6621.25	8777.34961
2912	91.9633026	3514.57007	50.6949997	5802.47998	8613.07031
2913	94.6100006	3571.21997	50.2327003	6426.37988	8794.34961
2914	97.0391998	3469.25	51.2388	5757.14014	8556.41992
2915	96.6222	3480.58008	50.7855988	6669.58984	8829.46973
2916	•	9999	•	9999	9999
2917	•	9999	•	9999	9999
2918	•	9999	•	9999	9999

앞에서 선택한 **Quantile Range Outliers**에 대해 부연 설명하면 다음과 같다.

[그림 13.13]

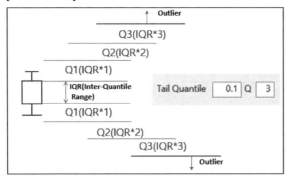

Inter-Quantile Range(IQR)는 중앙값(Median) 기준 상위 00 %, 하위 00 % 값이라는 뜻이다. JMP 에서는 **Tail Quantile** 에 0.1, **Q** 에 3을 디폴트로 사용하고 있는 데 **Tail Quantile 0.1** 의 의미는 IQR 값이 0.1 ~ 0.9(1-0.1) 까지라는 뜻(상하위 10%를 제외한 데이터)이며 **Q 3** 의 의미는 IQR 값의 3 배보다 더 크거나 작은 값을 이상치로 판단하겠다는 뜻이 된다. 예를 들어 Tail Quantile 에 0.1, Q 에 3 을 입력하여 VDP_M1 변수에 대해 이상치를 확인하면 [그림 13.14]와 같은 결과가 디스플레이된다.

[그림 13.14]

Column	10% Quantile	90% Quantile	Low Threshold	High Threshold	Number of Outliers	Outliers (Count)
VDP_M1	0.0261	0.02701	0.02339	0.02973	5	-0.021663 0.0099704 0.0722401 0.0734184 0.56088

이를 **Analyze / Distribution** 실행 결과인 **Quantiles** 와 비교하여 살펴보면 아래와 같다.

[그림 13.15]

Quantiles		
100.0%	maximum	0.56088001
99.5%		0.0274639
97.5%		0.027192
90.0%		0.0270107
75.0%	quartile	0.0268294
50.0%	median	0.0265575
25.0%	quartile	0.0262856
10.0%		0.0261043
2.5%		0.025923
0.5%		0.0250166
0.0%	minimum	-0.021663

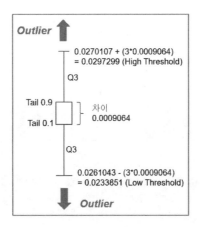

참고로 Tail Quantile 에 0.25, Q 에 1.5 를 입력하면 가장 일반적인 Boxplot 의 형태가 된다. [그림 13.16]이 그 결과인 데 이렇게 설정할 경우 **Inter-Quantile Range(IQR)**의 범위가 좁아져서 이상치가 매우 증가함을 알 수 있다. 이상치를 확인할 경우 Tail Quantile 및 Q 값의 설정에 유념해야 함을 알 수 있다.

[그림 13.16]

Column	25% Quantile	75% Quantile	Low Threshold	High Threshold	Number of Outliers	Outliers (Count)
VDP_M1	0.02629	0.02683	0.02547	0.02765	72	-0.021663 0.0099704 0.0242009(2) 0.0242915

3) 데이터의 변환(Transformation)

데이터가 정규 분포하지 않거나(왼쪽 또는 오른쪽으로 기울어져 있거나), 이상치가 존재할 경우 실무에서는 데이터 변환 방법을 사용하기도 한다. 보통은 원래의 데이터 값보다 크기를 줄이기 위해서 로그 변환, 역수로의 변환, 제곱근으로 변환 방법 등이 활용된다.

[그림 13.17]은 DELL_RPNBR 변수에 대해 표준화, 로그 변환, 역수 변환, 제곱근 변환 등을 한 후 **Analyze / Screening / Explorer Outliers** 에서 동일한 방법으로 이상치를 확인한 결과이다. 이상치의 개수의 줄어든 경우도 있고, 그러하지 않는 경우도 있다.

[그림 13.17]

Column	10% Quantile	90% Quantile	Low Threshold	High Threshold	Number of Outliers
DELL_RPNBR	0.06588	0.35711	-0.8078	1.23079	11
Standardize[DELL_RPNBR]	-0.923	0.84031	-6.2128	6.13011	11
Log[DELL_RPNBR]	-2.4971	-1.0249	-6.9136	3.39163	0
1/DELL_RPNBR	2.63	11.9158	-25.227	39.7732	224
Square Root[DELL_RPNBR]	0.28487	0.59893	-0.6573	1.54114	10

이러한 데이터 변환 방법은 이상치의 크기, 음수 포함 여부, 기울어짐의 형태(왼쪽 또는 오른쪽) 등에 따라 변환 방법마다 장단점이 다르므로 실제

적용 시에는 유의할 필요가 있다.

앞에서 예시로 든 네 가지 변환 방법은 변수명에서 우측 마우스 클릭 후 각각 아래의 메뉴에서 가능하다.
-표준화 : **New Formula Column / Distributional / Standardize**
-로그 변환 : **New Formula Column / Log / Log**
-역수 변환 : **New Formula Column / Transform / Reciprocal**
-제곱근 변환 : **New Formula Column / Transform / Square Root**

3. 비모수적 검정(Nonparametric Test)

비모수적 검정 방법은 앞에서 설명한 분포의 정규성 등 모수적 가정을 전제하지 않고 사용할 수 있는 검정 방법으로 대부분의 비모수적 방법은 데이터의 순위(순서, Rank)를 기반으로 하여 검정한다.
분석 상황에 따라 사용되는 비모수적 방법의 종류는 매우 다양하나 여기서는 아래 네 가지 방법에 대해 살펴보기로 한다. 각각의 방법은 흔히 오른쪽의 모수적 방법에 대비된다.
[그림 13.18]

상황	비모수 방법	모수적 방법
하나의 집단에 대한 검정	Wilcoxon Signed Rank	1 Sample T
두 집단에 대한 검정	Wilcoxon Rank Sum(Mann Whitney)	2 Sample T
세 집단 이상에 대한 검정	Kruskal Wallis	ANOVA
상관 관계	Spearman's ρ(로), Kendall's τ(타우)	상관 분석

1) Wilcoxon Signed Rank(윌콕슨 부호 순위)

Wilcoxon Signed Rank(윌콕슨 부호 순위) 검정은 하나의 집단에 대하여 중앙값(Median)을 검정하는 방법이다.

🖰 'big class.jmp'를 가지고 살펴보자. **height** 변수에 대해 **Analyze / Distribution** 을 실행한 다음, ▼**height / Test Mean** 에서 검정 평균에 65 및 62 를 입력, 하단에 **Wilcoxon Signed Rank** 를 선택한 뒤 OK 를 클릭한다.

[그림 13.19]

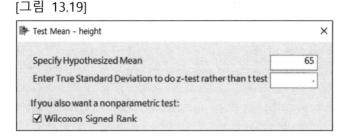

검정 평균 65 인 경우부터 살펴보면 이 때의 귀무가설은 '중앙값은 65 이다'이고 대립 가설은 분석 결과(PValue)의 순서대로 '65 가 아니다', '65 보다 크다', '65 보다 작다' 이다. 검정 평균(65)이 추정값(62.55)보다 크다라는 귀무가설의 관점(Prob > t)에서 보면 Signed-Rank 의 PValue 가 매우 크므로 대립가설이 채택될 수 상황이다.

검정 평균이 62 일 경우라면 세 경우의 PValue 가 모두 크므로(유의 수준 0.05 보다 크므로) 중앙값이 62 와 다르다고 볼 수 없다고 결론을 내릴 수 있다(중앙값이 62 가 아니라는 대립 가설을 채택할 수 없다는 뜻이다)

[그림 13.20]

▼Summary Statistics		◢ ▼Test Mean			◢ ▼Test Mean		
Mean	62.55	Hypothesized Value	65		Hypothesized Value	62	
Std Dev	4.2423385	Actual Estimate	62.55		Actual Estimate	62.55	
Std Err Mean	0.6707726	DF	39		DF	39	
Upper 95% Mean	63.906766	Std Dev	4.24234		Std Dev	4.24234	
Lower 95% Mean	61.193234		t Test	Signed-Rank		t Test	
N	40	Test Statistic	-3.6525	-241.000	Test Statistic	0.8199	
N Missing	0	Prob > |t|	0.0008*	0.0006*	Prob > |t|	0.4172	
Median	63	Prob > t	0.9996	0.9997	Prob > t	0.2086	
		Prob < t	0.0004*	0.0003*	Prob < t	0.7914	

2) Wilcoxon Rank Sum(윌콕슨 순위 합)

Wilcoxon Rank Sum(윌콕슨 순위 합) 검정은 **Mann Whitney 검정**이라고도 불리는 데 X 인자에 상관없이 반응치 Y 를 오름차 순으로 정렬하고 순위 점수를 부여한 뒤, X 인자의 두 수준별로 순위 점수의 합, 평균 및 검정 통계량을 계산하여 수준별로 중앙값의 차이가 있는 지를 검정한다.

⚲ 'big class.jmp'를 가지고 **weight** 변수를 Y 로 **Sex** 변수를 X 로 하여 **Analyze / Fit Y by X** 를 실행한 다음, ▼**Oneway ~ / Nonparametric / Wilcoxon Kruskal-Wallis Test** 를 선택한 결과가 [그림 13.21]이다.

[그림 13.21]

Wilcoxon / Kruskal-Wallis Tests (Rank Sums)

Level	Count	Score Sum	Expected Score	Score Mean	(Mean-Mean0)/Std0
1	18	338.000	369.000	18.7778	-0.830
2	22	482.000	451.000	21.9091	0.830

◢Wilcoxon Two-Sample Test, Normal Approximation

S	Z	Prob>|Z|
338	-0.82996	0.4066

◢Kruskal-Wallis Test, ChiSquare Approximation

ChiSquare	DF	Prob>ChiSq
0.7116	1	0.3989

지금의 결과는 Wilcoxon Two-Sample 검정의 정규 근사(Normal Approximation)와 Kruskal-Wallis 검정의 카이 스퀘어 근사의 P 값이 유의 수준 0.05 보다 훨씬 크므로 Sex 변수에 따라 weight 평균의 차이가 없다고 판단할 수 있는 상황이다.

3) Kruskal Wallis

Kruskal Wallis 검정은 **Wilcoxon Rank Sum** 과 동일한 JMP 메뉴에서 실행되지만, 비교 대상이 되는 범주의 개수가 3 개 이상일 경우 JMP 는 Kruskal Wallis 검정을 수행한다.

⚲ 이번에는 **age** 를 X 인자로, **height** 를 Y 로 하여 Wilcoxon Rank Sum 에서 설명한 방법과 동일하게 분석한 결과는 다음과 같다.

[그림 13.22]

Wilcoxon / Kruskal-Wallis Tests (Rank Sums)					
Level	Count	Score Sum	Expected Score	Score Mean	(Mean-Mean0)/Std0
12	8	79.500	164.000	9.9375	-2.851
13	7	87.000	143.500	12.4286	-2.001
14	12	296.000	246.000	24.6667	1.466
15	7	188.500	143.500	26.9286	1.590
16	3	75.000	61.500	25.0000	0.670
17	3	94.000	61.500	31.3333	1.649

Kruskal-Wallis Test, ChiSquare Approximation		
ChiSquare	DF	Prob>ChiSq
16.6497	5	0.0052*

카이 스퀘어 근사의 P 값이 0.0052 이므로 age 변수에 따라 height 평균의 차이가 있다고 판정할 수 있다.

4) 순위 상관 분석 : Spearman's ρ(로), Kendall's τ(타우)

모수적 측면에서 활용되는 피어슨 상관 계수와 달리 **Spearman's ρ(로)**와 **Kendall's τ(타우)**는 비모수적 관점에서 활용되는 순위 상관 분석 방법이다.

Spearman's ρ(로)는 피어슨 상관 계수처럼 -1 부터 1 의 값을 가지지만 실제 값이 아닌 순위(rank)를 기반으로 계산된 값이다. 이 값은 일반적인 경우 피어슨 상관 계수 값과 크게 차이가 나지 않는다고 알려져 있다.

Kendall's τ(타우) 또한 -1 부터 1 의 값을 가지며 순위가 지정된 데이터의 일치 또는 불일치하는 쌍의 수를 기반으로 한다. X 값이 더 크고 Y 값도 더 크면 쌍이 일치한다고 보고, 반대이면 불일치 쌍이라고 파악한다. X 또는 Y 값이 동점인 동점 쌍에 대해서는 보정을 한다. 비모수 상관계수를 구할 때 Spearman's ρ(로)가 가장 많이 활용되지만 같은 값을 가진 데이터가 많을 경우에는 Kendall's τ(타우)가 주로 활용된다. 연구에 의하면 켄달의 값은 피어슨 상관 계수 값의 66% ~ 75% 정도라고 알려져 있다.

🖱 **Analyze / Multivariate Method / Multivariate** 에서 **height, weight** 변수를 실행한다. 그런 다음 **▼Multivariate / Nonparametric Correlations** 에서 **Spearman's ρ** 와 **Kendall's τ** 를 실행한다. [그림 13.23]에 표시된 상관 계수 값은 순서대로 피어슨 상관 계수, Spearman's ρ 및 Kendall's τ 값이다.

[그림 13.23]

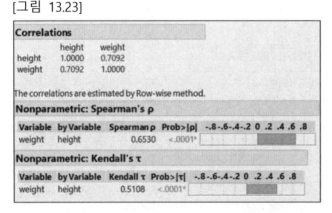

4. 로버스트 검정(Robust Test)

이상치의 영향을 줄이는 다양한 형태의 로버스트 검정(Robust Test) 방법이 있는 데 여기에서는 다음의 세 가지 방법에 대해 살펴보기로 한다.
-절사 평균(Trimmed Mean)
-Huber M 추정(Fit Robust)
-부트스트랩(Bootstrap)

1) 절사 평균(Trimmed Mean)
이상치가 존재할 경우 중앙값(Median)이 산술 평균 대신 많이 활용되지만, 절사 평균(Trimmed Mean) 또한 종종 활용된다. 절사 평균(Trimmed mean 또는 Truncated mean)은 이상치의 존재로 데이터의 중심치를 표현할 때 흔히 사용하는 산술 평균이 적당하지 않을 경우 이상치의 영향을 적게 받는(robust to outlier) 중심치 표현 방법의 하나이다.

절사 평균은 전체 데이터에서 일정 비율만큼 가장 큰 부분과 작은 부분을 제거하여 산술 평균을 계산한다. 예를 들어 5% 절사 평균이라면 전체 데이터의 개수에서 상위 5%, 하위 5% 값을 제외하고 산술 평균을 구한다. 만약 총 데이터의 개수가 100 개라면 가장 큰 값 5 개, 가장 작은 값 5 개를 제외하고 나머지 90 개의 데이터를 가지고 구한 산술 평균이 절사 평균이다. JMP 에서 절사 평균을 구하기 위해서는 **Analyze / Distribution** 메뉴를 이용하면 된다.

⌐ **Analyze / Distribution** 을 실행한 뒤 ▼**Summary Statistics** 의 붉은 색 역삼각형 클릭, **Customize Summary Statistics** 를 선택한 뒤 그 결과에서 **Trimmed Mean** 을 선택하고 하단의 **Enter trimmed mean percent** 에 절사할 비율을 입력하면

[그림 13.24]

Enter trimmed mean percent	10

⌐ 해당 비율의 절사 평균이 표시된다.

[그림 13.25]

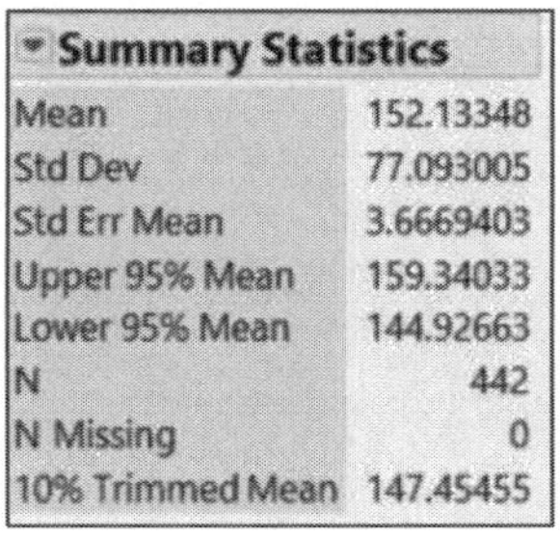

▾ Summary Statistics	
Mean	152.13348
Std Dev	77.093005
Std Err Mean	3.6669403
Upper 95% Mean	159.34033
Lower 95% Mean	144.92663
N	442
N Missing	0
10% Trimmed Mean	147.45455

2) Huber M 추정(Fit Robust)

Huber 의 M 추정은 이상치의 영향을 줄이기 위한 대표적인 방법중의 하나로 **Huber Estimation**, **Huber M Estimation** 또는 **Robust Estimation** 등으로 불리며 ANOVA 또는 회귀 분석에서 이상치(Outlier)의 영향을 줄이기 위해 이에 대해 벌점(Penalty)을 부여한다.

여기서는 'Weight Measurements.jmp' 데이터를 가지고 회귀 분석의 경우에
있어서 Huber M 추정에 대해 살펴보자.

⊕ 먼저 **Graph Builder** 에서 두 변수에 대해 그래프를 그려보면 이상치로
판정될 수 있는 데이터가 있음이 확인된다.

[그림 13.26]

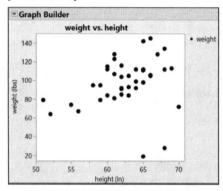

⊕ **height** 변수를 X 로, **weight** 변수를 Y 로 하여 **Analyze / Fit Y by X** 를
실행한 다음 ▼**Bivariate ~ / Fit Line** 을 실행해 보면 **height** 변수가
유의하지 않는 변수로 판정된다.

[그림 13.27]

Summary of Fit

RSquare	0.062319
RSquare Adj	0.037643
Root Mean Square Error	25.41387
Mean of Response	97.5
Observations (or Sum Wgts)	40

Lack Of Fit

Analysis of Variance

Source	DF	Sum of Squares	Mean Square	F Ratio
Model	1	1631.144	1631.14	2.5255
Error	38	24542.856	645.86	Prob > F
C. Total	39	26174.000		0.1203

Parameter Estimates

Term	Estimate	Std Error	t Ratio	Prob>|t|
Intercept	2.1466733	60.13567	0.04	0.9717
height	1.5244337	0.959253	1.59	0.1203

300

이번에는 ▼**Bivariate ~ / Robust / Fit Robust** 를 실행해 보자. 이상치에 대해 벌점이 가해졌으므로 회귀선의 기울기가 보다 커졌고, PValue 가 0.0488 로 이 경우에는 height 변수가 유의한 변수로 판정할 수 있게 된다. [그림 13.28]

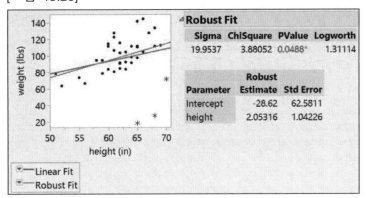

만약 [그림 13.26]에서 이상치로 추정되는 오른쪽 하단의 세 점을 제거한 **후 회귀 분석을 실행해** 보면 **height** 변수가 유의한 변수로 판정될 것이다. [그림 13.29]

Summary of Fit

RSquare	0.436869
RSquare Adj	0.42078
Root Mean Square Error	14.8563
Mean of Response	102.1892
Observations (or Sum Wgts)	37

Lack Of Fit

Analysis of Variance

Source	DF	Sum of Squares	Mean Square	F Ratio
Model	1	5992.833	5992.83	27.1525
Error	35	7724.843	220.71	Prob > F
C. Total	36	13717.676		<.0001*

Parameter Estimates

Term	Estimate	Std Error	t Ratio	Prob>|t|
Intercept	-93.47813	37.62961	-2.48	0.0179*
height	3.1490608	0.604332	5.21	<.0001*

3) 부트스트랩(Bootstrap)

부트스트랩은 복원 Random Resampling 방법을 통해 크기가 동일한 자료를 추출하는 기능이다. 부트스트랩 기능은 도출된 통계량의 분포를 모르거나, 복잡한 경우 또는 모수적 추론이 불가능한 경우 등에서 유용하며 통계량의 표본 분포에 근사한 값을 산출하기 위해 사용된다. 부트스트랩을 이용하여 평균, 표준 편차 및 신뢰 구간과 같은 통계량의 분포와 해당 특성을 추정할 수 있다[28].

앞의 순위 상관 분석 부분에서 설명된 'big class.jmp' 데이터의 height 변수의 평균 값에 대해 부트스트랩 기능을 적용해 보자.

🖱 **Analyze / Distribution** 을 실행한 뒤 평균값(62.55)에서 우측 마우스 클릭하여 **Bootstrap** 을 선택한다.

[그림 13.30]

Bootstrapping	×
Number of Bootstrap Samples	2500
Random Seed	.
☐ Fractional Weights	
☑ Split Selected Column	
☑ Discard Stacked Table if Split Works	

---

[28] 부트스트랩 기능은 JMP17 버전부터 JMP Pro 가 아닌 일반 JMP 에서도 활용할 수 있게 되었다

🖑 부트스트랩 2,500 회 실행 결과가 포함된 새로운 테이블이 생성된다.

[그림 13.31]

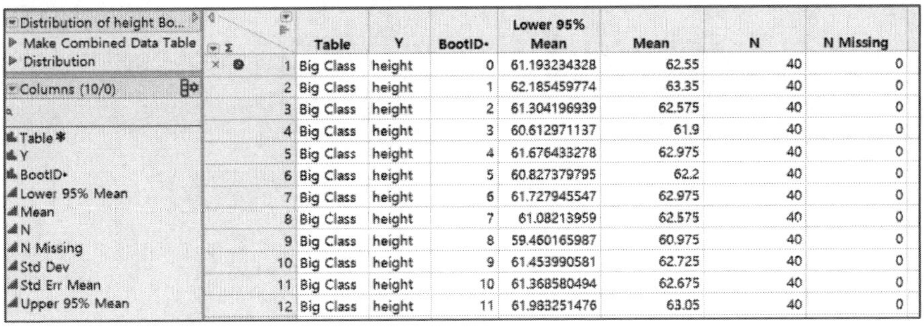

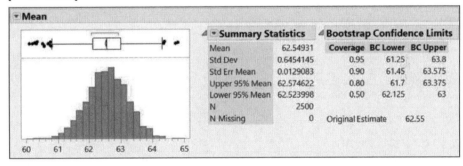

🖑 왼쪽 상단 테이블 패널에 있는 '**Distribution**' 은 클릭해 보면 Summary Statistics 에 있는 7 개 변수의 부트스트랩 결과에 대한 **Analyze / Distribution** 실행 결과가 포함되어 있다. 이 중 Mean 을 보면 **Bootstrap Confidence Limits** 에 아래에 각 **Coverage** 율에 대한 Upper 및 Lower Limit 가 표시되어 있다. 95% Coverage 로 보면 평균이 61.25 에서 63.8 정도임을 95% 신뢰도로 추정할 수 있다는 뜻이다. 이 값은 모수적 추정을 통해 얻은 신뢰 구간(여기서는 62.52 에서 62.57)보다 일반적으로 넓다.

[그림 13.32]

14 장. 동등성 검정

개요

가설 검정은 보통 개선 전/후 유의한 차이가 있는 지, 어떤 재료/부품/소재 등을 변경했을 때 유의한 차이가 발생하였는 지, 현재의 프로세스가 목표(또는 관리) 수준과 비교해서 어떤 유의미한 차이가 있는 지를 검정하기 때문에 일반적으로 **유의차 검정(Significance Test)**이라고 부른다.

이번 장에서 살펴볼 내용은 이러한 유의성 검정이 아니라 거의 반대되는 개념인 **동등성 검정(Equivalence Test)**이다. 동등성 검정은 복제(Biosimilar) 의약 분야에서 전통적으로 많이 사용되어 왔으나 타 산업에서도 최근 들어와 많이 활용되고 있다.

예를 들면, 만약 재료를 A 에서 B 로 변경하였다면 두 가지 상황이 있을 수 있다. 첫 번째 상황은 A 가 문제가 많아서(예를 들어 품질이 나빠서) B 로 변경했다면, A 와 B 의 품질 차이에 대해서는 유의성 검정을 통해 유의미한 차이가 있는 지를 검정해야 하고, A 가 품질은 좋은 데, 가격이 비싸서 B 로 변경했다면 품질의 측면에서 B 는 A 와 동등해야 하는 데, 이 때 사용되는 개념이 동등성 검정이라고 할 수 있다.

아래와 같이 다섯 가지 경우로 나누어서 동등성 검정에 대해 살펴보기로 한다.
1) 평균에 대한 동등성 검정
2) 산포에 대한 동등성 검정
3) 비율에 대한 동등성 검정
4) 비모수 데이터에 대한 동등성 검정
5) 쌍을 이룬 데이터에 대한 동등성 검정

1. 평균에 대한 동등성 검정

1) 하나의 집단의 경우

하나의 집단의 경우에 있어서의 동등성 검정은 모집단 평균이 검정하고자 하는 값과 같은 지를 평가하는 방법이며 흔히, **TOST(Two one-sided test)**라 불리는 데 실제 평균과 검정 값 사이의 차이가 임계 값을 초과한다는 두 개의 단측 1 Sample T 검정을 실행한다. 즉 크거나 작다가 귀무 가설이 된다. 두 개의 귀무 가설이 모두 기각되면 실제 차이가 임계 값을 초과하지 않음을 의미한다. 신뢰 수준은 (1-α)이며 여기서 α 는 두 검정 각각에 대한 유의 수준이다.

⌕ 'big class.jmp' 데이터에서 **height** 변수에 대해 **Analyze / Distribution** 을 실행한다.

[그림 14.1]

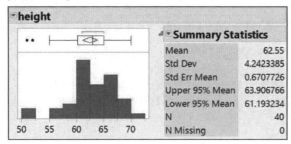

⌕ 동등성을 검정하고자 하는 값이 60 이고 실제적인 차이가 없다고 판단할 수 있는 허용치가 +/-5 라고 한다면, **▼height / Test Equivalence** 에서 아래와 같이 입력한다.

[그림 14.2]

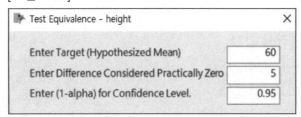

306

🔖 결과를 보면 두 개의 귀무 가설이 모두 기각되었으므로 동등하다고 볼 수 있다. 붉은 색 선으로 표시된 신뢰 구간보다 하늘색 영역(Region)으로 표시된 동등성 구간이 양쪽 모두에서 더 넓으면 동등하다고 말할 수 있다.

[그림 14.3]

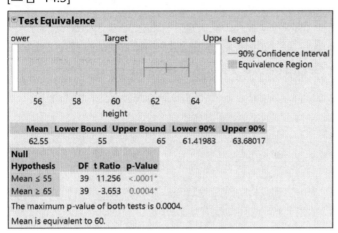

🔖 위의 동등성 결과는 검정값 55 및 65 각각에 대한 1 Sample T 검정 결과와 동일하다.

[그림 14.4]

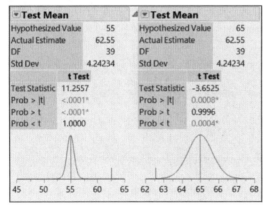

🔖 앞의 결과에서 보면 신뢰 구간이 90% 설정되어 있는 데 이는 동등성 검정을 할 때는 $(1-\alpha)$가 아닌 보다 엄격한 기준인 $(1-2*\alpha)$를 사용하는 일반적인 관례를 따른 것이다.

2) 두 집단의 경우

이번에는 'big class.jmp' 데이터에서 성(sex)별로 키(height)의 차이에 대한 동등성 검정, 즉 두 집단에 대한 동등성 검정에 대해 살펴보자.

🖱 두 집단이므로 **sex**를 X로 **height**를 Y로 하여 **Analyze / Fit Y by X**를 실행한다. 그런 다음 **▼Oneway ~ / Means and Std Dev**를 클릭하면 평균, 표준편차, 표준오차, 평균값 및 표준편차의 95% 신뢰구간이 표시된다
[그림 14.5]

				Std Err			Std Dev	Std Dev	3	4	5	6
Level	Number	Mean	Std Dev	Mean	Lower 95%	Upper 95%	Lower 95%	Upper 95%				
F	18	60.888889	3.6118903	0.8513307	59.092738	62.68504	2.7103177	5.4147437				
M	22	63.909091	4.3084534	0.9185653	61.99883	65.819352	3.3147144	6.1570586				

🖱 두 집단의 평균에 대한 동등성 검정을 위해서는 **▼Oneway ~ / Equivalence Tests / Means**를 클릭한다. 동등성 검정(Equivalence Test) 외에 우위성(Superiority) 및 비열위성(Noninferiority)에 대한 검정을 할 수 있다. 차이 2 정도까지를 동등하다고 보는 동등성 검정을 해 보면
[그림 14.6]

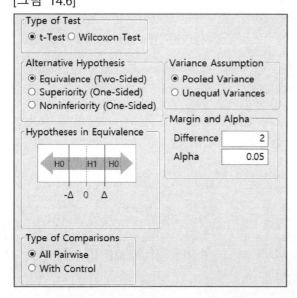

🖰 아래와 같이 동등하지 않다고 분석이 된다. 즉 차이가 2 이상이라는 뜻이다.

[그림 14.7]

Equivalence Tests with Pooled Variance

Test	Alternative Hypothesis
Lower Bound	$\mu T - \mu C > -2$
Upper Bound	$\mu T - \mu C < 2$
Equivalence	$-2 < \mu T - \mu C < 2$

TOST Tests

gender	-gender	Difference	Std Error of Difference	Lower Bound t Ratio	Upper Bound t Ratio
F	M	-3.02020	1.275037	-0.800135	-3.93730

Lower Bound p-Value	Upper Bound p-Value	Max p-Value	Lower 90%	Upper 90%	Assessment (α=0.05)
0.7857	0.0002*	0.7857	-5.16986	-0.870547	Not Equivalent

🖰 **Forest Plot** 애서 붉은 색 선으로 표시된 신뢰 구간이 하늘색 영역(Region)으로 표시된 동등성 구간에 포함되면 동등하다고 볼 수 있다.

[그림 14.8]

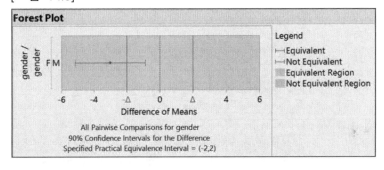

🖰 **▼Equivalence Test ~ / Pairwise Comparison** 을 클릭하여 동등성 검정에 대한 쌍별 비교 결과를 살펴볼 수 있다.

[그림 14.9]

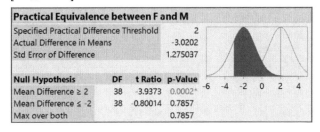

☞ 이번에는 **우위성(Superiority) 검정**을 해 보자. 평균값의 차이가 임계 값(0.5) 보다 더 작다면 우위에 있다고 볼 수 있는 우위성(Superiority) 검정을 위해서는 아래와 같이 입력 및 선택하면 된다.

[그림 14.10]

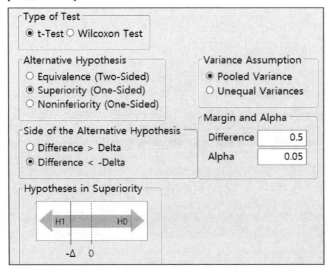

☞ 평균값의 차이의 신뢰 구간(-5.17 ~ -0.87) 바깥에 임계 값(-0.5)이 있으므로 Sex F 보다 Sex M 이 우위에 있다고 말할 수 있다.

[그림 14.11]

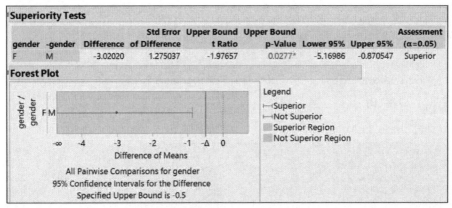

2) 세 집단 이상의 경우

🖐 세 집단 이상일 경우에도 동일한 방법으로 분석할 수 있다. **age** 별 **height** 의 차이에 대해 모든 경우의 수가 아닌 비교 그룹 15 를 기준으로 차이 5 까지는 동등하다고 보는 동등성 검정을 하는 경우를 가정해 보자. 이를 위해서는 하단의 Type of Comparisons 에서 With Control 을 선택하고 범주 15 를 선택하면 된다.

[그림 14.12]를 보면 **age** 변수의 범주가 15 일 때 14와 16은 동등하지만 그 외의 경우는 동등하지 않은 것으로 검정되었다.

[그림 14.12]

Test	Alternative Hypothesis
Lower Bound	$\mu T - \mu C > -5$
Upper Bound	$\mu T - \mu C < 5$
Equivalence	$-5 < \mu T - \mu C < 5$

TOST Tests

age	-age	Difference	Std Error of Difference	Lower Bound t Ratio	Upper Bound t Ratio	Lower Bound p-Value	Upper Bound p-Value	Max p-Value	Two-Sided Lower 90%	Two-Sided Upper 90%	Assessment (α=0.05)
12	15	-6.44643	1.750640	-0.82623	-6.53842	0.7928	<.0001*	0.7928	-9.40663	-3.48623	Not Equivalent
13	15	-4.28571	1.808054	0.39506	-5.13575	0.3476	<.0001*	0.3476	-7.34300	-1.22843	Not Equivalent
14	15	-0.40476	1.608727	2.85644	-3.35965	0.0036*	0.0010*	0.0036*	-3.12500	2.31547	Equivalent
16	15	-0.23810	2.334187	2.04007	-2.24408	0.0246*	0.0157*	0.0246*	-4.18503	3.70884	Equivalent
17	15	2.09524	2.334187	3.03970	-1.24444	0.0023*	0.1109	0.1109	-1.85170	6.04217	Not Equivalent

Note: No correction for multiple comparisons is made for the equivalence tests.

🖐 **Forest Plot** 을 보면 동등성 검정 결과를 보다 쉽게 식별할 수 있다..

[그림 14.13]

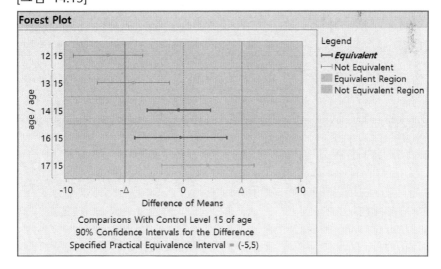

2. 산포에 대한 동등성 검정

'Equivalence Test(Std Dev).jmp' 데이터를 가지고 관리도 메뉴(**Analyze / Quality and Process / Control Chart Builder**)에서 I-MR 관리도를 그리고 **Phase** 변수를 **Phase Zone** 에 드롭하면 결과는 아래와 같다. Phase 마다 관리선이 변경되었으므로 산포(표준편차)가 달라졌음을 알 수 있다.

[그림 14.14]

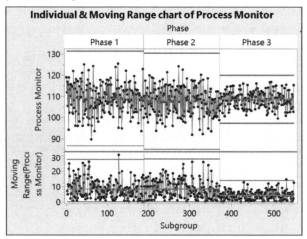

☞ Phase 를 X 로, 해당 데이터를 Y 로 하여 **Analyze / Fit Y by X** 를 실행한 다음, 산포에 대한 동질성 검정을 위해 ▼**Oneway ~ / Equivalence Test / Standard Deviations** 를 선택한다. 표준 편차의 비율 70% 까지를 동등(0.7 배 ~ 1/0.7 배)하다고 보면 아래와 같이 입력, 선택하면 된다.

[그림 14.15]

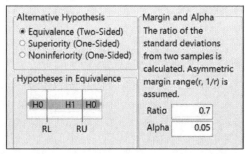

⌁ 동등성 검정 결과는 아래와 같다. Phase 1과 Phase 2는 동등하다고 볼 수 있지만 다른 두 경우는 동등하다고 볼 수 없다. 이 결과는 [그림 14.15]에서 Ratio에 (1/0.7)에 해당하는 1.42857을 입력해도 결과는 동일하다.

[그림 14.16]

Equivalence Tests for the Ratio of Standard Deviations

Test	Alternative Hypothesis
Lower Bound	σT / σC > 0.7
Upper Bound	σT / σC < 1.42857142857143
Equivalence	0.7 < σT / σC < 1.42857142857143

TOST Tests

Phase	Phase	Ratio	Lower Bound F-Value	Upper Bound F-Value	Lower Bound p-Value	Upper Bound p-Value
Phase 1	Phase 2	1.056724	2.278908	0.547166	<.0001*	<.0001*
Phase 1	Phase 3	1.813514	6.711905	1.611528	<.0001*	0.9993
Phase 2	Phase 3	1.716167	6.010669	1.443162	<.0001*	0.9926

Max p-Value	Lower 90%	Upper 90%	Assessment (α=0.05)
<.0001*	0.935738	1.192965	Equivalent
0.9993	1.604272	2.048876	Not Equivalent
0.9926	1.516666	1.941429	Not Equivalent

Forest Plot

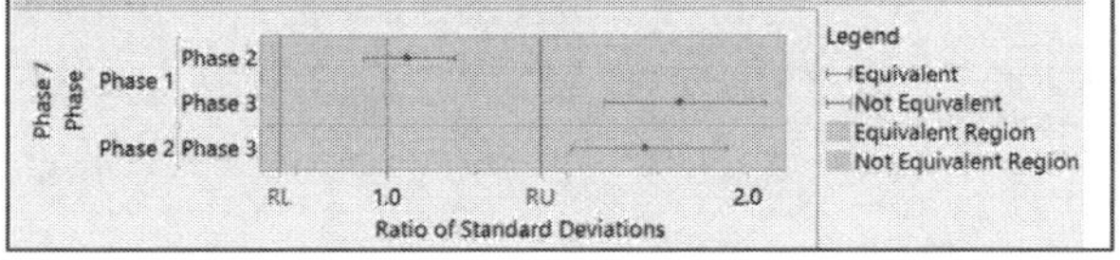

3. 비율에 대한 동등성 검정

이번에는 비율(Proportion)에 대한 동등성 검정에 대해 살펴보자. 'Equivalence test (proportion).jmp' 데이터는 장비 A, B 별로 합격 여부에 대한 데이터이다.

[그림 14.17]

	장비	합격	Count
1	A	불량	507
2	A	양품	3493
3	B	불량	622
4	B	양품	3378

⌁ **Analyze / Tabulate** 기능을 이용하여 장비별 불량율을 비교해 보면 약 3% 정도의 차이가 난다.

[그림 14.18]

장비	합격	
	불량	양품
	Count	Count
	Row %	Row %
A	12.68%	87.33%
B	15.55%	84.45%

☝ **Analyze / Fit Y by X** 에서 **합격**을 Y, **장비**를 X, **Count** 를 Freq 로 선택한다. 분석 결과에서 4%의 Margin 을 가지고 동등성 검정을 하고자 한다면, ▼**Contingency ~ / Equivalence Tests / Risk Difference** 에 들어가서 아래와 같이 입력 및 선택한다..

[그림 14.19]

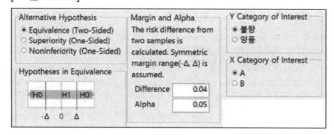

☝ 분석 결과는 동등하지 않는 것으로 판정된다.

[그림 14.20]

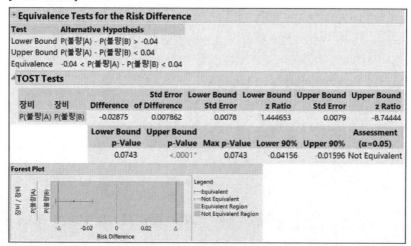

⑨ 만약 두 비율 간의 상대적 비율 80%(80% ~ 1/80%)를 가지고 동등성 검정을 하고자 한다면 ▼Contingency ~ / Equivalence Tests / Relative Risk 에 들어가서 아래와 같이 입력 및 선택하면 된다.

[그림 14.21]

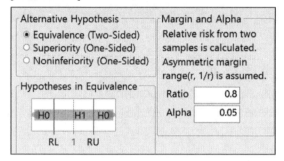

⑨ 분석 결과는 동등하지 않는 것으로 판정된다.

[그림 14.22]

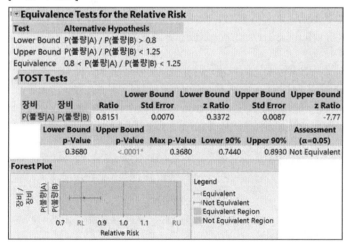

4. 비모수 데이터에 대한 동등성 검정

비모수 동등성 검정(Nonparametric Equivalence Test)은 정규 분포가 전제되지 않은 경우에 활용되는 평균치에 대한 동등성 검정 방법으로 신뢰 구간은

Wilcoxon Each Pair 방법을 활용하여 계산된다.

'nonparameter equivalence2.jmp' 데이터를 가지고 살펴보자. 새로운 기계(Machine)의 도입 효과에 대해 비교하고자 하는 데이터로 기존(Existing) 기계와 새로운(New) 기계에 대한 측정 결과이며 검토하고자 하는 항목은 아래 두 가지이다.

1) Critical Dimension 에 대한 동등성 검정(5 이내의 차이는 동등하다고 가정)
2) UPH(Units per Hour) 변수에 대한 우위성(Superiority) 검정으로 새로운 기계가 기존 기계보다 2,000 이상 우위한 지에 대해 검정

[그림 14.23]

	Batch	Machine	Critical Dimension	Units per Hour
	XR12491	Existing		427	10k
	XR12513	New		417	5097
	6,137 others				
1	XR12491	Existing	419.84	6207.47
2	XR12513	Existing	422.05	6886.01
3	XR12528	Existing	420.89	6672.11
4	XR12529	Existing	420.92	6160.92

☞ 먼저 **Analyze / Distribution** 에서 정규성 검정(Normality Test)를 해 보면 Critical Dimension 및 UPH(Units per Hour) 모두 정규 분포하지 않으므로 비모수적인 방법으로 동등성 검정을 해야 할 상황이라고 할 수 있다.

[그림 14.24]

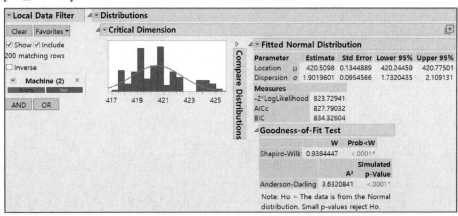

316

ᗢ 먼저 5 이내의 차이는 동등하다고 가정한 Critical Dimension 에 대한 동등성 검정을 해 보자. **Analyze / Fit Y by X** 에서 Machine 을 X, Critical Dimension 을를 Y 로 선택한 다음 **▼Oneway ~ / Equivalence Tests / Mean** 을 클릭한다. 비모수 검정을 위해 **Type of Test** 에서 **Wilcoxon Test** 를 선택한다.

[그림 14.25]

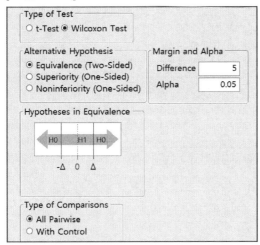

ᗢ 동등성 검정 결과는 아래와 같으므로 동등하다고 판단할 수 있다.

[그림 14.26]

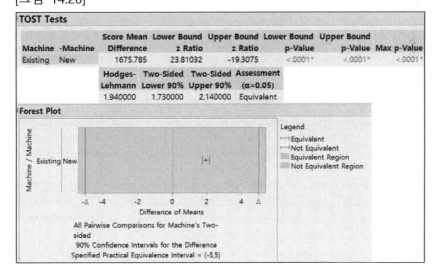

⌐ 이번에는 UPH(Units per Hour) 변수에 대한 우위성(Superiority) 검정을 해 보자. 새로운 기계가 기존 기계보다 2000 이상 우위한 지에 대한 검정이므로 **Analyze / Fit Y by X** 를 실행하고 **▼Oneway ~ / Equivalence Tests / Mean** 에서 아래와 같이 선택해야 된다.

[그림 14.27]

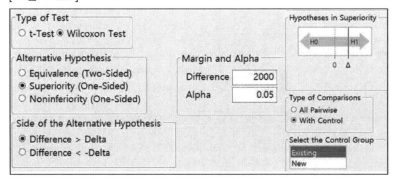

⌐ 우위성 검정 결과가 아래와 같으므로 새로운 기계가 2000 이상 우위하다고 할 수 없다.

[그림 14.28]

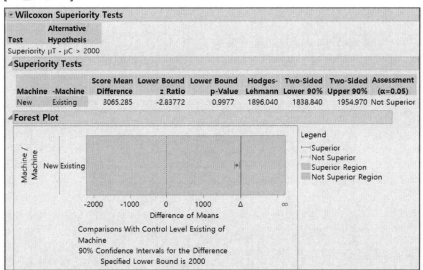

5. 쌍을 이룬 데이터에 대한 동등성 검정

8 장 '두 모집단에 대한 비교'에서 살펴본 것처럼 쌍을 이룬 데이터에 대한 평균치 검정 방법을 Matched Pair T Test, Paired T Test 또는 쌍체 비교라고 한다. 이에 대한 JMP Menu 는 **Analyze / Specialized Modeling / Matched Pairs** 인 데, JMP18 부터 쌍을 이룬 데이터에 대한 동등성 검정(Equivalence Test) 기능이 추가되었다.

쌍을 이룬 데이터에 대한 평균치 검정에는 흔히 TOST(Two one-sided tests)라 불리는 두 번의 단측 검정이 실행된다. 데이터가 정규 분포할 경우에는 Paired T Test 가 사용되지만, 정규 분포를 따르지 않을 경우에는 **Wilcoxon Signed-ranks** 검정이 활용된다[29].

'matched pair equivalence test.jmp' 데이터를 가지고 쌍을 이룬 데이터의 동등성 검정에 대해 살펴보자. 동일한(ID Column) Sample 에 대한 측정값인 Standard 및 A, B 가 있다.

[그림 14.29]

	ID	Standard	A	B
1	1	93.550	94.080	94.550
2	2	98.928	83.144	97.225
3	3	95.829	90.071	96.355
4	4	97.028	92.075	98.123

☞ 쌍을 이룬 데이터에 대한 동등성 검정(Equivalence Test)을 위하여 **Analyze / Specialized Modeling / Matched Pairs** 에 들어가서 세 측정값을 Y(Paired Response)로, ID 를 X 로 선택한다. 그럼 다음 가시성을 높이기 위해 ▼**Matched Pairs / Reference Frame** 을 추가한다.

---

[29] 여기에서의 분포는 두 변수간 차이 데이터에 대한 정규 분포 여부를 뜻한다

A 와 Standard 간의 평균치 차이 검정 결과를 보면 신뢰 구간이 (-) 값이고, PValue 가 매우 작으므로 평균치 차이가 있음(Standard 값이 더 큼)을 알 수 있다. 반면, B 와 Standard 간의 평균치 차이 검정 결과를 보면 신뢰 구간이 (-) 값에서 (+)값에 걸쳐 있고 PValue 가 0.2851 이므로 평균치 차이가 있다고 말하기 어렵다.

[그림 14.30]

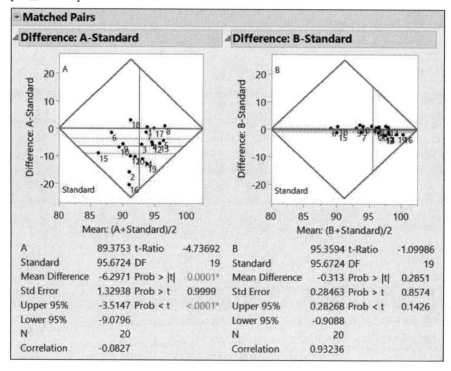

⌲ 정규 분포하지 않음을 전제해서 동등성 검정을 하고자 한다면 ▼Matched Pairs / Equivalence Tests 에서 검정 방법을 Wilcoxon test 로 선택해야 한다. 동등성의 Margin(어느 정도 차이까지를 동등하다고 볼 것인지)을 여기서는 5, 모든 비교 대상에 대해 동등성 검정이 아닌 Standard 기준으로만 검정하기 위해 Type of Comparison 에서 with Control 및 Standard 를 선택하기로 한다.

320

[그림 14.31]

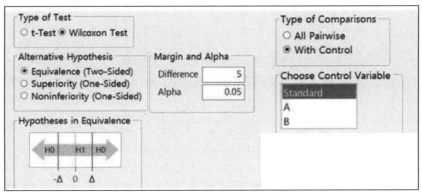

☝ Standard 기준 두 가지 비교에 대한 TOST(Two one-sided tests) 결과가
표시된다. **TOST** 결과 및 **Forest Plot** 를 통해 동등성 임계치 5 를 기준으로,
A 와 Standard 는 동등하지 않고 B 와 Standard 는 동등하다고 볼 수 있음이
확인된다.

[그림 14.32]

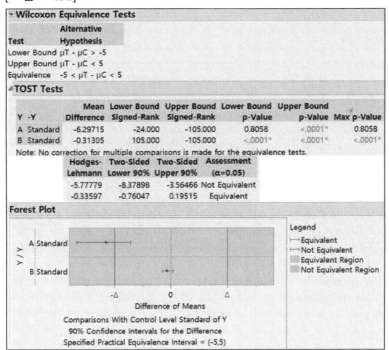

15 장. 유의한 변수를 선별하기 위한 JMP 활용법

개요

1 장에서 살펴본 것처럼 일반 통계의 가장 중요한 목적 중의 하나는 유의한 변수의 선별(Screening)이다. 이 책의 6 장이후에서 살펴본 대부분의 통계적 방법도 유의한 변수의 선별을 목적으로 한다고 볼 수 있다.

JMP 의 기능적 측면에서 유의한 인자의 선별을 목적으로 한 통계적 방법과 최적화(모델링)을 목적으로 한 대표적인 방법을 요약하면 아래와 같다. 목적을 달성하기 위한 적절한 데이터가 없다면 실험 계획법(DOE : Design of Experiment)을 활용하여야 할 것이다.

[그림 15.1]

목적＼상황	데이터 있음 : 상관 관계	데이터 없음(DOE) : 인과 관계
유의한 인자의 선별(Screening) Y = F(**X**)	Analyze / Screening / Response Screening Analyze / Screening / Predictor Screening Analyze / Clustering / Cluster Variables Analyze / Fit Y by X Analyze / Predictive Modeling / Neural, Partition 등	DOE / Classical Design / Screening Design DOE / Definitive Screening Design DOE / Augment Design
Optimization (Modeling) Y = **F**(X)	Analyze / Fit Model (Least Square, Stepwise 등) Analyze / Predictive Modeling / Neural, Partition 등	DOE / Classical Design / Response Surface DOE / Custom Design 등

유의한 인자를 선별하거나 최적화를 위한 JMP 의 대표적인 기능인 **Analyze / Fit Y by X** 및 **Analyze / Fit Model** 은 이 책 8장부터 13 장에 걸쳐 살펴보았다. 이번 장에서는 지금까지 살펴보지 못한 내용 중에서 다음의 세 가지 기능에 대해 살펴볼 것이다

1) **Analyze / Predictive Modeling / Partition(Decision Tree)**

2) **Analyze / Screening / Predictor Screening**

3) **Analyze / Screening / Response Screening**

1. Partition(Decision Tree)

1) 기본 개념

Decision Tree 방법은 출력 변수 Y를 설명하기 위한 인자의 모든 조합을 찾는 방법으로, 이러한 조합(분기, Split)은 의사 결정 나무의 형태로 최적의 모델이 만들어질 때까지 반복적으로 이루어진다. 이러한 분기(Split, Partition) 방법은 분기의 통계적 알고리즘에 따라 **CART**(Classification & Regression Tree), CHAID(Chi-Squared Automatic Interaction Detection)라고 불리기도 하고 분기의 최종 모습을 본 따 **Decision Tree** 또는 **Partition Model** 이라고도 불린다.

Y 및 X 인자의 모든 데이터 유형(연속형 및 범주형)에 활용될 수 있으며, 일반적으로 반응치 Y 가 범주형(Categorical) 데이터일 때 보다 유용하다고 알려져 있으며 반응치 Y 가 범주형일 경우는 분류를 목적으로 하므로 **Classification Tree**, 반응치 Y 가 연속형일 때는 **Regression Tree** 라고도 부른다.

Decision Tree 는 데이터에 대해 사전 정보가 충분하지 않을 때 많이 사용되고, 복잡한 문제에 대해 쉽게 해석이 가능하다는 장점이 있지만 첫 번째 분기 기준으로 계속 분기하므로 만약 첫 번째 분기가 잘못되어 있으면 계속 잘못될 가능성도 있다.

하지만 Decision Tree 는 인자들에 대한 분류 (Classification) 깊이를 선택하거나 예측(Prediction)하는 등의 영역에서 매우 다양하게 활용되고 있는 방법이다.

2) 범주형 반응치의 경우

'Titanic.jmp'를 이용하여 범주형 반응치에 대한 Decision Tree 분석을 해 보자. 이 데이터는 반응치 Y 가 생존 여부(Survived)인 명목형 데이터이고 Class, Age, Sex 등 세 개의 범주형 X 인자가 있다.

🖐 먼저 분석 결과의 가시성을 높이기 위해 본격적인 분석을 하기 전에 **Rows / Color or Mark By Column** 에 들어가서 아래와 같이 Y 변수의 범주별로 색깔을 구분하여 표시하는 게 유용하다.

[그림 15.2]

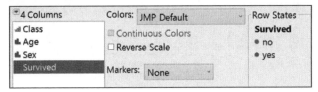

🖐 **Analyze / Predictive Modeling / Partition** 에서 Y 및 X 를 선택하고 검정용 데이터의 비율을 정하는 Validation Portion 에 0.3 을 입력하여 OK 를 클릭한 뒤 분석 결과에서 'Split'를 한 번 클릭하고, **▼Partition** 에서 **Display Options / Show Split Prob** 와 **Show Split Count** 를 선택하고 하단의 'Candidates'를 펼친다. 먼저 그래프의 위쪽을 살펴보면 Gender 가 첫 번째 분기 인자로 선정되었음을 알 수 있다. 이는 Gender 가 반응치를 가장 잘 분류하는(가장 잘 설명하는) 인자라는 뜻으로 Gender(female)의 경우는 전체 데이터의 약 27%가 사망하였지만 Gender(male)의 경우는 전체 데이터의 약 78%가 사망한 것으로 분석된다. 아래쪽의 RSquare 는 현재의 R^2 값을 나타내며 **Number of Splits** 는 분기 횟수를 뜻한다.

[그림 15.3]

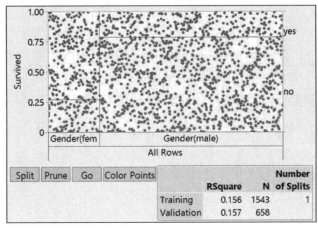

Partition 결과를 살펴보자.

-**Count** : 분석 대상으로 선택된 데이터의 개수

-**G^2** : 해당 변수를 가지고 분기한 경우의 감마 제곱값(값이 클 수록 영향을 많이 주는 변수)이다. 만약 Y 변수가 연속형일 경우에는 제곱합(SS : Sum of Square)이 출력된다.

- * : 다음 분기의 기준이 되는 변수(그 다음으로 중요한 변수라는 뜻)

-**LogWorth** : 이 값이 클수록 출력변수를 잘 설명하는 변수라는 뜻이다.

-**Cut Point** : 해당 변수의 분기 기준 값

[그림 15.4]

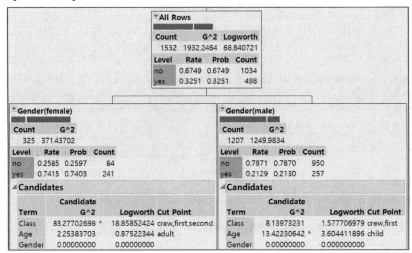

반응치에 중요한 영향을 주는 변수를 선별하기 위하여 얼마만큼 분기를 해야 할까 ? ▼**Partition** 에서 **Column contributions** 실행하면 반응치에 영향을 많이 주는 순서대로 X 인자에 대한 정보가 표시된다.

Validation 개념을 활용하여 적절한 분기 회수를 확인할 수 있다. 가장 간단한 방법은 앞에서 설명한 대로 모델을 검정한 데이터를 미리 일정 비율 선택하는 것이다. 여기서는 30%의 데이터를 검정용 데이터로 선택하였다.

실행 화면에서 검정용 데이터의 비율을 선택하였다면 Partition 분석 결과에서 '**Go**' 버튼을 클릭하면 아래와 같이 표시된다. Validation

비율만큼의 데이터는 랜덤으로 선택되므로 결과는 다소 다를 수 있다. 결과가 [그림 15.5]와 같다면 9 번 실행했을 때가 최적이라는 뜻이 되며 만약 Split 버튼을 한 번 더 누르게 되면 Training 의 Rsquare 값은 커지는 반면, Validation 의 Rsquare 값은 작아질 것이다.

[그림 15.5]

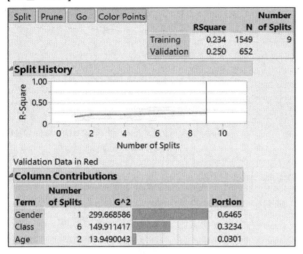

▼Partition~ / **Save Columns** / **Save Prediction Formula** 를 클릭하면, 데이터 테이블에 반응치를 추정한 확률 값이 저장된다. 추정된 확률값에 대해서는 각 Column 명 위에서 우측 마우스 클릭, Formula 를 선택하면 수식을 확인할 수 있다.

[그림 15.6]

	Class	Age	Gender	Survived	Prob(Survived==no)	Prob(Survived==yes)	Most Likely Survived
1	first	adult	male	yes	0.6532472798	0.3467527202	no
2	first	adult	male	yes	0.6532472798	0.3467527202	no
3	first	adult	male	yes	0.6532472798	0.3467527202	no
4	first	adult	male	yes	0.6532472798	0.3467527202	no

Partition~ / **Profiler** 를 선택하여 **Prediction Profiler** 기능을 활용할 수 있다.

[그림 15.7]

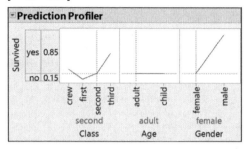

3) ROC Curve

Decision Tree, Neural Network 등의 Machine Learning 방법을 이용하여 범주형 반응치에 대한 분석을 하면 아래와 같이 오분류표(Confusion Matrix, 혼동표)와 ROC(Receiver Operator Characteristic) Curve 등을 가지고 모델의 적합성을 판단하는 데 이에 대해 살펴보자. Decision Tree 의 경우 ▼Partition ~ / Show Fit Details 에서 오분류표를 확인할 수 있다.

[그림 15.8]

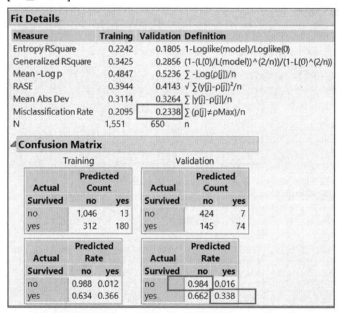

Measure 에 있는 각 통계량의 의미는 대략 다음과 같다.

[그림 15.9]

Measures	설명
Entropy RSquare	범주형 반응치가 있을 경우에만 표시됨 적합 모형과 상수 모형의 로그 가능도를 비교, 0~1의 범위를 가짐
Generalized RSquare	가능도 함수 L을 기반으로 값이 0~1이 되도록 척도화한 값
Mean -log p	-log p의 평균, 값이 작을수록 적합도가 높음
RASE	Root Mean Square Error 범주형 반응치인 경우 1에서 p(실제로 발생한 확률) 사이
Mean Abs Dev	반응치 값과 예측값 차이에 대한 절대값의 평균 범주형 반응치인 경우 1에서 p(실제로 발생한 확률) 사이
Misclassification Rate	범주형 반응치일 경우에만 표시
N	관측값 수

[그림 15.8]의 Validation 데이터 기준으로 살펴보자. 전체 데이터는 650 개이다. 이런 경우 정확도, 민감도, 특이도 라는 개념을 많이 활용하는 데 이에 대해 알아보자.

1. 정확도(Accuracy)

1) 정확하게 판단한 비율, 즉 yes 를 yes 로, no 를 no 로 판단한 비율을 뜻한다.

2) 이 경우는 (424 + 74) / 650 = 0.766 이 된다

3) 오분류율(Misclassification rate)은 1-0.766 으로 0.2338 이다.

2. 민감도(Sensitivity)

1) 민감도는 범주별 정확도로서 실제 사실을 정확하게 사실로 판단해 내는 능력이라 할 수 있다.

2) 예를 들어, no 범주의 민감도는 424 / (424 + 7) = 0.984 이다.

3. 특이도(Specificity)

1) 사실이 아닌 것을 사실이 아닌 것으로 판단하는 능력이라 할 수 있으며, 1 종 오류(Alpha Risk)와 비슷한 개념이라 할 수 있다.

2) 여기서 no 범주의 특이도는 74 / (145 + 74) = 0.338 이다.

이 개념을 비가 온다고 예측하는 경우를 가정하여 일반화하여 살펴보자. 보통, 왼쪽에 실제의 경우를 오른쪽에 예측한 결과를 표시하여 네 가지 경우에 대해 아래와 같이 표시한다.

[그림 15.10]

		예측(Predicted)	
		비 온다(Positive)	비 안 온다 (Negative)
실제 (Actual)	비 온다 (Positive)	True Positive (TP)	False Negative (FN)
	비 안 온다 (Negative)	False Positive (FP)	True Negative (TN)

이제 민감도, 특이도 그리고 '1-특이도'는 어떻게 계산되는 지 살펴보자.

민감도(Sensitivity)는 TP / (TP + FN) 로 계산되며 True Positive Rate(TPR) 이라고 한다. 실제 비가 온 날을 비가 온다고 예측한 확률이다. 특이도(Specificity)는 TN / (FP + TN) 로 계산되며 실제 비가 안 온 날을 비가 안 온다고 예측한 확률이다. 반면, '1-Specificity(특이도)'는 FP / (FP + TN) 로 계산되며 실제로 비가 안 온 날을 비가 온다고 예측한 비율로 False Positive Rate (FPR) 라고도 한다.

축의 범위를 0~1 로 하여 민감도를 Y 축에, '1-특이도'를 X 축으로 하여 개별 데이터의 분석 결과를 그래프에 그리면, 왼쪽 아래 그래프처럼 데이터가 X 축 위로 타점되면 제대로 예측한 비율을 나타내는 경우가 되고, Data 가 Y 축 오른쪽으로 타점되면 잘못 예측한 비율을 나타낸다고 볼 수 있다.

[그림 15.11]

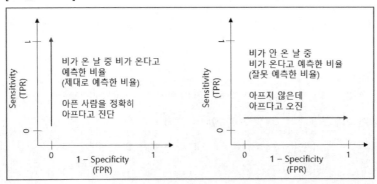

JMP 분석 결과에서 볼 수 있는 아래와 같은 ROC(Receiver Operator Characteristic) Curve 는 위의 [그림 15.11]의 결과를 표시한 것이다. 당연히 그래프가 왼쪽 위쪽으로 치우쳐져 있어야 예측 능력이 뛰어나다고 말할 수 있을 것이다. Decision Tree 의 경우 ▼**Partition / ROC Curve** 에서 이를 확인할 수 있다.

위의 예시와 같이 동전의 앞뒤면처럼 반응치 Y 가 2 개의 범주만을 가지는 경우에는 아래 그래프의 대각선 왼쪽으로 ROC Curve 가 Plotting 되어야 동전 던지기와 같이 랜덤한 경우보다 예측력이 높은 경우라 할 수 있다.

[그림 15.12]

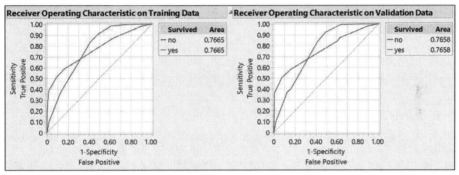

이를 도식화하면 아래와 같이 나타낼 수도 있다. ROC Curve 아래 파란색 부분을 **AUC(Area Under the Curve)**라고 부른다. 아래 오른쪽 그래프에서는 당연히 Model A 가 Model B 보다 AUC 값(면적)이 크므로, Model A 가 예측 능력이 좋은 모델이라 할 수 있다.

[그림 15.13]

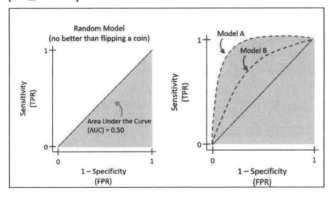

달리 말하면 왼쪽 아래의 그래프에서 임계치(빨간 실선)을 오른쪽으로 이동해 갈 때 얼마나 민감한 지를 체크하는 것이라 볼 수 있다.

[그림 15.14]

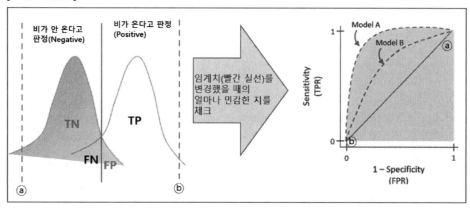

4) Lift Curve

Lift Curve 는 ROC Curve 와 더불어 범주형 반응치에 대해 분석을 할 때 활용되는 개념이며 랜덤하게 선택했을 때보다 얼마만큼 더 나은 모델링 능력을 가지고 있는 지를 평가하기 위해 사용한다.

[그림 15.15]

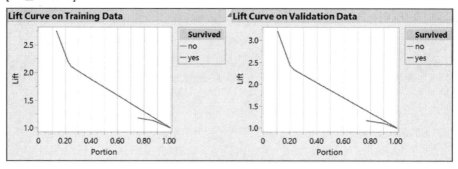

Decision Tree 를 사용하여 분기한 결과가 [그림 15.16]과 같다고 가정하자. 아래 데이터는 관찰 값의 수는 1549 개이고 yes 값은 514 개(33%), 세 번

분기한 결과(4 개의 Subgroup)를 나타낸 것으로 동그라미 안의 숫자는 yes(푸른 색)의 비중이 높은 순서를 나타낸 것이다.

[그림 15.16]

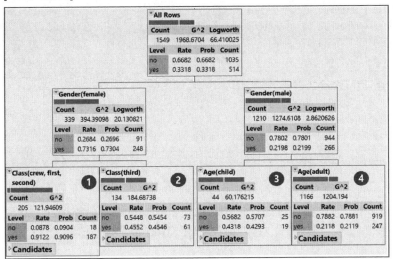

여기까지 분기(Split)한 결과를 가지고 Lift Curve 를 그리면 아래와 같다. 여기서 X 축인 Portion 은 High(파란색) 비율이 높은 순서대로 정렬한 '각 Subgroup 별 개수의 누적 / 전체 데이터 개수(514)'를 의미한다. 반면 Y 축 Lift Value 의 의미는 'yes(파란색) 비율(누적) / 전체 데이터에서 yes(파란색)의 비율(즉, 0.33)'을 나타낸다. 즉, Lift Value 2.75 의 의미는 이 모델을 사용하여 예측된 값 187 개(yes 의 개수)는 무작위로 선택했을 때 보다 2.75 배 더 많이 선택되었다는 뜻이다. 다시 말해, 랜덤한 경우보다 몇 배 더 나은 모델링 능력을 가졌는가를 나타내는 개념이다.

[그림 15.17]

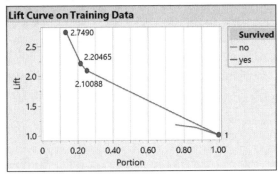

계산 과정을 정리하면 아래와 같다.

[그림 15.18]

A	B / D	B	C	D	E	E / Total	C / E	Lift Value
파란색 비율이 높은 순서	파란색 비율	파란색의 개수	파란색의 개수 (누적)	Total 개수	Total 개수 (누적)	Portion : Total 개수(누적) / Total(1549)	파란색 비율 (누적)	파란색 비율 (누적)/전체
1	0.9122	187	187	205	205	0.132	0.9122	2.74901
2	0.4552	61	248	134	339	0.219	0.7316	2.20465
3	0.4318	19	267	44	383	0.247	0.6971	2.10088
4	0.2118	247	514	1166	1549	1.000	0.3318	1.00000

5) PR(Prediction Recall) Curve

PR(Precision Recall) Curve 는 JMP18 에 새롭게 추가된 기능이다. ROC Curve 는 X 축에 (1-Specificity), Y 축에 Sensitivity 가 위치하는 반면 PR(Precision Recall) Curve 는 X 축에 Sensitivity(=Recall), Y 축에 Precision 이 위치한다.

[그림 15.19]

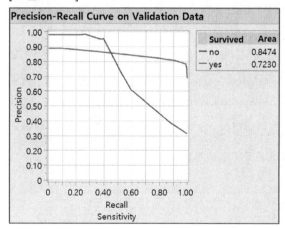

[그림 15.10]의 내용을 기준으로 **Precision Recall Curve** 기준으로 설명하면
1) Precision 은 예측된 Positive 중에서 실제로 Positive 한 것의 비율, 즉 비가 온다고 예측한 날 중에서 실제로 비가 온 날의 비율을 말한다.

2) Recall(Sensitivity, TPR)은 얼마나 많은 실제 Positive 가 올바르게 예측되었는가를 알려준다. 즉, 실제 비가 온 날 중에서 비가 온다고 예측된 비율을 뜻한다.

그러므로 Precision Recall Curve 는
1) 곡선 아래의 면적이 넓을수록 모델 성능이 우수함을 의미한다.
2) [그림 15.20]처럼 ROC Curve 대비 범주간 데이터 개수의 차이가 심한 Class Imbalance 의 문제가 있을 때 보다 유용하다. Precision Recall Curve 는 Positive 를 FN(False Negative)로 잘못 분류하여 심각한 문제가 발생할 수 있는 경우(예를 들어 코로나 양성인 데 음성으로 분류하는 경우)에 매우 유용하다.
3) 즉, False positive(1 종 오류, 비가 온다고 예측했는 데 비가 안 옴)와 False negative(2 종 오류, 비가 안 온다고 예측했는 데 비가 옴)의 비용이 서로 다르거나 둘 중 하나를 우선시해야 할 때 유용한 그래프이다.

[그림 15.20]

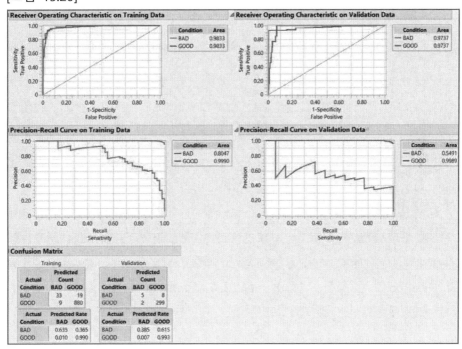

6) 결정 임계(Decision Thresholds)

앞에서 살펴본 Lift Curve, ROC Curve 및 PR Curve 는 범주형 반응치에 대해 분석을 할 때 활용되는 개념인 데, 지금처럼 범주형 반응치가 두 가지 범주를 가진 이항(Binary) 데이터인 경우 ▼**Partition for ~ / Decision Threshold** 에서 분류모델에 대한 보다 다양한 정보를 확인할 수 있다. 결정 임계(Decision Threshold) 기능은 Partition 뿐만 아니라 Neural Network, **로지스틱 회귀 (Analyze / Fit Model)** 등에서도 활용 가능하다.

🖑 [그림 15.21]에서 왼쪽 그래프는 개별 모형 적합이 두 범주를 어떻게 구분하는 지를 보여주는 적합 확률 분포이고 중간에 있는 그래프는 분류 개수를 나타내는 데, 올바르게 분류한 것은 녹색으로 잘못 분류한 것은 붉은 색으로 표현된다. 오른쪽은 실제 값과 예측 값에 대한 이원 분류표인 혼동 행렬 및 비율 표이다.

[그림 15.21]

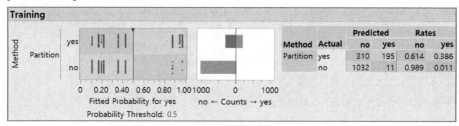

🖑 하단 Graph 의 **False Classification by Threshold** 는 오분류 수 대 확률 임계 그림과 오분류 비율 대 확률 임계 그림을 표시한다.

낮은 반응 범주는 실선으로, 높은 반응 범주는 파선으로 표시되고 각 반응 수준에 대해 동일한 오분류 수 또는 비율을 생성하는 임계값에서 교차한다. 지금의 경우 반응 변수인 Survived 에 대해 Survived((yes) 범주를 Survived(no)로 예측한 비율이 높으므로 Survived((yes)를 나타내는 파선 그래프는 우하향하는 것으로 표현된다.

[그림 15.22]

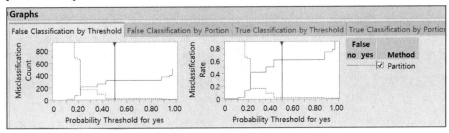

🖰 **False Classification by Portion** 은 비율별 분류로 X 축에 Survived((yes)의 비율과 Y 축에 오분류 개수와 비율 그림을 각각 표시한다.

[그림 15.23]

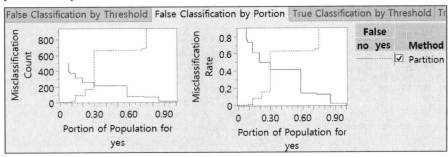

🖰 **True Classification by Threshold** 은 True 수 대 확률 임계 그림과 True 비율 대 확률 임계 그림을 표시한다.

[그림 15.24]

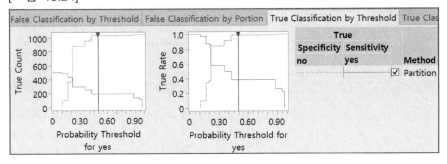

🖰 **True Classification by Portion** 은 True 수 대 순위별 스코어 비율 그림과 True 비율 대 쉰위별 스코어 비율 그림을 표시한다.

[그림 15.25]

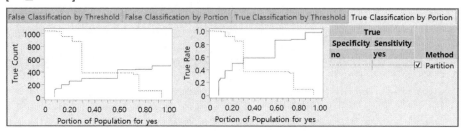

이 내용을 Metrics 의 결과 및 [그림 15.10]의 내용과 비교하면 다음과 같다.

☞ 별도로 표시한 부분은 **TP(True Positive)** 부분을 표시한 것이다.

[그림 15.26]

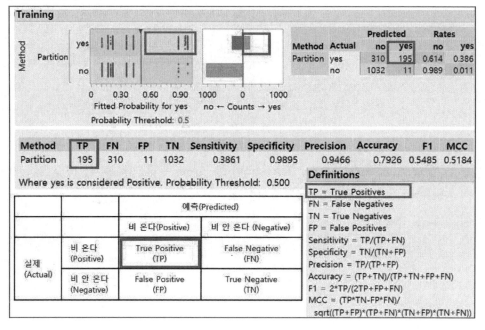

☝ [그림 15.27]은 **FN(False Negative)** 부분을 표시한 것이다.

[그림 15.27]

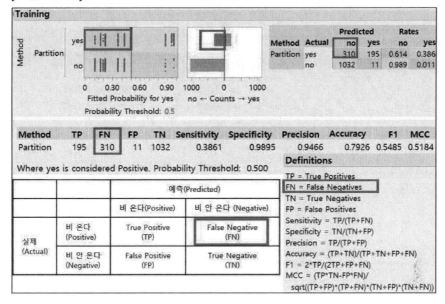

☝ 다음은 **FP(False Positive)** 부분을 표시한 것이다.

[그림 15.28]

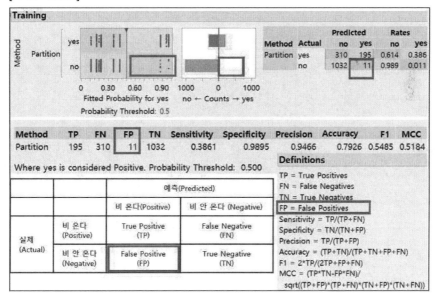

☞ [그림 15.29]는 **TN(True Negative)** 부분을 표시한 것이다.

[그림 15.29]

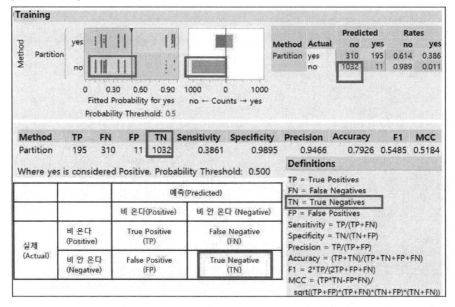

☞ 다음은 **Sensitivity(TP / Total positive)** 부분을 표시한 것이다.

[그림 15.30]

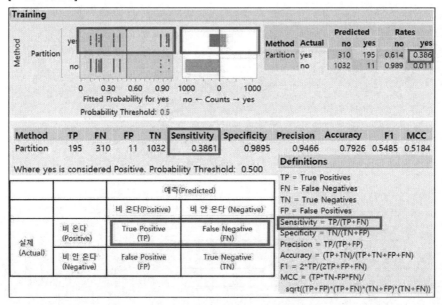

✋ [그림 15.31]은 **Specificity(TN / Total negative)**를 표시한 것이다.

[그림 15.31]

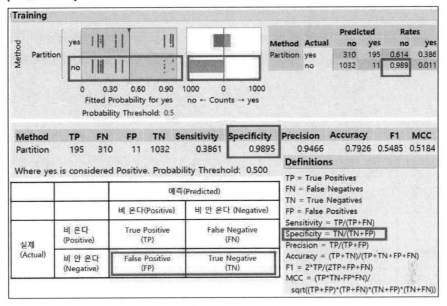

✋ 다음은 **Precision** 부분을 표시한 것이다.

[그림 15.32]

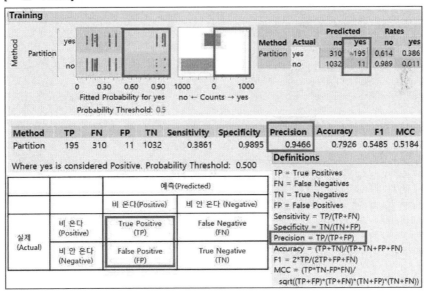

⑦ 다음은 정확하게 예측한 비율을 의미하는 **Accuracy(1 − 오분류율)**에 대한 내용이다.

[그림 15.33]

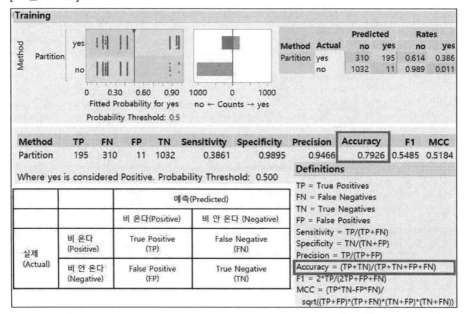

⑦ 마지막으로 **F1 Score** 는 Precision 과 Sensitivity 의 평균값이며 **MCC (Matthew's Correlation Coefficient)**는 실제 값과 예측값의 상관 계수를 의미한다.

7) 연속형 반응치의 경우

이번에는 'Diabetes.jmp' 데이터를 활용하여 연속형 반응치 (여기서는 Y-혈당수치-활용)일 경우의 Decision Tree 방법에 대해 살펴보자.

⑦ **Analyze / Predictive Modeling / Partition** 에서 Y 및 X(여기서는 age 부터 glucose 까지 10 개)를 선택하고 모델의 유효성을 검정하기 위한 방편으로

Validation Portion 을 입력하고(여기서는 0.4(40%)), 실행 Window 에서 OK 클릭 후 분석 결과에서 **'Go'** 버튼을 클릭한 결과는 아래와 같다.

[그림 15.34]

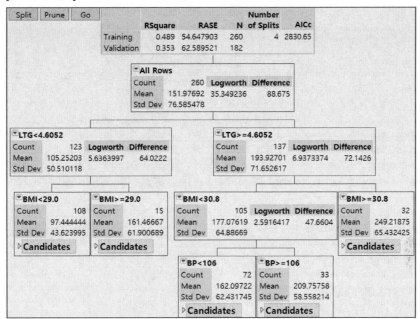

Validation Portion 40%를 설정했으므로 전체 442 개 데이터 중 모델을 만들기 위한 Training 에 260 개, 검정을 위한 Validation 에 182 개가 랜덤하게 할당되었다.

🖰 이처럼 Validation Portion 을 설정한 뒤 'Go' 버튼을 클릭하면 Validation 통계량(보통은 RSquare)이 최적화될 때까지 자동 분기를 실행한다. 각 Subset 에 대한 반응치 Y 의 평균, 표준 편차 등이 표시된다. Difference 는 그 다음에 분기된 두 Subset 의 평균값 차이이다.

🖰 **Split History Graph** 를 통해 몇 번 분기했을 때가 최적인 지 알 수 있다. 이 때 Validation 데이터의 R-Square 값이 제일 높다. 여기서 Split 버튼을 클릭하여 한 번 더 분기하면 Training 데이터의 RSquare 는 올라가지만, Validation 데이터의 RSquare 는 낮아진다.

[그림 15.35]

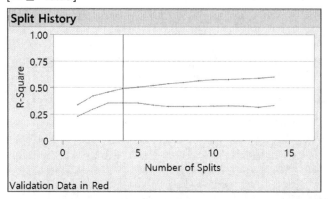

Split History

Validation Data in Red

🖰 ▼**Partition~ / Leaf Report** 에서 각 Subset 별로 평균값과 데이터 개수를 확인할 수 있다.

[그림 15.36]

Leaf Report

Leaf Label	Mean	Count
LTG<4.6052&BMI<29.0	97.4444444	108
LTG<4.6052&BMI>=29.0	161.466667	15
LTG>=4.6052&BMI<30.8&BP<106	162.097222	72
LTG>=4.6052&BMI<30.8&BP>=106	209.757576	33
LTG>=4.6052&BMI>=30.8	249.21875	32

🖰 또한 ▼**Partition~ / Column Contributions** 에서 총 변동(SS : Sum of Squares) 기준으로 각 변수의 반응치 Y 에 대한 기여율을 확인할 수 있다.

[그림 15.37]

Column Contributions

Term	Number of Splits	SS		Portion
LTG	1	509629.404		0.6862
BMI	2	181629.198		0.2446
BP	1	51401.0104		0.0692
Age	0	0		0.0000
Gender	0	0		0.0000
Total Cholesterol	0	0		0.0000
LDL	0	0		0.0000
HDL	0	0		0.0000
TCH	0	0		0.0000
Glucose	0	0		0.0000

2. Predictor Screening

Predictor Screening 기능은 JMP 에서 많은 수의 변수 중에서 중요 변수를 선별(Screening) 하는 가장 간단한 방법중의 하나이다. 메뉴는 **Analyze / Screening / Predictor Screening** 이다.

이 기능은 머신 러닝 방법 중에서 Bootstrap Partition(Random Forest) 기능을 활용하여 여러 개의 Decision Tree 를 만들어(디폴트는 100 개, 개수 조정 가능) 반응치에 대한 각 예측 변수들의 영향력을 평가하는 방법이다. 즉, 반응치에 영향을 주는 예측 변수를 선별하는 방법이라 할 수 있다. 당연히 Bootstrap Forest 는 랜덤하게 실행되므로 분석할 때마다 결과가 약간씩 다르게 나온다.

'Tablet Production.jmp' 데이터를 가지고 살펴보자. 이 데이터는 용해도 (Dissolution)에 영향을 미치는 17 개의 변수(API Particle Size ~ Atomizer Pressure)가 있고 용해도 70 을 기준으로 합격여부를 판단한 Lot Acceptance 라는 추가적인 반응치가 있다.

🖰 **Analyze / Screening / Predictor Screening** 에 들어가서 연속형 반응치인 **Dissolution** 과 범주형 반응치인 **Lot Acceptance** 를 Y 로 선택한다. 그런 다음 API Particle Size 부터 Atomizer Pressure 까지 17 개의 예측 변수를 X 로 선택하고 OK 를 클릭하면 반응치에 대한 변수들의 상대적 영향도를 간단하게 그리고 빠르게 살펴볼 수 있다.
연속형 반응치인 **Dissolution** 과 범주형 반응치인 **Lot Acceptance** 간에 X 인자들의 중요도가 조금 다름을 알 수 있다. [그림 15.38]의 결과는 Rank 를 클릭하여 Rank 내림차 순으로 정렬한 결과이다.

[그림 15.38]

Predictor	Dissolution				Lot Acceptance		
	Contribution	Portion		Rank	Contribution	Portion	Rank
Screen Size	144.279	0.2564		1	4.18903	0.1188	3
Mill Time	114.809	0.2040		2	4.81731	0.1366	2
Spray Rate	65.493	0.1164		3	9.86116	0.2797	1
Coating Viscosity	50.179	0.0892		4	2.63062	0.0746	5
Blend Time	36.919	0.0656		5	0.51033	0.0145	13
Blend Speed	32.810	0.0583		6	0.71067	0.0202	12
Atomizer Pressure	22.591	0.0401		7	0.39632	0.0112	17
Inlet Temp	19.764	0.0351		8	2.67673	0.0759	4
Force	14.051	0.0250		9	1.10725	0.0314	9
Exhaust Temp	13.481	0.0240		10	2.23325	0.0633	6
Lactose Supplier	10.713	0.0190		11	0.72213	0.0205	11
API Particle Size	8.302	0.0148		12	1.34941	0.0383	8
Coating Supplier	7.283	0.0129		13	0.47312	0.0134	14
Sugar Supplier	7.002	0.0124		14	1.98824	0.0564	7
Talc Supplier	6.558	0.0117		15	0.45270	0.0128	15
Compressor	4.789	0.0085		16	0.39751	0.0113	16
Mag. Stearate Supplier	3.716	0.0066		17	0.74026	0.0210	10

🖰 **Predictor Screening** 기능에서도 Local Data Filter 를 활용할 수 있다. 각 변수의 세부 조건별로 반응치에 영향을 X 인자들의 순서 및 영향도를 Local Data Filter 를 통해 보다 명확하게 파악할 수 있다.

[그림 15.39]

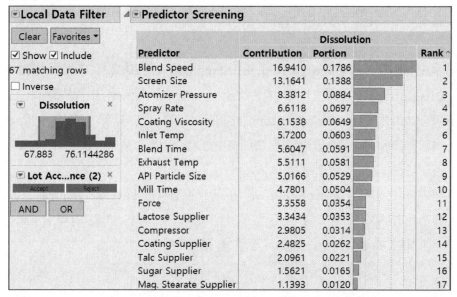

3. Response Screening

1) FDR(False Discovery Rate)

변수가 많은 다변량 데이터일 경우 가설 검정을 동시에 실행하면 중요하지 않는 변수가 중요 변수로 판정된 가능성이 높아진다.

우리는 가설 검정시에 유의 수준(Significance Level, α)을 활용한다. 유의 수준이란 1 종 오류(귀무 가설이 참인데도 이를 기각할 확률)의 (허용 가능한) 최대치를 뜻한다. 만약 변수가 100 개일 경우, 100 번 가설 검정을 하면 가설 검정의 신뢰도는 매우 낮아진다. 유의 수준 0.01, 0.05(즉, 신뢰도 0.99, 0.95)를 기준으로 가설 검정을 하게 되면 아래와 같이 검정 회수에 따라 신뢰도는 급격히 낮아진다. 100 번 검정할 경우 유의 수준 0.01 에서는 가설 검정의 신뢰도는 37%, 유의 수준 0.05 에서는 0.6% 정도로 급격히 낮아지게 된다.

[그림 15.40]

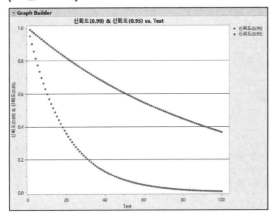

이러한 문제를 해결하기 위한 방법이 몇 가지 있는 데 그 중 FDR(False Discovery Rate) 방법이 가장 많이 활용되고 있고 JMP 에서도 이를 채택하고 있다.

FDR 은 다중 비교 시 1 종 오류(α risk)의 비율이 얼마인지를 나타낸 값이라 볼 수 있다(expected proportion of "discoveries" (rejected null hypotheses) that are false (incorrect rejections)).

즉, FDR 은 기각된 귀무 가설 중에서 잘못 기각된 가설이 차지하는 비율의 평균으로 사용자가 지정하는 값이라 할 수 있다.

FDR 의 계산 절차를 간단히 살펴보면 대략 아래와 같다.

1) 실제적 중요성의 판단 기준이 되는 FDR 값을 설정한다. 보통 0.05 또는 0.01 이 많이 활용된다.

2) 예를 들어 [그림 15.41]은 20 개의 반응치 Y 를 대상으로 가설 검정을 한 후, PValue 를 구한 다음, PValue 순서대로 정렬한 결과이다.

3) 그런 다음 아래와 같이 FDR P Value 를 계산한다.

  FDR P Value = (Rank / 변수 개수) * 유의수준(α)

4) PValue 보다 FDR PValue 값이 더 커지는 첫 번째 rank 까지가 유의한 변수(Significant, Different)라고 보면 된다. 아래 결과에서 FDR 개념을 활용하면 유의 수준 0.05 에서는 중요 변수가 11 개에서 10 개로 줄어들고, 유의 수준 0.01 에서는 중요 변수가 7 개에서 3 개로 줄어듦을 알 수 있다.

[그림 15.41]

	P-Value	Rank	FDR P Value:(rank/N)*α(0.05)	(0.05) 기준	FDR P Value:(rank/N)*α(0.01)	(0.01) 기준
1	0.0000	1	0.0025	Significant	0.0005	Significant
2	0.0000	2	0.0050	Significant	0.0010	Significant
3	0.0010	3	0.0075	Significant	0.0015	Significant
4	0.0029	4	0.0100	Significant	0.0020	No
5	0.0050	5	0.0125	Significant	0.0025	No
6	0.0050	6	0.0150	Significant	0.0030	No
7	0.0074	7	0.0175	Significant	0.0035	No
8	0.0150	8	0.0200	Significant	0.0040	No
9	0.0163	9	0.0225	Significant	0.0045	No
10	0.0180	10	0.0250	Significant	0.0050	No
11	0.0420	11	0.0275	No	0.0055	No
12	0.0620	12	0.0300	No	0.0060	No
13	0.0720	13	0.0325	No	0.0065	No
14	0.0740	14	0.0350	No	0.0070	No
15	0.3210	15	0.0375	No	0.0075	No
16	0.4580	16	0.0400	No	0.0080	No
17	0.6210	17	0.0425	No	0.0085	No
18	0.6310	18	0.0450	No	0.0090	No
19	0.8300	19	0.0475	No	0.0095	No
20	0.8630	20	0.0500	No	0.0100	No

2) Response Screening

앞에서 설명한 **FDR(False Discovery Rate)**을 다시 요약하면 변수의 개수가 많을 경우 실제적으로는 별로 중요하지 않는 데 통계적으로는 중요하다고 판정될 수 있는 오류를 방지하기 위한 개념이라고 할 수 있다.

이러한 실제적인 차이(Practical Difference/Significance)를 규명하기 위한 JMP Menu는 Response Screening 이라는 이름으로 두 군데에 있으며 분석 결과는 동일하다.

1) **Analyze / Screening / Response Screening**
2) **Analyze / Fit Model**(Personality 를 Response Screening 으로 설정)

Analyze / Screening / Response Screening 메뉴에서 JMP 에 있는 Sample Data 인 'Probe.jmp'를 가지고 살펴보기로 하자. 이 데이터는 Process 의 변경에 따른 387개 공정의 변화여부를 비교한 결과이다.

🖑 **Analyze / Screening / Response Screening** 에서 387개 반응치를 Y 로, Process 를 X 로 선택하다. Advanced Options 를 열어서 **Max Logworth** 에 100 을 입력한다(다른 옵션은 디폴트 상태로 그대로 둔다). **Max Logworth** 는 Max -log10 P Value 를 의미한다. Max Logworth 100 은 Pvalue 0.01 에 해당하는 데 이렇게 설정(제한)하면 출력되는 Plot 의 크기(scale)를 제어하는 데 도움이 된다.

🖑 분석 결과에는 탭 박스 형식에 포함된 세 개의 Plot 과 Result table 이 있다[30].
먼저 **FDR P Value Plot** 부터 살펴보자.

---

[30] 항상 이렇게 세 가지의 Plot 이 출력되는 것은 아니고, 실행 화면에서 옵션 설정 결과 및 X, Y 에 선택되는 변수의 Modeling Type 에 따라 FDR Logworth by Kappa Plot, FDR Logworth by Corr Plot 등 다른 Plot 이 출력된다.

[그림 15.42]

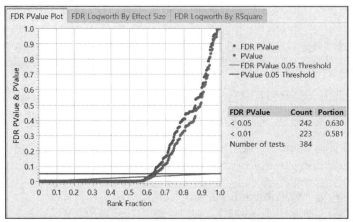

X 축에 있는 **Rank Fraction** 은 FDR P Value 값을 작은 값부터 서열화한 값으로 가장 큰 값은 1 이고, 가장 작은 값은 (1 / the number of tests) 이다. FDR P Value 기준으로는 파란색 선(여기서는 0.05) 아래의 검정 값이 중요하고, PValue 기준으로는 빨간색 선 아래의 검정 값이 중요하다.

오른쪽에 보면 FDR PValue 기준으로 유의한 인자의 개수가 요약되어 있다. 유의 수준 0.05 기준으로는 384 개 인자 중에서 242 개가 유의하다.

해당 부분을 확대해서 보면, 일부 데이터의 경우에는 (α 0.05 기준으로) 일반적인 P-Value 기준으로는 유의하지만 FDR Pvalue 기준으로는 유의하지 않다. FDR PValue Plot 기준으로 보면 빨간 점(P Value)이 빨간 선(P Value > 0.05) 위에 있지만 파란 선 아래에 해당하는 경우이다.

[그림 15.43]

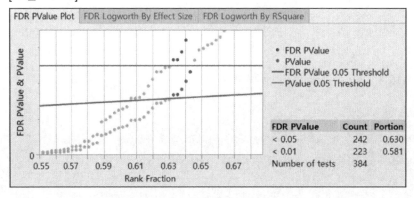

하단의 Result Table 에서 세부적인 사항을 확인할 수 있다. 아래 다섯 개의 반응치는 PValue 는 0.05 보다 작은 데, FDR PValue 는 0.05 보다 큰 경우이다.

[그림 15.44]

Y	Count	PValue	Logworth	FDR PValue	FDR Logworth	Effect Size	RSquare
C2_4KCAP_ POST_TOX	5738	0.031	1.509	0.049197	1.308	0.02847	0.0008
30P5_2ST(4X100)_ILCSO@12V	5800	0.03361	1.474	0.053111	1.275	0.0279	0.0008
RCON_VIA_FOX_2P5X2P5	5729	0.03378	1.471	0.053161	1.274	0.02804	0.0008
RM_RNEMNBNBL_100X20	5791	0.03673	1.435	0.057566	1.240	0.02745	0.0008
C2_4KCAP_RTF	5794	0.04115	1.386	0.064241	1.192	0.02682	0.0007
30P1_12X100_HFE1UA	5754	0.04645	1.333	0.072208	1.141	0.02625	0.0007
30P1_4X4_BVCBS	5800	0.05291	1.276	0.081924	1.087	0.02542	0.0006
30P4_210(LE4)_BVEBO	5800	0.05867	1.232	0.090476	1.043	0.02483	0.0006

☞ 두 번째는 **FDR Logworth By Effect Size Plot** 이다. 이것은 **Effect Size** 와 **FDR Logworth** 값을 그래프로 표현한 것이다. LW(LogWorth) 2 를 초과한다는 것은 P Value 0.01 미만이라는 뜻이다.

[그림 15.45]

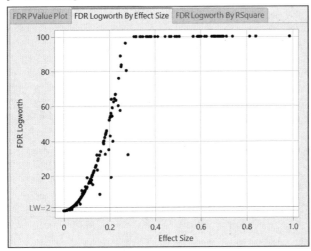

Effect Size 는 X 인자의 변화에 따른 반응치의 크기 변화를 척도화한 것이라 할 수 있다. Effect Size 를 계산하는 방식은 X, Y 변수의 Modeling Type 에 따라 다르게 계산하는 데. 반응치 Y 가 연속형인 지금의 경우는 아래와 같이 계산된 것이다. 숫자 단위의 크기가 다르면 서로 비교하기가 어렵기 때문에 단위를 맞추기 위해 개념적으로 보면 분자에 평균의 변화, 분모에 표준편차의 평균을 사용한다.

$$\frac{\bar{Y}_{new} - \bar{Y}_{old}}{\sqrt{(\sigma_{new}^2 + \sigma_{old}^2)\big/ 2}}$$

✑ 세 번째는 **FDR Logworth By Rsquare** 이다. 일반적으로 Logworth 값이 클수록 R-Square 값이 크다.

[그림 15.46]

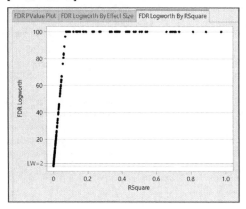

✑ **Result Table** 을 살펴보자. Logworth 값 10, 3, 2 값 기준으로 별도의 색깔로 구분되어 있는 데 이는 각각 PValue 0.0000000001, 0.001, 0.01 에 해당한다.

[그림 15.47]

Y	Count	PValue	Logworth	FDR PValue	FDR Logworth	Effect Size	Rank Fraction	RSquare
30P4_72RX4CX4B_LE4_ILCBS	5800	0.00029	3.543	0.000532	3.274	0.04761	0.53906	0.0023
30P1_12X100_BVCBO	5800	0.00046	3.337	0.000849	3.071	0.04598	0.54167	0.0021
30P5_2ST(4X100)_ILCBO_25V	5800	0.00061	3.212	0.001127	2.948	0.04496	0.54427	0.0020
VDP_SICR	5787	0.0007	3.157	0.001275	2.894	0.04455	0.54688	0.0020
30P4_72RX4CX4B_LE4_ILCEO	5800	0.00074	3.130	0.001349	2.870	0.04428	0.54948	0.0020
C2_4KCAP_IMAX	5800	0.0008	3.096	0.001454	2.838	0.044	0.55208	0.0019
30P1_4X4_BVEBO	5800	0.00087	3.058	0.001576	2.802	0.04369	0.55469	0.0019
30N4_210(LE4)_ILCBS_12V	5800	0.00122	2.913	0.002194	2.659	0.04245	0.55729	0.0018
30P4_72RX4CX4B_LE4_ILCBS_25V	5800	0.0013	2.885	0.00233	2.633	0.0422	0.5599	0.0018
30N4_LE8_2RX1C_ILCSO@12V	5800	0.00137	2.862	0.002444	2.612	0.042	0.5625	0.0018
RM_30RNB_100X20	5781	0.00165	2.783	0.002914	2.535	0.04138	0.5651	0.0017
30P4_72RX4CX4B_LE4_ILCBO_12V	5800	0.00192	2.717	0.003383	2.471	0.04072	0.56771	0.0017
30P1_12X100_VA_10UA_10_20V	5683	0.00262	2.581	0.004602	2.337	0.0399	0.57031	0.0016
30Z5_BDV	5800	0.00269	2.570	0.004698	2.328	0.03939	0.57292	0.0016
RM_RPB_100X20	5790	0.00278	2.556	0.004832	2.316	0.0393	0.57552	0.0015
30Z4_IL	5800	0.00433	2.364	0.00749	2.126	0.03745	0.57813	0.0014
R_30RNB_5X20	5780	0.00439	2.357	0.007562	2.121	0.03746	0.58073	0.0014
M2/M1_ILD_IS2	5800	0.00605	2.218	0.010373	1.984	0.03604	0.58333	0.0013
30N1_4X20_VBE	5790	0.00663	2.178	0.011317	1.946	0.03567	0.58594	0.0013
30N5_2ST(4X100)_ILCSO@12V	5800	0.01082	1.966	0.018388	1.735	0.03346	0.58854	0.0011

Result Table 의 내용을 살펴보면

1) **Count** : 일부 변수는 원래 데이터의 개수(5,800)와 차이가 나는 데, 이는 결측치(missing value)가 있기 때문이다.

2) **PValue** : 일반적인 가설 검정(Analyze / Fit Y by X)에서의 P value 이다. 반응치와 X 인자의 모델링 Type 에 따라 각각 아래의 방법에 의해 계산된다. 지금은 X 인자가 두 개의 범주를 가진 범주형 변수이고 모든 반응치 Y 가 연속형이므로 ANOVA 가 적용되었다.

[그림 15.48]

Response	Factor	Fit Y by X Analysis	Description
Continuous	Categorical	Oneway	Analysis of Variance
Continuous	Continuous	Bivariate	Simple Linear Regression
Categorical	Categorical	Contingency	Chi-Square
Categorical	Continuous	Logistic	Simple Logistic Regression

3) **Logworth** 는 $-\log_{10}(\text{PValue})$를 의미한다.

4) **FDR P Value** 는 '(Rank / 변수 개수) * 유의수준(α)' 로 계산된다.

5) **FDR Logworth** : $-\log_{10}(\text{FDR PValue})$로서 값이 클수록 실제적으로 유의하다.

6) 그 외 Effect Size, Rsquare 가 출력되면 X, Y 변수의 모델링 타입(연속형, 범주형)에 따라 Kappa 통계량, 상관 계수 등이 표시된다.

⚲ 이제 실제적인 유의성과 동등성(Practical Significance and Equivalence)에 대해 살펴보자. 분석 결과에서 ▼**Response Screening / Practical Differences and Equivalences** 를 클릭하면 동등성 검정에서 현실적인 유의성을 판별하기 위한 기준 비율을 입력하는 화면이 출력된다. 두 가지 옵션이 있는 데,

1) **Portion of spec range or 6*Sigma** : 일반적으로 0.1 또는 0.15 를 많이 사용하며, 만약 0.15 를 입력하였다면 $0.15*6\ \sigma$, 즉 표준 편차의 약 0.9 배(0.1 을 입력하면 0.6 배) 크기를 현실적 유의성의 판단 기준으로 검정하겠다는 의미가 된다.

2) **Actual difference to detect** : 유의성을 판별하기 위한 실제값을 입력한다.

[그림 15.49]

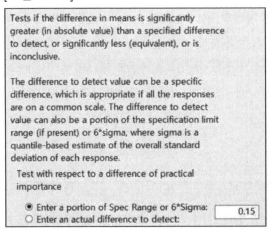

Tests if the difference in means is significantly
greater (in absolute value) than a specified difference
to detect, or significantly less (equivalent), or is
inconclusive.

The difference to detect value can be a specific
difference, which is appropriate if all the responses
are on a common scale. The difference to detect
value can also be a portion of the specification limit
range (if present) or 6*sigma, where sigma is a
quantile-based estimate of the overall standard
deviation of each response.

  Test with respect to a difference of practical
  importance

    ◉ Enter a portion of Spec Range or 6*Sigma: [0.15]
    ○ Enter an actual difference to detect:

☞ [그림 15.49]처럼 입력하고 OK 를 클릭하면 Practical Differences 에 대한
Plot 과 Table 이 출력된다.
1) 먼저 Plot 을 살펴보면 실제적인 차이(Practical Difference)에 대한 결과가
3 가지 Color 로 구분된다

[그림 15.50]

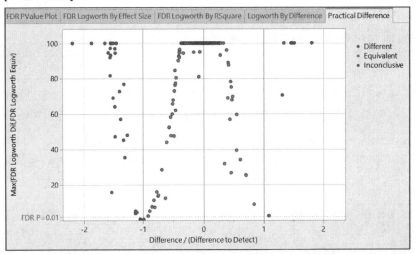

-**Different(붉은 색)** : 차이의 절대값(absolute difference)이 실제적인 차이
(practical difference)보다 큰 경우에 해당한다.
-**Equivalent(녹색)** : 차이의 절대값이 실제적인 차이값 이내에서 유의한

354

경우이다.

-**Inconclusive(회색)** : 실제적인 차이값 및 실제적인 동등성 모두가 유의하지 않는 경우이다.

🖑 **Table** 을 살펴보자. 아래는 **Practical Dif PValue** 와 **Practical Equiv PValue** 를 추가한 결과이다.

[그림 15.51]

Y	Difference	Difference to Detect	Practical Dif PValue	Practical Equiv PValue	FDR Practical Dif PValue	FDR Practical Equiv PValue	Practical Result
DELL_RPNBR	0.03105	0.14865	1	2e-153	1	2e-153	Equivalent
DELL_RPPBR	0.02475	1.19393	1	2e-225	1	2e-224	Equivalent
DELW_M1	-0.0275	0.70305	1	1e-217	1	5e-217	Equivalent
DELW_M2	-0.0739	0.07048	0.02695	0.97305	0.27968	1	Inconclusive
DELW_NBASE	1.28075	50.6893	1	7e-223	1	3e-222	Equivalent
DELW_NEMIT	0.04013	0.08484	1	7.7e-69	1	9.4e-69	Equivalent
DELW_NENBNI	0.93842	0.86402	0.00037	0.99963	0.00397	1	Different
DELW_NSINK	-1.3974	1.07231	3.2e-37	1	4e-36	1	Different
DELW_PBASE	0.04365	0.12964	1	8e-113	1	1e-112	Equivalent
DELW_PCOLL	-1.8169	1.1754	0	1	0	1	Different

Logworth values are limited to 100 for graph scaling purposes.
X=Process Old-New Practical Difference Portion = 0.15
Result Table | Means Differences | Practical Differences

1) **Difference** : 평균값 추정값의 차이를 말한다. 여기서는 ANOVA Table 의 Difference 를 말하는 데, 예를 들어 DELL_RPNBR 변수에 대한 Difference 값을 **Analyze / Fit Y by X** 에서 ANOVA 를 통해 확인하면 다음과 같다.

[그림 15.52]

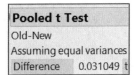

2) **Difference to Detect** : 실제적인 차이가 있는 것으로 간주되는 평균의 차이이다. DELL_RPNBR 변수의 경우 '0.9*표준편차(0.16516) = 0.14865'이다.

3) **Practical Dif PValue** : 두 평균 차이의 절대값이 Practical Difference 보다 작거나 같은 지에 대한 PValue 이다. DELL_RPNBR 변수 기준으로 살펴보면 Difference 의 절대값(0.031)이 Difference to Detect(0.14865)보다 작거나 같은 지에 대한 단측 검정에 해당된다. Practical Dif Value 의 값이 작으면 실제적인 차이(Practical Difference)를 보인다고 할 수 있다.

4) **Practical Equiv Value** : 두 평균 차이에 대한 동등성 검정(Two One-Sided

Test, TOST)에 의한 PValue 이다. 동등성 검정은 **Analyze / Fit Y by X** 실행 후 **▼Oneway ~ / Equivalence Tests** 에서 할 수 있다. DELL_RPNBR 변수 기준으로 살펴보면, 실질적인 차이에 대한 임계값(여기서는 0.14865) 기준 동등성 검정이다. 양쪽 귀무 가설이 모두 기각되므로 실질적으로 동등하다고 볼 수 있다. Practical Equivalence PValue 는 단측 T 검정에서 계산된 가장 큰 PValue 이다.

[그림 15.53]

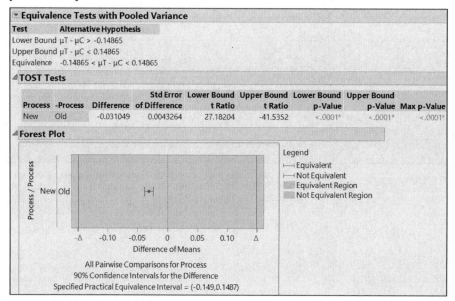

5) **FDR Practical Dif PValue** : 쌍별 비교(Pairwise Comparison)를 위한 Practical difference test 에 대한 FDR PValue 이다.

6) **FDR Practical Equiv PValue** : 쌍별 비교(Pairwise Comparison)를 위한 TOST test 에 대한 FDR PValue 이다.

7) **Practical Result** : 실제적인 차이(practical difference) 및 동등성 (equivalence)에 대한 최종 결과이다.

🖱 **▼Response Screening / Save Tables** 에서 세 가지 방식으로 결과를 저장할 수 있다.

1) **Save PValues** : FDR Pvalue 에 대한 결과와 Analyze / Fit Y by

X 에서의 주요 통계량 및이 테이블로 정리되고 Response Screening 에서의 분석 결과가 테이블 패널에 저장된다.

[그림 15.54]

PValues
Original Data Probe
▶ FDR Logwort...By Effect Size
▶ FDR Logworth By RSquare
▶ FDR PValue Plot
▶ Fit Selected Items
Columns (15/0)
Y
X
Count
PValue
Logworth
FDR PValue
FDR Logworth
Effect Size
Rank Fraction
YMean
SSE
DFE
MSE
F Ratio
RSquare

	Y	X	Count	PValue	Logworth	FDR PValue	FDR Logworth	Effect Size
1	DELL_RPNBR	Process	5794	8.044596e-13	12.094495751	2.39467e-12	11.620754237	0.093873578
2	DELL_RPPBR	Process	5794	0.4782555718	0.3203399617	0.5449559037	0.2636386382	0.009316908
3	DELW_M1	Process	5789	0.1806001982	0.7432817773	0.2459236742	0.6091996613	0.0175983533
4	DELW_M2	Process	5728	4.19956e-322	100	0	100	0.4711415429
5	DELW_NBASE	Process	5778	0.388034756	0.4111293732	0.4570716144	0.3400157489	0.0113568638
6	DELW_NEMIT	Process	5788	7.306034e-56	55.136318307	4.065967e-55	54.390836173	0.2126108821
7	DELW_NENBNI	Process	5792	4.19956e-322	100	0	100	0.4001173372
8	DELW_NSINK	Process	5782	4.19956e-322	100	0	100	0.5857215599
9	DELW_PBASE	Process	5786	2.908704e-31	30.536300511	1.227409e-30	29.911010479	0.1513296795
10	DELW_PCOLL	Process	5785	4.19956e-322	100	0	100	0.694770166
11	DELW_PEMIT	Process	5789	0.6709186367	0.1733301442	0.7257260746	0.1392272729	0.0055850253
12	DELW_PSINK	Process	5789	1.666427e-40	39.778213644	7.709736e-40	39.112960512	0.173813743
13	DELW_RPNBR	Process	5789	9.008231e-24	23.045360484	3.391334e-23	22.469629432	0.1315560972
14	DELW_RPPBR	Process	5793	1.169725e-26	25.931916295	4.583412e-26	25.338811147	0.1397417752
15	DELW_SICR	Process	5787	0.1180928699	0.9277763229	0.1667193458	0.7780140026	0.0205444785
16	M1_COMB_V...	Process	5800	0.3778451214	0.4226861809	0.4548355067	0.3421456395	0.0115806782
17	M1_TRENCH_...	Process	5800	0.0002786205	3.5549868893	0.0005193703	3.2845228853	0.0477011042
18	M2/M1_CAP_...	Process	5800	0.6294372314	0.201047572	0.6866587979	0.1632590111	0.0063365422
19	M2_COMB_B...	Process	5800	0.9988767052	0.0004881149	0.999486039	0.0002232678	0.0000184883

2) **Save Means** : 범주별 평균, 표준편차 값이 저장된다.

[그림 15.55]

	Y	X	Level	Count	Mean	StdDev
1	DELL_RPNBR	Process	New	3044	0.2035840106	0.1916031302
2	DELL_RPNBR	Process	Old	2750	0.2346329436	0.1278299414
3	DELL_RPPBR	Process	New	3044	-0.068072506	0.1784161107
4	DELL_RPPBR	Process	Old	2750	-0.043321135	1.9165048167

3) **Save Means Difference** : 차이에 대한 여러 가지 통계량과 최종 결과가 테이블에 저장한다.

[그림 15.56]

Means Differences
Columns (22/0)
Y
X
Level
-Level
This Mean
Base Mean
Difference
Std Err Dif
Difference L95
Difference U95
p-Value
Logworth
FDR PValue
FDR Logworth
Diff FDR L95

	Y	iv PValue	FDR Practical Dif PValue	FDR Practical Equiv PValue	Practical Result
1	DELL_RPNBR	7079e-153	1	2.37474e-153	Equivalent
2	DELL_RPPBR	0983e-225	1	1.77957e-224	Equivalent
3	DELW_M1	0119e-217	1	5.12434e-217	Equivalent
4	DELW_M2	730520502	0.27967602	1	Inconclusive
5	DELW_NBASE	2236e-223	1	3.48355e-222	Equivalent
6	DELW_NEMIT	74847e-69	1	9.445754e-69	Equivalent
7	DELW_NENBNI	96273744	0.0039746735	1	Different
8	DELW_NSINK	1	3.999097e-36	1	Different
9	DELW_PBASE	1675e-113	1	1.1071e-112	Equivalent
10	DELW_PCOLL	1	0	1	Different
11	DELW_PEMIT	2499e-228	1	1.59987e-227	Equivalent
12	DELW_PSINK	47655e-97	1	4.153607e-97	Equivalent
13	DELW_RPNBR	5441e-125	1	2.28744e-125	Equivalent
14	DELW_RPPBR	3088e-120	1	1.02595e-119	Equivalent

<참고 자료>

『JMP 를 활용한 통계적 공정 관리』, 이종선 / 신익주, 부크크, 2024

『JMP 를 활용한 실험계획법』, 주용한 / 신익주, 부크크, 2023

『데이터 분석을 위한 JMP 활용 : JMP 데이터 전처리와 통계 기초(JMP17 개정판』, 배 용섭 / 신 익주, 부크크, 2023

『https://blog.naver.com/discoveringjmp』, 네이버 블로그 JMP 활용 가이드

『https://www.youtube.com/@info_iesrnd』, 공학통계연구소

『JMP 사용자 설명서, JMP Documentation Library』, JMP, 2024(JMP 18.0 Version)

『데이터 과학자의 사고법』, 김용택, 김영사, 2021

『수학보다 데이터 문해력』, 정성규, EBS Books, 2022

『통계학 : 엑셀을 이용한 분석(제 3 판), 인하대학교 통계학과, 자유아카데미, 2022

『앤디 필드의 유쾌한 R 통계학』, 앤디 필드 외 2 인 지음, 류광 옮김, 제이펍, 2019

『고등학교 확률과 통계』, 배종숙 외, 금성출판사, 2019

『STIPS(Statistical Thinking for Industrial Problem Solving) 한글 Version』, SAS, https://www.jmp.com/ko_kr/online-statistics-course.html

『통계학 이해와 응용』, 유극렬 / 박주헌, 교문사, 2022

찾아보기(Index)

가능도비 267

가설 검정 129

검출력(Power) 161

결정 임계 336

구간 추정 129

그래프 빌더 59

기술 통계 12

기하 평균 26

누적 분포 함수 56

다변량 상관 분석 211

다중 공선성 244

다중 비교 198

다중 회귀 241

다항 회귀 230

단계별 회귀 258

단순 회귀 226

도수 분포표 54

동등성 검정 305

등간 척도 14

로버스터 검정 298

로지스틱 회귀 272

명목 척도 14

민감도 277

범위 29

변동 계수 33

변동성 차트 94

부트스트랩 302

분산 29

분산의 동질성 검정 176

분위수 40

분할 분석 265

비모수적 검정 294

비율 척도 14

사분위수 33

사후 검정 203

산술 평균 27

산점도 64

상관 계수 205

상관 분석 204

서열 척도 14

순위 상관 분석 297

승산비 275

신뢰 구간 30 131

쌍체 비교 178

연속 확률 변수 111

왜도 31

유의차 검정 139

이산 확률 변수 111

이상치 285

이원분산분석 193

이항 분포 112

일원분산분석 190

절사 평균 27 298

정규 분포 115

정규성 검정 150

정확도 329

정확도 검정 267

중앙값 27
줄기 잎 그림 56
중심 극한 정리 123
첨도 31
최빈값 27
추론 통계 12
추정 129
카이 스퀘어 검정 265
카이 스퀘어 분포 125
탐색적 데이터 분석 16
특이도 329
편상관 215
포아송 분포 144
표본 분포 120
표준 오차 30
표준편차 29
확률 분포 111
회귀 분석 219
히스토그램 55

1 Sample T Test 155
1 Sample Z Test 158
1 종 오류 141
2 Sample T Test 178
2 종 오류 141
Accuracy 329
Anderson Darling Test 150
ANOVA 185
AUC 277
Bar Chart 68

Bootstrap 302
Boxplot 41
Butterfly Chart 70
Chi Square Test 265
Contour Plot 74
Contour Profiler 252
Decision Threshold 336
Decision Tree 324
Design Space Profiler 255
Each Pairs, Student's t 200
EDA 16
Equivalence Test 305
Exact Test 267
F 분포 126
FDR 347
Graph Builder 59
Header Graph 34
Heat Map 72
Histogram 48
Huber M 299
Kendall's τ 297
Kruskal Wallis 296
Lift Curve 332
Logistic Regression 272
Matched Pair T Test 178
Monte Carlo Simulation 254
Mosaic Plot 76
Nonparametric Test 294
Odds Ratio 275
One Way ANOVA 190

Outlier 285

PValue Animation 159

Pareto Chart 97

Partition 323

Post-hoc Test 203

PR Curve 334

Prediction Profiler 251

Predictor Screening 345

PValue 143

Response Screening 347

ROC Curve 277

Scatter Plot 64

Scatterplot 3D 90

Sensitivity 329

Shapiro-Wilk 검정   151

Spearman's ρ 297

Specificity 329

Stepwise 258

t 분포 124

Tukey HSD 202

Two Way ANOVA 193

Unequal variances 176

Variability Chart 94

VIF(Variance Inflation Factor) 244

Wafer Map 72

Wilcoxon Rank Sum 296

Wilcoxon Signed Rank 294